To Solfrid Price
    Jan. 1987
    Danville, Va.
from Steinar Mylne family

Folkdräkter

och bygdedräkter från hela Sverige

av *Inga Arnö-Berg* och *Gunnel Hazelius-Berg*

Fotografier av *Carl Lindhe*

under medverkan av *Svenska Ungdomsringen för Bygdekultur*

och *Svenska Hemslöjdföreningarnas Riksförbund*

ICA bokförlag Västerås

Första upplagan, femte tryckningen
1985

© 1975 författarna och ICA-förlaget AB,
Västerås. Mångfaldigande av innehållet
i denna bok, helt eller delvis, är enligt
lagen om upphovsrätt förbjudet utan
medgivande av förlaget. Förbudet gäller
varje form av mångfaldigande genom
tryckning, duplicering, stencilering,
bandinspelning etc.

Kartor: Järk Borén
Redaktion och grafisk form: Ulf Lindahl
Reproduktion: Fägerblads, Västerås
Tryck: Ljungföretagen AB, Örebro 1985
ISBN 91-534-0339-8

Förord

Folkdräktsintresset har under senare tid nått en mycket stor omfattning. Allt eftersom detta intresse vuxit fram har efterfrågan på kunskap och information blivit allt större.

Folkdräktlitteraturen är ju oerhört rik, framför allt när det gäller de ålderdomligare dräktområdena i landet. De yngre dräkterna, i synnerhet de i sen tid rekonstruerade eller konstruerade, är däremot mestadels summariskt beskrivna. De korta notiserna finns dessutom ofta i svårtillgängliga tidningar och tidskrifter.

I den här boken har vi velat samla så många som möjligt av de dräkter som bärs idag. Vi har valt att presentera dem landskapsvis, de gamla välkända och väldokumenterade bredvid de unga, som sammanställts i sen tid som uttryck för en växande hembygdskänsla. Även om vi inser att materialomfånget och det ibland svåravvägda bildurvalet innebär risker, tror vi att en presentation av den här arten ger en värdefull överblick och nya möjligheter till intressanta jämförelser.

Några få plagg har lånats ur museala samlingar för denna fotografering, men det har skett undantagsvis. Det är dagens bruk vi velat belysa. Museerna bevarar originalplagg, dräktbilder och annan dokumentation kring dräkter och dräkttraditioner. I viktiga publikationer har de redovisat delar av sitt material.

Tyvärr har det inte varit möjligt för oss att få med samtliga dräkter som används idag. Bokens med nödvändighet begränsade omfång har gjort inskränkningar oundvikliga. Likartade dräkter presenteras ibland under en gemensam dräktbild och i Ångermanland får en serie tygprover illustrera de olika socknarnas varierade randningar.

I bildtexterna till de nytagna dräktbilderna anges, i den mån det varit möjligt, dräktens ursprung. De gamla dräkternas framväxt och förändring genom århundradena har vi däremot inte redovisat. Litteraturhänvisningarna ger därvidlag vägledning till fördjupade studier på enskilda områden.

En hel grupp dräkter saknas i denna framställning. Det är de samiska dräkterna. De är väl värda ett grundligt studium som bärare av våra ålderdomligaste dräktformer. Men de samiska dräkterna bör ej kopieras och bäras av icke samer, de hör samman med samernas egen historia och deras säregna livsformer inom vilka de levat kvar så länge dessa var oförändrade. Nu är samedräkten sällan en daglig arbetsdräkt, men den är en levande högtidsdräkt för samerna själva.

I några inledande kapitel behandlas vissa aspekter på folkdräkt och bygdedräkt i äldre och nyare tid. Dräktplaggens historiska utveckling och snitt har däremot ej tagits upp till behandling i denna bok. I "Folkdräkter ur Nordiska museets samlingar" har Anna-Maja Nylén givit en klarläggande översikt över de olika plaggtyperna och deras relation till modedräkten.

De närmare 500 nyfotograferade dräkter, som vi presenterar här, bärs av sina ägare. Det är alla dessa, vilka med självklar entusiasm ställt sig till förfogande för fotograferingarna, som möjliggjort vårt arbete med denna bok. Många har offrat åtskillig tid på långa resor och vi är dem stor tack skyldiga.

Ett varmt tack går till Svenska ungdomsringen för bygdekultur som varit till ovärderlig hjälp. Dess medlemmar har inte bara villigt ställt upp för fotografering utan också ofta delgivit oss värdefull kunskap. Ett stort arbete har där lagts ner på att ge oss de bästa kontakterna och att välja ut representativa dräkter. Den som framför allt hållit i trådarna är den outtröttliga Karin Tholinder, som ställt sina stora personkunskaper och sitt gedigna dräktvetande till förfogande. Ulla Centergran har bistått oss för de västsvenska dräkterna, Göran Karlholm för de jämtländska, Majken Andersson för de skånska för att bara nämna fyra namn. Vi riktar ett varmt tack till alla och envar.

Svenska hemslöjdsföreningar över hela landet har ställt sitt material och sina erfarenheter till förfogande och lagt ner mycket arbete på att besvara frågor om äldre material och senare konstruktioner. Det är inte möjligt att här räkna upp alla lokala organisationer men det bör betonas att inom varje län hemslöjden står till tjänst för dräktspekulanter.

Bibliotekarien Karin Näsström har välvilligt biträtt med genomgång av litteraturförteckningen. För äldre bildmaterial har framför allt Nordiska museets arkiv utnyttjats. De plagg som illustrerar tillverkning av äldre dräkter är också hämtade ur Nordiska museets samlingar.

Författarna

Innehåll

Från folkdräkt till festdräkt

I dagens Sverige har vi över fyrahundra bygdedräkter i bruk. Det är dräkter som används vid festlig gemenskap ute i bygderna eller av människor som långt hemifrån vill känna samhörighet med sin egen eller sin släkts hembygd. Det kan vara spelmän, folkdansare eller enskilda personer i privata sammanhang. Till sin funktion är dessa dräkter framför allt festdräkter. Man får ha klart för sig att dagens bruk av folkdräkt i allmänhet saknar sammanhang med dräktens funktion och betydelse i gammal tid.

På enstaka platser lever ännu i viss utsträckning ett lokalt dräktskick som fyller sociala och praktiska funktioner i bygden, men på de allra flesta håll är det inte så. Där har man sedan länge övergått till att bära kläder av allmän prägel, påverkade av skiftande moden och personliga krav. Behovet av en dräkt som uttryck för gemenskap och samhörighet kan emellertid vara lika stort i en trakt utan levande dräkttradition.

Detta behov har resulterat i att man rekonstruerat *bygdedräkter*, dvs sammanställt dräkter med utgångspunkt från de äldre dräktplagg och de uppgifter om gammalt dräktskick som varit möjliga att få fram. På det sättet har många "folkdräkter" tillkommit under de senaste decennierna. De bygger ofta i enskilda detaljer, kanske till stora delar, på originalplagg och har därför förankring i sin bygd. Man får däremot inte tro att de ger en helt rättvisande bild av hur folket i bygden klädde sig. Kanske kunde någon se ut så, kanske ingen.

Kopierar man en enstaka bevarad hel dräkt, blir situationen naturligtvis delvis en annan. Då vet man med säkerhet att man i sin dräkt ser ut så som någon en gång gjorde i de trakterna. Men den variationsrikedom som fanns även i en bygd med bundet dräktskick och som var beroende av bärarens ekonomiska möjligheter, ålder osv är ofta svår att återuppliva idag. Det är ju så att vi på alltför många håll saknar detaljerade kunskaper om hur man klädde sig i gammal tid.

Man måste också acceptera att det inte funnits lokalt särpräglade dräkter överallt. Om man på en sådan plats skapar sig en bygdedräkt, blir det ju med nödvändighet en konstruktion. Den standardiserade utformning många av dagens bygdedräkter har behöver emellertid inte förringa deras värde. De är gjorda för samvaro och gemenskap och har både socialt och kulturhistoriskt sitt givna berättigande.

Intresset för det folkliga dräktskicket — inte minst för att bära folkdräkt — har utan tvivel vuxit på senare år. Företeelsen som sådan är dock ingalunda någon nyhet. Redan våra 1700-talsresenärer, Linné och hans samtida, fascinerades av allmogens klädedräkt. Den var målerisk och annorlunda än den ståndsmässiga och uppfattades som genuin och nationell. Det hände också att den tidens förnäma damer och herrar klädde sig i folkliga dräkter, när de ville koppla av från sin vanliga miljö. Under 1800-talets växande intresse för den gamla folkkulturen kom folkdräkten att inta en självklar plats som uttryck för ålderdomliga traditioner och kom i den egenskapen att få en respekterad ställning. Typiskt är att Sverige deltog med uppmärksammade utställningar av folkdräkter på de stora världsutställningarna i Paris 1867, i Wien 1873 och i Philadelphia 1876. Under 1900-talet har intresset för att klä sig i folkdräkt skiftat under påverkan av politiska och sociala situationer. Idag är det intresset kanske större än någonsin.

Från självhushåll till industrialism

Ännu vid 1800-talets början levde den svenska bondebefolkningen under ålderdomliga förhållanden, som endast långsamt förändrades under intryck utifrån, men 1800-talet skulle föra med sig stora förändringar, som radikalt omvandlade hela samhället.

Det s k laga skiftet, som genomfördes på 1820-talet, förändrade levnadsvillkoren för landsbygdens befolkning i stora delar av landet. Jorden i byarna hade före den reformen varit fördelad på de olika brukarna i mindre, utspridda enheter. Genom laga skiftet fick varje bonde sammanhängande ägor. Detta förde i sin tur med sig att bybebyggelsen sprängdes sönder, eftersom grundprincipen var att var och en skulle bo ute på den egna jorden.

Industrialismen gjorde sitt inträde och började efter hand påverka livsföringen genom nya, fabrikstillverkade produkter. Sakta men säkert lämnade man självhushållets epok bakom sig. Befolkningen ökade snabbt. Kommunikationerna förbättrades osv.

Alla dessa förändringar påverkade naturligtvis med nödvändighet

också dräkten. I de splittrade byarna försvann gemenskapen, i alla de nyuppförda gårdarna tog man lättare upp nymodigheterna. Färdigspunna tråd- och garnprodukter, framför allt av bomull, och även fabriksvävda tyger blev allt vanligare och det dröjde inte länge förrän konfektionssydda kläder började användas även på landsbygden. De förbättrade kommunikationerna gjorde att befolkningen blev rörligare och även detta verkade många gånger upplösande på lokala bygdetraditioner.

Vid 1800-talets mitt fanns inte mycket kvar av lokalbunden folklig dräkt. Vi har hundratals belägg på att så var fallet. Undantag fanns

J. G. Sandberg var en av dem som redan vid 1800-talets början målade folklivsbilder. På den här målningen från 1829 har han samlat sina dräktfigurer kring statyn av Gustav Vasa vid Riddarhuset i Stockholm. Många av dem känner man igen från planchverket *Ett år i Sverige*, som till stor del bygger på Sandbergs bildmaterial. Motivet på tavlan är alltså arrangerat av konstnären. Folkdräkterna i förening med Gustav Vasastatyn blir här symboler för den svenska nationen. – Stockholms stadsmuseum.

visserligen, tex de oskiftade byarna kring Siljan, i Vingåker i Sörm-
land, i några Hälsingesocknar, i vissa delar av Skåne och på några
andra håll, där olika krafter verkade för att konservera ett ålderdomligt
dräktskick. Men dessa exempel är alltså undantag. I de flesta fall
övergick bondebefolkningen under 1800-talets lopp till att använda
kläder som var präglade av den nya tidens villkor.

Folkdräktromantik

Samtidigt som folkdräkterna lades bort ute i landet vaknade i andra
kretsar ett intresse för att i avbildningar och dräktmaterial rädda fakta
om den dräkttradition som höll på att försvinna. Konstnärer som
Bengt Nordenberg, J V Wallander och Jacob Kulle och kulturhistoris-
ka forskare som N M Mandelgren, R Dybeck och N G Djurklou var
några av de många som kom att engagera sig i detta arbete. När
tankarna på Nordiska museet började ta form på 1870-talet var det

Omkring sekelskiftet 1900 var folkdräk-
ter populära i vida kretsar som fest- och
utklädselkostymer. Att dansa folkdans
blev också modernt. Här har Ateljé
Jaeger fotograferat dräktklädda med-
lemmar ur Konstnärsringen. Bland
kvinnodräkterna känner man lätt igen
dem från Rättvik, Vingåker och Värend,
men man ser också att de flesta dräkter-
na har åtskilliga förborgerligade, moder-
na drag. De är inte "riktiga" folkdräk-
ter. — Foto i Nordiska museet.

folkdräkten som stod i centrum för intresset och de första föremål som infördes i museets huvudliggare 1873 var dräktplagg från Stora Tuna i Dalarna. Redan 1847 hade för övrigt en Värendsdräkt tillförts Historiska museets samlingar.

Det intresse för folkdräkt som växte fram under 1800-talets nationella romantik övergick redan före århundradets utgång till en målmedveten dräktforskning. Ett annat resultat var att många framför allt inom borgarklassen började bära folkliga dräkter i festliga sammanhang. De senaste hundra årens intresse för allmogens gamla dräktskick slår en brygga över svalget mellan den levande folkdräkten i det svenska bondesamhället och dagens allt mer medvetna bruk av dräkter i speciella sammanhang, där folkdräkten har blivit en festdräkt.

Om 1800-talets syn på folkdräkten och om 1900-talets folkdräktsrörelse kan man läsa utförligare i senare avsnitt av denna bok.

Folkdräkt och folkligt dräktskick

Man har kommit att sätta likhetstecken mellan folkdräkt och bonde-dräkt. Det är egentligen inte så konstigt. Ännu för 100 år sedan levde 70 % av landets befolkning som jordbrukare och längre tillbaka i tiden var siffran ännu högre. Hur än bondens dräkt såg ut utmärkte den honom som bonde, dräkten markerade att han tillhörde den jordbru-kande klassen. Han kändes igen på sin dräkt antingen han kom som riksdagsman eller sökte arbete som herrarbetare och i gatuvimlet i staden såg man genast vem som var inrest bonde.

Man bör komma ihåg att de återstående 25–30 % av landets be-folkning visserligen levde under andra livsbetingelser men bar dräkter som spelade en lika väsentlig roll för att markera social status och tillhörighet. Det gällde hovfolk och adelsmän likaväl som präster, hantverkare och handelsfolk, tjänstefolk av olika grader, gardister, sjömän, skolgossar osv. Alla var de underkastade samhällets sociala indelning, där dräkten markerade bärarens plats. Det fanns oskrivna regler och tryckta förordningar som noggrant talade om vilka rättighe-ter man hade vid valet av material, plagg och färger.

Strängt taget skulle man kunna tala om folkdräkt också för andra grupper i samhället som bar en traditionell yrkesdräkt, t ex den fiskan-de kustbon, som fortfarande gick i långbyxor under 1700-talets senare hälft, när knäbyxan sedan länge spritt sig till alla andra grupper. Snickarnas och murarnas randiga skjortor och målarnas vita är ju välkända – och gamla – yrkesplagg liksom hammarsmedernas skjor-tor och bodkarlarnas förkläden. Ordet *folkdräkt* har emellertid i dagens språkbruk kommit att beteckna en dräkt med *lokal särprägel* och så används det i denna bok.

Många av de dräkter som kommit till användning bland bönderna och deras likställda saknar den särprägeln. De har karaktär av allmän arbetsdräkt eller är så helt präglade av det samtida dräktmodet, att de nära överensstämmer med den borgerliga dräkten. Från 1820-, 30- och 40-talen har vi t ex många klänningar bevarade som använts i bonde-

miljö. Några av dem har i sen tid tagits upp som gemensam dräkt för den bygd varifrån de kommer. Till sin karaktär är dessa inte folkdräkter. De är i stället bevis för att landsbefolkningen vid denna tid börjar överge sina mer eller mindre ålderdomliga dräkter och klä sig borgerligt, vilket i det här sammanhanget betyder i överensstämmelse med tidens mode. Många av de dräkter som avbildas här skulle man kanske hellre vilja beteckna som *bygdedräkter*. De är inte folkdräkter i egentlig mening utan dräkter som antagits av en viss bygd.

År 1852 målade Fritz von Dardel den här akvarellen av gatulivet på Kornhamnstorg i Stockholm. Folk av olika slag deltar i torghandeln. I förgrunden ser vi några Rättviksbor, på oxlasset sitter en kvinna som kan vara från Sorunda och bakom henne skymtar en Vingåkersflicka. — Stockholms stadsmuseum.

Dräkten i bondesamhället

Vill man försöka få ett grepp om dräktskicket i det gamla bondesamhället, får man söka sig bakåt i tiden och stannar kanske då vid årtiondena omkring 1800. Vid denna tidpunkt var den dräkt allmogen bar på många håll — men ej överallt — traditionsbunden och präglad av självhushållet. De viktigaste materialen var linne, ull och skinn. Köpta material förekom sparsamt men gav variation och personlig karaktär åt de enskilda dräkterna.

Dräkterna var anpassade till vardagens arbete liksom till helgdagens krav, de varierade efter sommar och vinter och i den gamla folkliga dräkten markerades åldrar och civilstånd. Redan barnkolten var olika skuren för gosse och flicka och även mössorna var olika, gossarna hade sex kilar och flickorna tre delar i mössan. Kraftigast markerades den skillnad som fanns mellan gift och ogift kvinna. Uråldriga sedvänjor ligger bakom den obönhörliga regeln att de gifta kvinnorna alltid gick med håret täckt, medan de ogifta kvinnorna ofta endast flätade eller band upp sitt hår. Även i borgerlig miljö var för övrigt hårklädseln för den gifta kvinnan ibland i bruk ännu vid sekelskiftet 1900.

I en del bygder utvecklades med tiden ett dräktskick som var så bundet till kyrkoårets växlingar att de olika söndagarnas innebörd markerades i klädedräkten efter en rikt varierad skala. Vid de största högtiderna, årets och livets, bars de allra finaste plaggen, vid annandagshögtider något enklare plagg, på domsöndagen gick man allvarsklädd, på långfredagen sorgklädd osv efter bestämda mönster, som kunde variera i olika socknar.

Framför allt i socknarna i övre Dalarna har s k *dräktalmanackor* kunnat sammanställas. De klarlägger och kartlägger utomordentligt komplicerade och mycket strängt bundna normer, som många gånger måste vållat befolkningen avsevärda bekymmer. Man kanske saknade de förnämsta plaggen. Man kunde också vara tveksam om den aktuella söndagens rangordning. Det finns många berättelser om hur man låg och kikade när kyrkfolket kom efter vägen för att om möjligt få klarhet i vilket förkläde man borde välja till söndagens högmässa. Det var så viktigt att inte göra fel.

Alla de oskrivna lagarna om bruket av dräkter och dräktplagg var en del av gemenskapen och ingen ställde sig frivilligt utanför genom att bryta mot dem.

En särskild sammanhållande betydelse fick dräkterna för alla dem som från Ovansiljan sökte sig utkomster långt hemifrån (jfr s 142). Det var regel att folk från samma bygd höll ihop på dessa arbetsvandringar. Ibland kunde hela personalen på en arbetsplats vara från samma socken. På den här bilden från Liljeholmens stearinfabrik är det Rättvikskullorna med sina toppiga mössor som dominerar bilden. – Svenska Journalen 1870.

Små variationer i klädedräkten kunde också finnas som hade en mer begränsad innebörd. De kunde vara uttrycksmedel som ersatte språkliga förklaringar. Inom varje dräktområde fanns en självklar kunskap om detta som kanske gick den utomstående förbi men som var uppenbar för dem som levde i bygden. På sina håll kunde man se skillnad på en bonde och en dräng eftersom bönderna bar rem och spänne till sina förskinn vilket inte drängarna gjorde. Om man i Dalby i Värmland såg en bonde med en röd bandremsa insydd i axelsömmen visste man att han ägde ett helt hemman. Mera tillfälliga markeringar ingick också i "dräktspråket". På ett bröllop kunde man kanske i kyrkan urskilja vilka av karlarna som var inbjudna till bröllopet eftersom de hade en annan färg på strumporna än de övriga. I en trakt visste prästen genast om en stolt far, som kom för att anmäla ett nyfött barn till dopet, fått en son eller dotter. Han behövde bara titta på den nyblivne faderns stövlar. Var stövelskaften uppdragna betydde det en son, var de nedhasade betydde det dotter.

Hur dräkten förändrats och variationer uppstått

I olika delar av landet utvecklades efterhand fasta bruk för vävning, färgning och sömnad. Mycket långsamt gjorde sig nyheter gällande. I vilken omfattning det skedde var beroende av om bygden låg centralt eller isolerat och om den hade kontakt med andra sociala skikt, som herrgårds- och bruksmiljöer. Ekonomiska upp- och nedgångsperioder påverkade också dräktskicket och kom det att ömsevis utvecklas eller stagnera. Så uppstod variationer, gammalt blandades med modernare former och bygdeolikheter framträdde, ibland säkerligen önskade och ytterligare markerade i ett slags oppositionell inställning mot andra närliggande bygder.

De variationer man kan iaktta mellan olika folkdräkter behöver inte vara bundna vid sockengränser eller häradsgränser. Ofta var dräktskicket likartat i ganska stora områden, även om det inte saknas uppgifter om att man i detaljer markerade sin sockentillhörighet, t ex när bönderna i Närke hade olika sockenbundna broderier i ryggen på sina långrockar. Att sockenborna i Ovansiljan bar dräkter med mycket karakteristiska olikheter är också välkänt men sådant var eljest inte vanligt. I Skåne har dräktforskaren Sigfrid Svensson kunnat urskilja fyra huvudtyper av dräkter som, med mycket tänjbara gränser, burits inom varsin fjärdedel av landskapet.

På en del håll har bönderna levat i en så intim kontakt med städer, större samhällen, herrgårdar eller andra borgerliga miljöer att de aldrig utvecklat särskilda folkdräkter. Det är fallet med t ex stora delar av Sörmland, Uppland och Östergötland liksom med Bergslagen. Också i trakter med livliga kommunikationer saknas i allmänhet lokalt särpräglade dräkter. Det gäller framför allt landskapen längs våra kuster som Gotland, Bohuslän och östra Småland.

Långsam förändring

Också de traditionsbundna, lokalpräglade dräkterna genomgick överallt gradvisa förändringar, även om dessa var små och först långsamt införlivades med traktens dräktskick. Man skall inte tänka sig att vid en bestämd tidpunkt alla i en trakt bar exakt likadana kläder. Vid sammanringningen i en sockenkyrka kunde man på kyrkvallen samtidigt få se en gammal kvinna i sin ålderdomliga huvudbonad, äldre bönder i långrockar med häktor och unga män i korta jackor med rader av knappar, en förmögen bondhustru med dyrbart köpetyg i kjolen bredvid grannkvinnan i hemvävd dräkt, en ung flicka med modernt snitt på livstycket kanske tillsammans med sin mormor i en högtidsdräkt som kunde vara både 50 och 60 år gammal. Vid sidan av dessa olikheter som kunde ha modemässiga och ekonomiska orsaker, fanns en rad andra som t ex markerade om bäraren var gift, ogift eller änka och om hon bar sorg och hur djup den var.

Om man tänker på hur lång tid det tog att framställa ett dräktplagg förstår man att förändringarna påverkade dräktskicket oändligt långsamt. Linet skulle sås, skördas, spinnas och vävas, ullen skulle växa ut, klippas av och beredas i omständliga procedurer och kanske färgas, innan det blev till tyg, färdigt att skäras till och sys till dräktplagg. De köpta tygerna var åtråvärd lyx och användes länge i så liten omfattning att de inte nämnvärt förändrade situationen. De måste ju betalas med reda pengar och sådana var det ont om i självhushållets samhälle.

Dessa med omsorg och möda framställda kläder aktades naturligtvis noga och betingade ett stort ekonomiskt värde. I synnerhet gäller det för högtidsdräkterna som kunde gå i arv generation efter generation. I många bouppteckningar är dräktplaggen mer värda än den fasta egendomen. Alla dessa praktiska och ekonomiska spärrar bidrog till att ge allmogens dräktskick en ålderdomlig och statisk karaktär. När man, som många pigor fick göra, arbetade i flera år för att få ihop alla delar till en helgdagsdräkt, blev den dräkten använd vid högtider livet ut.

Konservatismens betydelse

Den konservatism som länge utmärkte bondemiljön var ytterligare en faktor som verkade bevarande på ett ålderdomligt dräktskick. Det finns många belägg för att man med ovilja såg på nymodigheter i klädedräkten. När en bonddräng övergav de ålderdomliga häktorna och kom i tröja med knappar, blev man 1697 mycket upprörd i Svennevad i Närke, enligt vad sockenstämmoprotokollet berättar. Under 1700-talet spreds knapparna allmänt, men ännu in på 1900-talet fanns det trakter där en "knappherre" sågs med stor misstro.

Intressant är att det som regel var männen som lättast tog upp modenyheter i sina dräkter och det var också de som under 1800-talet tidigast övergav den gamla traditionella dräkten. Förklaringen till detta för oss kanske förvånande faktum är att kvinnorna i så stor utsträckning genom arten av sina sysslor var bundna till en ofta snävt begränsad miljö. Dessutom saknade de i allmänhet reda pengar, som kunde ge dem möjlighet att köpa moderna tillbehör till dräkten. Männen däremot rörde sig över större områden, de åkte på marknader, hade kanske affärer att uträtta inne i städerna, de såg och träffade folk av olika slag och blev därigenom mera öppna för nyheter. Från Markaryd i Småland finns t ex en uppgift från omkring 1850 att "kvinnfolken nyttja samma enkla dräkt som för ett århundrade tillbaka men karlarna som vandrar omkring med vävskedar, hava urartat från sina förfäder . . . i avseende på klädedräkten".

Ingen trakt i Sverige kan uppvisa ett dräktskick som är oförändrat genom flera sekler. Ett intressant problem är, hur modenyheter i äldre tid trängde in och vann spridning. Det var i första hand det ledande skiktet i samhället som berördes av modet, ty där fanns verkligen de som hade ekonomiska resurser att förnya sin garderob. Man stod nog dessutom ofta under ett starkare tryck utifrån att följa med sin tid. Den dräkt som påverkade det folkliga dräktskicket var närmast den enklare borgerliga dräkten. Uppenbarligen påverkades man i högre grad av nyheter i grannsocknens klädedräkt än av de enstaka ståndspersonernas dräkt i den egna socknen. En hantverkarhustru kunde gå i bindmössa länge, utan att bondkvinnorna tog upp bruket. Inte heller imiterades de dräkter som bars av adelsfamiljerna på herrgårdarna av bönderna och deras familjer. Den klasstillhörighet som markerades i dräkten var viktig och den bröt man inte lättvindigt med.

En nyckelperson vid dräkttillverkningen var, som framhålls på annan plats i denna bok, sockenskräddaren. Men man får ändå tänka sig att bönderna var medvetna beställare som hade sina speciella krav på skräddarens arbete, med allt vad det innebar av traditionella skärningar och modeller.

Yttre ekonomiska faktorer

Ekonomiska faktorer hade avgörande betydelse för hur snabbt nyheter togs upp och slog igenom. En ekonomisk blomstringsperiod gav ofta utrymme för en modernisering av dräkten. Det kan man se t ex i Blekinge på 1700-talet, där dyrbara köptyger började dominera i dräkten som en följd av den vid denna tid gynnsamma ekonomiska situationen. Sidentygerna förblev ett viktigt inslag i Blekingedräkten så länge den bevarade sin egenart av folkdräkt, eller med andra ord framemot 1800-talets mitt.

Även på andra håll kan dräktens utseende berätta om hur en ort eller landsända utvecklats ekonomiskt, hur en högkonjunktur förnyat det lokala dräktskicket och tillfört det nya drag som bevarats under följande perioder. Sydöstra Skåne är ett bra exempel på detta. En gynnsam ekonomisk utveckling från 1500-talets slut gav bönderna möjlighet att bära modemedvetna, delvis dyrbara dräkter. Under 1600-talet svängde konjunkturerna och bygden förvandlades till en fattig landsända. Det förde med sig att folkdräkterna i detta område ännu vid 1800-talets mitt bar drag av renässansens och barockens, 1500- och 1600-talens, modedräkter.

Dagens "folkliga dräkt"

I dag växlar vi dräktstil år från år, kanske ännu oftare, och det är ganska länge sedan man med säkerhet kunde skilja den ena sociala gruppen från den andra med hjälp av klädedräkten så snart det inte gäller arbetsdräkterna. Alla bär likartade kläder, som i allmänhet är konfektionssydda. Det är vår tids "folkliga dräkt". Inte heller folkdräkten markerar längre social tillhörighet. Den är tvärtom helt klasslös. Klädd i sin folkdräkt är bäraren ur social synpunkt helt nollställd och därmed har den blivit en demokratisk festdräkt för alla.

Staten, kyrkan och dräkten

Överhetens närgångna kontroll av den enskilde medborgaren är inte någon ny företeelse. En sådan *centraldirigering* har funnits så länge en handlingsduglig statsmakt existerat i vårt land. Inte minst har den berört dräktskicket med bestämda, ibland drastiska ingripanden. Dessa hade främst nationalekonomiska syften. De material som användes till de högre ståndens dräkter var i stor utsträckning importerade. I det internationella varuutbytet blev detta en tung belastning. Även när en inhemsk industri kommit till stånd var produktionen alldeles otillräcklig för den svenska konsumtionen.

Överflödsförordningarna och det folkliga dräktskicket

Den väg man hade att gå var i första hand att utfärda förbud mot allt överflöd. Man följde här ett kontinentalt mönster. Redan under medeltidens senare del hade sådana bestämmelser utfärdats t ex i Tyskland och Italien. De flesta och mest detaljerade svenska bestämmelserna mot överflöd riktar sig självfallet mot adel, präster och borgare. Om bönderna heter det alltid att de skall förbli vid sitt gamla dräktskick. Svårigheterna vid övervakningen av förbudens efterlevnad var att de berörde olika kategorier på olika sätt.

Den första egentliga överflödsförordningen som berörde dräktskicket utfärdades 1720. Den följdes under hela århundradet av ett flertal nya. Många av dem tog särskilt sikte på användningen av siden, som vid denna tid var en mycket begärlig vara, i vårt land förbehållen vissa privilegierade samhällsklasser. Ett par exempel på hur överträdelser mot förbudet att använda siden kunde bestraffas, kan belysa situationen. I Östergötland dömdes en rad pigor 1728 att plikta med 8 dagars fängelse på vatten och bröd. Brotten bestod i att Kerstin Larsdotter i Greby hade haft en brun sidenmössa i Sunds kyrka, pigan Catharina Månsdotter i Ruda och Maria Persdotter i Sund hade båda burit

Adelsman, borgare, präst och bonde. De
sociala skillnaderna mellan adel, präster,
borgare och bönder markerades tydligt i
de dräkter de bar. Den här illustrationen
av de fyra stånden är hämtad ur Magasin
för konst, nyheter och moder 1829 men
den går tillbaka på en teckning från 1632.

sidenband, och i Sund, Norra Vi och Ryd hade tre kvinnor använt
halvsidenmössor.

Dräktdiskussionerna pågick i de olika stånden, böter utdömdes och
domstolarna fick tillfälle att yttra sig. Högsta Domstolen friade orga-
nisten Jonas Elgström i Växjö som den första maj 1796 nyttjat siden-
band på hatten. Det juridiska problemet låg i att hattband ej särskilt
omnämndes i förordningarna, men då det var tillåtet att bära hårpiska
av siden kunde hattbandet ej anses vara skadligare.

Kyrkoherden i Gladsax i Skåne Olof Bergklint undrade 1801, hur
förordningarna skulle tolkas: om bara en bandstump var förbjuden,
hur går det då med mina pigor i deras bondedräkt och alla andra i
Skåne som använder la, hörande till landets urgamla dräkt? Vid
många sockenstämmor i olika delar av landet diskuterades liknande
frågor, t ex hur man skulle bedöma det silkeskläde som en fästman
understundom kunde kosta på sin fästmö eller det sidenband med vilka
de "ogifta av kvinnokönet vid högtidligare tillfällen uppvevade och
utstofferade sitt hår."

I längden hade man säkert inte så stor framgång med de statliga överflödsförordningarna. Den personliga ofriheten kändes alltmera betungande och förbudens odemokratiska karaktär var alltför uppenbar, eftersom de drabbade skilda samhällslager så olika. Vid 1700-talets mitt gick man så långt att även de hantverkare som levererade plaggen till kunder som inte hade rätt att bära dem ansågs begå en straffbar gärning. Viktigare blev emellertid oppositionen från samtidens sakkunniga på det ekonomiska området. De ansåg allmänt att förordningarna dels var tämligen verkningslösa dels snarast till skada för den ekonomiska utvecklingen, inte minst för den inhemska industriens uppblomstring.

Den sista överflödsförordningen utfärdades 1794. Av dem alla har ingen fått en liknande betydelse för dräkthistorisk forskning. Året dessförinnan utgick nämligen en skrivelse till alla länsstyrelser med begäran om utlåtande och på de flesta sockenstämmor inom riket behandlades detta ärende efter föregående kungörelse. Landshövdingarnas rapporter innehåller en mängd upplysningar om dagsläget och om de skilda förhållanden och traditioner som rådde ute i bygderna.

Andra former av centraldirigering

Emellertid hade myndigheterna även andra möjligheter att hålla sin hand över dräktskicket och leda dess utveckling. Man övervakade noga redan själva importen av tyger och annat material och såg till, så gott det gick, att varorna inte kom till användning i oriktiga sammanhang. Med gällande tulltaxor kunde man också i viss mån reglera priserna och omöjliggöra för mindre besuttna att hänge sig åt något överdåd. På samma sätt verkade de punktskatter som tidvis efter självdeklaration togs ut på t ex peruker, vissa huvudbonader och styvkjolar.

Lönerna till tjänstefolket fastställdes tidvis av länsstyrelserna. I dem ingick regelbundet klädesplagg och för kvinnorna ofta även visst material, såsom lin och ull, så att de själva kunde tillverka sina kläder.

Den statliga propagandan hade bl a på grund av prästerskapets medverkan en mycket stor slagkraft överallt i riket. Den arbetade också på många andra sätt, genom att ge ut broschyrer, dela ut mönsterplagg osv. Slutligen möter vi redan vid 1800-talets början motsvarigheter till de lokalkommittéer, sammansatta av representanter för olika intressegrupper som nu blivit så vanliga. Sådana tillsattes på Kungl. Maj:ts begäran 1816 i alla län för att råda bot på "överflödets dagliga tillväxt och de olyckor, som det alltid förer i spåren". Dessa kommittéer skulle bestå av "femton upplysta och kunniga män ur alla stånd." Så vitt man vet blev resultatet av dessa ansträngningar, i varje fall när det gäller dräktskicket, inte särskilt märkbart. Den ekonomiska utvecklingen gjorde snart hela frågeställningen inaktuell och "överflödet" tycktes inte längre, åtminstone inte för tillfället, medföra några olyckor för det svenska folket.

Soldat i bondekjortel

Medeltidens bondehärar gick man ur huse när fienden hotade landet och överheten kallade. Bönderna kom i sina vanliga kläder och medförde t o m sina egna vapen, armborst och spjut. Det var först Gustav Vasa som organiserade upp försvaret och införde vissa nyheter. Hans värvade soldater, de första av utländsk härkomst i landet, uppträdde i ny modedräkt och gav den svenska soldaten i bondekläder tillfälle till jämförelser med dessa dräkter av nytt snitt och med nya prydnadsdetaljer. Det dröjde länge innan en särskild militär uniform kom i bruk på allvar.

På en teckning från 1502 av striden om Älvsborgs fästning är de anfallande Västgötabönderna klädda i sina vanliga långbyxor och korta jackor. Östgöta fotfolk uppträdde 1620 i militärtjänsten i vanliga bondekläder. När man inte hann tillverka nya plagg samlade man in gamla kläder. Axel Oxenstierna skriver till konungen 1625 från Lettland att han köper upp kläder av hempermitterade soldater för att dela ut till de kvarblivande. Han hoppas att förvärva åtminstone ett hundratal "bondekjortlar", då karlarna har flera stycken utanpå varandra och borde kunna avstå någon. Man använde många likartade plagg utanpå varandra för värmens skull.

Gustav Adolf var en stor reformator på krigsutrustningens område och ville gärna införa nyheter och det gällde även kläderna. 1627 tillverkades bland annat ungerska jackor, som skulle räcka ner på halva byxorna, "där klädet till klädningen är blått, fästes rött i sömmarna och är klädet rött sättes av annan färg som bäst tjänar, dock så att kläderna bliva brokote".

Från den karolinska tiden kan man räkna med en mera genomförd uniformering vid de svenska regementena.

I det militära stiftade soldaterna bekantskap med nya moden och det påverkade säkerligen de unga drängarnas längtan att följa med dräktnyheterna även på hemmaplan. I Frustuna i Sörmland klagas på sockenstämman 1679 över dem "som nu intet finnas nöjda med sin sed utan söka att kläda sig i soldatjacka". Ibland ansåg man att det skulle mottagas nådigt av myndigheterna om man direkt följde uniformsmodet. I Essunga i Västergötland bestämdes 1778, att tyget till jackan skulle vara av samma färg som fåret bär och efter den modell som är vedertagen vid armén.

Ibland måste uniformen ta hänsyn till allmogens vanor och det kom officiella order därom. "Sedan erfarenheten nogsamt visat, det manskapet vid vårt Österbottens Regemente icke kan vänja sig vid skor (medgives dem) att istället för skor nyttja pjäxor som är efter landets sed förfärdigade" (1795). I Dalarna var man inte van att gå utan förskinn och det föranledde en särskild regementsorder 1860 som rekommenderar kompanierna att anskaffa maggördlar åt soldaterna, som besvärades av magplågor vid kylig väderlek, eftersom de ej kunde använda det värmande förskinnet i armén. Soldaten hade också rätt att välja mellan strumpor och fotlappar. De senare var, särskilt i Norrland, länge i bruk till arbetsdräkten och användes bl a tillsammans med skohö i pjäxorna.

Soldaten gjorde emellertid inte enbart tjänst i fält och vid de årligen återkommande mötena utan anlitades också i rätt stor utsträckning för allmännyttiga företag i statlig regi. Dalregementet gjorde arbetskommenderingar i sina vanliga sockendräkter både i Stockholm och i landet i övrigt. I senare tid blev det särskilt utmärkande just för dalfolket att även i arbete utanför hemorten uppträda i den egna sockendräkten. Det är märkligt att se att Karl XI:s förmyndare på 1660-talet bestämde att det kungliga gardet skulle utökas med soldater från Dalregementet, klädda i sina egna kläder, ländande "den svenska, helst daliske nationen till heder". Inom Dalregementet skiljde man på de vita dalkarlarna och de svarta. De förra utgjorde Orsa och Mora kompanier i sina vita vadmalsrockar, de senare Leksands och Rättviks kompanier i sina mörka rockar.

Den tyske resenären Ernst Moritz Arndt som 1804 reste i Fryksdalen i Värmland antecknar att "både karlar och kvinnfolk bruka merendels svarta eller svartbruna kläder med ljusblå uppslag. Blott genom denna dräkt är de i krigstider utmärkta såsom en särskild kår".

Svensk bondesoldat i långbyxor i strid med en tysk legoknekt. Den enkla bondedräkten står i stark kontrast till den kontinentala krigarens utrustning. Den välkända teckningen är utförd av tysken Paul Dolnstein som 1502 deltog i belägringen av Älvsborgs fästning. – Foto ATA.

Den växelverkan som under tidernas lopp ägde rum mellan militär och civil dräkt underlättades av att mången soldat försörjde sig som skräddare i hemsocknen. Det var därför som skräddaren i Reng i sydvästra Skåne kunde trösta en kund som tyckte att hans nya plagg inte passade så bra: "Det ska vara så, det är på militärt vis".

Kyrkan som traditionsbevarare

Den dominerande roll som kyrkan i äldre tid spelade bland befolkningen hade inflytande också på dräktskicket. Inte minst hänger detta samman med dräktens karaktär av statussymbol. Den markerade samhörigheten med andra och utvisade den enskildes ställning i samhällslivet, hans förmögenhetsförhållanden o s v. Det var särskilt i samband med gudstjänsterna på söndagar och helgdagar som dessa dräktens egenskaper hade sin stora betydelse och kom att tjäna sitt ändamål.

Länge betraktades deltagandet i gudstjänstfirandet som praktiskt taget obligatoriskt. Prästerna hade särskilt under 1600- och 1700-talet många medel i sin hand för att se till att detta iakttogs. Bestämmelsen att varje vuxen person åtminstone en gång om året skulle deltaga i nattvardsfirandet upphävdes först 1863. Men prästerna hade enligt kyrkolagen skyldighet att uppmana till nattvardsgång oftare.

Alldeles särskilt viktigt var det att inte försumma de stora högtiderna och böndagarna. I Väse i Värmland uteblev tre personer från gudstjänsten den första böndagen 1692. De skyllde på fattigdom, på brist på rena kläder och på lång väg men dömdes trots detta till 3 dagar i stocken och att stå skrift. Sådana straff utdömdes av sockenstämman, där kyrkoherden var ordförande.

Genom beslut som fattades på dessa stämmor kunde också dräktskicket övervakas och normaliseras. Statliga förordningar tillkännagavs på stämmorna och kompletterades ibland med lokala föreskrifter. Sockenstämman var i allmänhet konservativ och traditionsbunden. Man uttalade sin motvilja mot alla nyheter i dräktskicket. I Mora gick man så långt på 1600-talet att man menade att de unga män som bröt mot fastställda förordningar borde tas ut till soldattjänst.

I sina predikningar kunde prästerna inför hela församlingen brännmärka vad de betraktade som oarter i dräktskicket. Det finns många drastiska exempel på detta, t ex när i en predikan i samband med Larsmässomarknaden i Göteborg handelsmännen liknades vid djävlar som förledde sina kunder till "ögonens begärelse, köttets styggelse och ett högfärdigt leverne."

Mången gång kunde hårda tag komma till användning vid övervakningen av den fordrade enkelheten i dräktskicket. Vid prostvisitation i Torsö i Västergötland 1706 förbjöds en bondpiga att sätta brokigt band i rosor (d v s i rosett) om sin vita huva. Om hon för tredje gången trots förmaningar kom på kyrkbacken med bandet på skulle kyrkvaktaren ta det av henne.

Men det var inte alltid församlingsborna delade myndigheternas önskningar om en långt gående enkelhet. Så ville de burgna Gåsingebönderna i Sörmland på intet villkor avstå från bruket av sina svarta sidenhalsdukar till helgdags, trots att kyrkoherden gjorde vad han kunde för att konungens kungörelser om hämmande av det överflödiga bruket av sidentyger verkligen skulle efterlevas.

Det var inte bara under äldre århundraden och med stöd av dessa överflödsförordningar som det predikades i kyrkorna mot nymodigheter i dräkten. I Östra Korsberga i Småland varnade prästen vid

1860-talets slut i sin predikan de bonddöttrar som lade sig till med hatt och köptyger till klädning. Bondpojkarna borde inte heller köpa korderoj till helgdagskläder utan nöja sig med hemvävda tyger.

Det kyrkliga inflytandet gjorde sig gällande även på annat sätt. Sålunda markerades på sina håll kyrkoåret i dräktskicket och kyrkkläderna anpassades efter storhelg, annandagshelg, allvarsöndagar och vanliga helgfria söndagar. När helgmålsringningen ljöd på lördagskvällen upphörde allt egentligt utomhusarbete och lades världsliga sysslor åt sidan. Då skulle man ta fram de för söndagen lämpliga kläderna. Man följde i dräkten kyrkoårets predikotexter och lät plagg och färger skifta efter söndagens karaktär. Färgvalet i olika socknar var växlande och ej direkt påverkat av de liturgiska färgerna. De dyraste köptygerna, de rikaste broderierna, de äkta Vadstenaspetsarna hörde till storhelgerna. Traditionerna utvecklade sig olika med en rikare eller enklare dräktalmanacka. De mycket detaljerade reglerna med strängt fixerade plagg för de olika söndagarna och helgdagarna torde vara relativt sent tillkomna. De ekonomiska möjligheterna har i äldre tid begränsat antalet plagg och minskat möjligheten att variera. Men skillnaden mellan glada och allvarsamma helger har man alltid försökt att markera på alla håll och inom alla samhällsklasser.

Det var som redan antytts angeläget att man kom klädd som alla andra till kyrkan, ty ett felaktigt plagg stack av från mängden. Man lade så mycket lättare märke till det, eftersom alla hade sina bestämda platser i kyrkan med kvinnorna till vänster och männen till höger om stora gången.

Även årstidsbundna växlingar i klädedräkten kom att knytas till kyrkoåret. Det var vanligtvis på Kristi himmelsfärdsdag som kvinnorna kom utan tröja till kyrkan och då ansågs sommaren börja. Detta iakttogs helt oberoende av väderleken. Var det för kallt fick man sätta tröjan under överdelen, viktigast var att man inte bröt mot reglerna. Vid Mikelsmäss togs tröjan lika regelbundet på igen, ty då började vinterhalvåret.

Sockenstämman med kyrkoherden som självskriven ordförande avskaffades 1862 och den kommunala förvaltningen ordnades på annat sätt. Härmed kom prästerskapet inte längre att inta samma ledande ställning som tidigare. Detta bidrog till att lätta på det gamla kravet om en viss enkelhet och likformighet i dräktskicket. Viktigare var emellertid utan tvivel att en ny syn svepte fram genom landet. Den hade till stor del sina orsaker i den nya tidens omvälvningar i ekonomiskt och socialt hänseende. Men de frikyrkliga rörelserna som spred sig ute på landsbygden fick också betydelse i förändringsprocessen. I den frikyrkliga förkunnelsen har man valfri text till söndagens predikningar. Därmed bortföll den dräktalmanacka som på sina håll varit strängt knuten till kyrkoårets texter. Frikyrkan predikade vidare enkelhet i livsformer och därvid även i klädedräkten. Rött var sålunda djävulens färg och skulle läggas bort. Den enkla vardagsdräkten utan starka färger blev mönsterbildande även för helgdagsdräkten. På många håll i landet försvann under denna omdaningstid den traditionella dräkten helt och hållet. Under en övergångsperiod kunde man på sina håll tydligt se om en kyrkobesökare klätt sig för högmässan i sockenkyrkan eller var på väg till missionshuset eller kapellet.

Herreman i bondedräkt

Som tidigare framhållits var klädedräkten ett klassmärke i det gamla ståndssamhället så att envar kunde placeras socialt med hjälp av de kläder han eller hon bar. Man kände igen bonden på hans dräkt liksom hantverkaren, borgaren, prästen och ämbetsmannen. Därför kunde man också skaffa sig en ny identitet genom att bära kläder från en annan socialgrupp. Så kunde ske i sällskapslekar och vid maskerader men också i allvarligare sammanhang då man förklädde sig för att undgå att bli igenkänd.

Till förklädnad

Om Gustav Vasa heter det att han under sin flykt upp genom landet i Falun "förklädde sig i bondkläder, avklippte sitt hår, antog rund hatt och en kort vadmalströja samt vandrade, jämte de andra bonddrängarna kring orten med yxa på armen för att söka arbete".

När lantmarskalken greve Lewenhaupt, som var den politiskt och militärt ansvarige för hattarnas misslyckade ryska krig 1743, försökte fly ur landet tillgrep han en folklig förklädnad. Carl Tersmeden berättar i sin välkända dagbok hur han träffade lantmarskalken på en jakt i Stockholms skärgård. Tersmeden "gick in i den trånga kajutan och fann greven uti bondklädning med sitt utslagna grå hår".

År 1810 flydde grevinnan Piper i bondekläder ut ur Stockholm sedan brodern, Axel von Fersen, mördats av pöbeln. Ett rykte hade spritts ut att han tillsammans med systern var ansvarig för kronprins Karl Augusts plötsliga död på Kvidinge hed.

Att man tidigt bar folkdräkt vid fester och maskerader finns det många belägg för. När Karl XI reste i Dalarna berättas det att han dansade daldansen klädd i Morakläder. Folkdräkter förekom också vid hovet i Stockholm. 1692 var det kostymbal på slottet varvid kungen uppträdde i bondekläder. Prins Karl (Karl XII) framträdde som ryss,

Den här lilla fina målningen från 1600-talets slut återger Axel Sparre, framstående karolin, konstnär och nära vän till Karl XII. Här dansar han med en ung kvinna. Båda är iförda bondedräkter. Sparre har själv målat tavlan och dräkterna är omsorgsfullt och detaljrikt återgivna. — Privat ägo.

lilla Ulrika Eleonora som dalkulla, prins Fredrik och prinsessan Hedvig Sofia var båda klädda som bondfolk.

Enkelheten blir modern

Under 1700-talets senare del uppkom radikala strömningar som vände sig mot det gängse dräktskicket, sådant det uppbars av hovet och aristokratin. I stället blev i viss utsträckning de kroppsarbetande klassernas livsföring ett ideal för de alltmer dominerande borgerliga samhällskretsarna. Genom den stora franska revolutionen och dess återverkningar i hela Europa fick de nya idéerna stor slagkraft. De spreds också till vårt land och förenades här med den götiska romantiken, som gått som en underström i det svenska kulturlivet ända sedan medeltiden.

Det blev på modet att klä sig enkelt och gärna på gammalt manér. En god representant för dessa åsikter var Knut Lilljebjörn, Erik Gustaf Geijers svåger. Hans son Henrik, som under 1800-talets första år växte upp på den lilla herrgården Odenstad i västra Värmland, berättar om sin barndom, att han gick klädd i "bondkostym. En vanlig värmlandströja av grått vadmal, korta underkläder av bockskinn med små stålspännen vid knäna, grå ullstrumpor och becksömsskor ... Så länge min mor levde, älskade jag mina tarvliga kläder och sträckte ej min önskan i det fallet till någon högre lyx än ett par silverspännen i byxorna. Ett förskinn var den enda tillökningen i beklädnaden som bestods vid kyligt väder." Andra samtida noterade samma tendens. "Hemma i vardagslag gingo herrarna klädda i dylika vadmalströjor som allmogen begagnade och det var en tid ett mode uppmuntrat av länets hövding att även borta begagna rockar av samma snitt, men då av fint kläde och något moderniserade." Man "klädde om sig för att i Jössehäradströja spisa middag på en herrgård i landskapet". Ett par decennier senare har detta mode spritt sig till Stockholm. "Jössedräkten efterhärmas av unga förnäma svenskar, särdeles i huvudstaden, liksom i Tyskland den polska, varmed den förra har någon likhet."

Den medvetna strävan efter enkelhet i klädedräkten motsvarades av en inte sällan framträdande högre uppskattning av det manuella arbetet och en lust att pröva dess villkor. Välkänd är sålunda den forning av tackjärn som Geijer och några andra unga bruksägarsöner deltog i en vinter i Filipstads bergslag. Från Ydre i Småland berättas om en majorska Ridderborg, att hon klädd i skinnkjortel och kragstövlar satt på lasset och körde till Kisa och köpte oxar.

Naturligtvis uteslöt inte användningen av den enkla dräkten, att man hade tillgång också till en mera ståndsmässig ekipering. När flickorna Cederberg åkte från sitt hem, länsmansbostället Kulan på Värmdö, på inköpsfärd till Stockholm bar de "iklädda schaletter upp korgar och byttor med varor till de handlande, där de skulle säljas och andra varor inköpas. Så togs logi i källaren Freden vid Österlånggatan, där ungdomarna fingo kläda sig i herrskapskläder, varefter de på la Croix' kafé å Norrbro intogo glacé."

1800-talets dräktsvärmeri

Framemot seklets mitt började också ett mera direkt intresse för folk-dräkterna att framträda och då särskilt för de färgrika högtidsdräkter som ännu var i bruk i några delar av landet, framför allt i Dalarna, Skåne och Sörmland. Konstnärer, författare och forskare uppmärk-sammade de provinsiella skiftningarna. Överallt i Europa gjorde sig samma intresse gällande.

Inte minst framträdde dräktintresset vid universiteten, både i Lund och Uppsala, där studenter från vitt skilda delar av landet samlades. Bl a anordnade man kostymfester och andra uppträdanden, där de olika studentnationernas landsmän medverkade. I en Falutidning från 1845 kan man t ex läsa att "tvenne hästlass dalkostymer till ett antal av omkring 70 stycken avgått till Uppsala för att begagnas vid den förestående majfesten". Några år senare finner vi att Smålands nation i Lund anordnar ett bondbröllop med uppträdande i folkdräkt i Råby brunnssalong. När G J:son Karlin började det insamlingsarbete som ledde fram till Kulturen, det kulturhistoriska museet i Lund, var avsikten att åstadkomma en rekvisitasamling för sådana tillfällen. Vi har också anledning att förmoda att Artur Hazelius många arrange-mang på Skansen med folkdräktsklädda deltagare till en del har sin förebild i vad han såg i studentårens Uppsala.

På åtskilliga håll i landet kunde man konstatera ett motsvarande intresse för de olika bygdernas och landskapens dräkter. I Söderkö-pings brunnsalong gavs 1855 en konsert med åtta ståtliga sångare klädda i "nationaldräkter, 2:ne skåningar, 2:ne dalkarlar, 1 Vingåkers, 2:ne smålänningar, 1 skärgårdsdräkt". Hazelius antecknade i sin dag-bok 1872 att biskopinnan Hedrén i Karlstad "vigt sig i värmländsk folkdräkt". Det blev också snart på modet att klä barnen i folkdräkt, och då helst någon av de kända daldräkterna.

Man valde också gärna dräkter som man kände sig stå i närmare förbindelse med. På det sörmländska Claestorp var barnen i den Lewenhauptska familjen på födelsedagskalasen iförda dräkter från det närbelägna Vingåker, flickorna med vadmal och mattor under armar-na och gossarna försedda med korgar med vispar. Det var så traktens gårdfarihandlare var klädda.

När kvinnorna började skaffa sig sportdräkt för att åka skidor blev både i Norge och Sverige lapparnas kolt förebild.

Drottning Viktorias "Ölandsdräkt". När drottningen vid 1900-talets början ville bära Ölandsdräkt komponerades en sådan med drag ur det folkliga öländska dräktskicket. Samtidigt var den dock mycket modepräglad. Förklädet slopa-des helt eftersom det inte var ett plagg värdigt en drottning. Dräkten syddes av Augusta Isacksson i Kalmar, som hade en affär för "dockor och nationaldräk-ter". — Foto Nordiska museet.

Oscar II på Särö omgiven av folkdräkts-
klädda badgäster. – Fotografi från 1890.

Det höjdes emellertid också varnande röster mot den passion för att använda folkdräkter som följde med nationalromantikens blomstring under 1800-talets senare decennier. På den fashionabla badorten Särö blev det vid denna tid vanligt att damerna klädde sig i kulldräkter, för det mesta Rättviksdräkter. Den populäre skriftställaren N P Ödman undrade om inte detta kunde uppfattas som ett sorts "spektaklande" med dräkten och att det därmed bidrog till att den bortlades i hemorten. Han berättade också hur Oscar II en gång frågade om dessa dalkullor, som så ofta hälsade honom, var äkta eller utklädda. Vid en av badortena framförde en äldre dam som klätt sig till Rättvikskulla vid presentationen för konungen en liten kokett ursäkt för att hon vid sin ålder uppträdde som dalkulla. Kungen, som var trött på spektaklet, skall ha svarat helt torrt: "Åh, det finns väl kärringar i Dalarna också".

Folkdräktens renässans

Tidigt visade man hos de ledande samhällsklasserna i vårt land ett visst intresse för allmogens dräkter. Redan i den berömda instruktion som Gustaf II Adolf utfärdade för Riksantikvarien 1630 uppmanas denne att bland mycket annat i varje landskap efterfråga "allehanda klädedräkt" som av ålder varit i bruk.

Av och till har folkdräkterna genom århundradena figurerat i olika sammanhang utanför allmogens egen krets. De har som nämnts burits till förklädnad och maskerad, de har också inspirerat dräktskapelser som Gustav III:s nationella dräkt och under 1800-talet blev folkdräkterna symboler för nordiska nationella värden. Det har också funnits högreståndspersoner, framför allt präster men också andra, som aktivt arbetat för att folkdräkterna skulle leva kvar och bäras ute i bygderna.

Några tidiga dräktkonstruktioner

På 1770-talet utformade och fastställde Gustav III en enhetlig dräkt, som var avsedd att bäras av alla utom av prästerskapet och allmogen. Dräkten kallades den *svenska* eller *nationella dräkten*. Den skulle sys av inhemska material. Förebilder hittade kungen bland annat i den skånska allmogens redan då ålderdomliga dräkter. Svenska dräkten kom till för att stävja den tilltagande dräktlyxen. Utformningen speglar också Gustav III:s dräktintresse och hans svärmiska historiesyn. Mansdräkten kom att bli ganska allmänt använd, även om många reagerade mot den korta jackan, som tidigare egentligen inte använts utanför bondeståndet.

Ungefär femton år tidigare hade Carl Gustaf Tessin konstruerat en dräkt för sina underhavande på Åkerö i Sörmland, där han tillbringade sina äldre dagar. Dräkten hade folkdräktkaraktär men bar också drag av modet vid 1700-talets mitt. Tessin uppmuntrade på flera sätt bondkvinnorna i trakten att bära dräkten men den fick trots det aldrig stor

Svenska dräkten efter Jacob Gill-
bergs kopparstick från 1778, samma
år dräkten stadfästes. Ett i stort sett
gemensamt snitt fastställdes, lika för
alla, men en viss frihet i färgvalet
gav variationsmöjligheter. Vissa
material och färgkombinationer var
dock förbehållna hovet och adeln. —
Foto Nordiska museet.

Svenska Nationella Mans Klädedrähten
med Allernådigste Tilstånd graverad af
JGillberg 1778.

spridning. I början av 1950-talet rekonstruerades Åkerödräkten och bärs nu som bygdedräkt i Bettna socken i Sörmland. Mer om Tessin och den dräkt han skapade finns att läsa på s. 108.

Vid 1800-talets början komponerade ägaren till Hällefors bruk i Västmanland, bergsrådet Detlof Heijkenskjöld, och hans dotter en särskild dräkt för bygdens kvinnor. Den skulle göras helt av hemtillverkade material och sys av kvinnorna själva. Den s k Hälleforsdräkten kom att bäras även av Margareta Charlotta Heijkenskjöld och kvinnorna i hennes umgängeskrets. Den togs också upp av fröknarna i det närbelägna Filipstad. Den tidens bruksägare hade ofta radikala sympatier och skalden K A Nicander har helt säkert givit uttryck åt den Heijkenskjöldska familjens tankar, när han skriver:

> Huru ljuvt att skåda alla
> här som syskon klädda gå!
> Vilka lyda och befalla
> får ej tanken reda på.

Den närmaste inspirationen till Hälleforsdräkten hade dock kommit från en statlig cirkulärskrivelse till rikets länsstyrelser 1816, samma år dräkten komponerades. Man bekymrade sig i skrivelsen över det tilltagande överflödet och uppmanade landshövdingarna att i sina respektive län tillsätta kommittéer för att råda bot på detta.

Även på andra håll i landet togs i anslutning till den nämnda skrivelsen vissa initiativ vilka dock inte tycks ha medfört några egentliga resultat. Dit hörde den dräkt som landshövdingen i Västernorrlands län komponerade och förgäves försökte att få de olika socknarna att anta. Man har antagit att svårigheterna berodde på att man inskränkte sina ansträngningar till bondeståndet och lämnade övriga samhällsklasser utanför. Några årtionden senare skrev också den radikale läkaren Johan Magnus Bergman: "Om till en början subskriptionslistor framlades i Stockholm och påtecknades, så skulle snart provinserna följa exemplet och fracken försvinna, helst om hovet och aristokratin ville göra något för denna reform, som icke tyckes medföra den allra minsta politiska fara, om den ock skulle smaka något av égalité och liberté. Om helrocken kunde bliva en svensk nationaldrägt, skulle den i sanning vara därtill mera lämplig än den av konung Gustaf den III införda."

I allmänhet har fria dräktkompositioner visat sig ha en relativt kort

Hälleforsdräkten sådan den rekonstruerades på 1910-talet "helt och hållet som gamlingarna minns den". Kvinnodräkten är blå med röda band. Foto efter foto från 1915. Nordiska museet.

livslängd. För att en nykomponerad dräkt skall slå rot på allvar i en viss miljö, det må vara i stad eller på land, krävs uppenbarligen en känslomässig förankring som knappast kan bli verklighet utan att den bottnar i en historisk tradition.

1800-talets syn på folkdräkten

De romantiska strömningarna hade redan vid 1800-talets början riktat blickarna mot den folkliga kulturen i alla dess former. De fornnordiska idealen låg i tiden och de ålderdomliga kulturelementen ute i bygderna uppfattades som genuina uttryck för nationell egenart. Man kan många gånger se hur intresset för allmogekulturen flätas ihop med det fornnordiska svärmeriet.

Folkmusiken, visan och sagan blev tidigast föremål för studier och insamlingsarbete. Idealiserade föreställningar om det lantliga livets företräden fick C J L Almqvist och några i hans krets att på 1820-talet slå sig ner som bönder i Värmland. Försöket blev kortvarigt och misslyckat men i sina realistiska folklivsberättelser från 1830-talet återkommer Almqvist till den folkliga kulturen som ideal och föredöme.

Det till en början halvt romantiska halvt litterära intresset för den folkliga kulturen fördjupades efter hand till en medveten och insiktsfull forskning, företrädd av namn som Hyltén-Cavallius och Mandelgren. Den ökade förståelsen för särarten i allmogens levnadsformer vaknade samtidigt som den nya tiden radikalt höll på att förändra dess förutsättningar och därmed hela vårt samhälle. Forskningens första uppgift blev därför att rädda och försöka bevara det som ännu kunde räddas. Artur Hazelius' stora insamlingsarbete, som blev grunden till Nordiska museet, är det mest omfattande resultatet av dessa brådskande räddningsaktioner.

I intresset för allmogekulturen spelade självklart de färgrika och pittoreska folkdräkterna en framträdande roll. På 1800-talet utkom en rad publikationer med avbildningar av folkdräkter och dessa bidrog naturligtvis till deras popularitet. Den första dräktboken var *Ett år i Sverige*, som kopparstickaren C Forssell utgav åren 1827−35. Förlagor till de flesta av de 35 bilderna var utförda av J G Sandberg (s. 13 o. 181).

Även målarkonsten tog upp motiv som behandlade folkliv och folkdräkt. Pehr Hilleström hade gjort det redan på 1700-talet. Per Hörberg, Sandberg och flera andra målade folklivsbilder under 1800-talets förra del. Omkring 1850 blev de folkliga och småborgerliga motiven den viktigaste inspirationskällan för en rad svenska konstnärer, som kommit att påverkas av den s k Düsseldorfskolan. Motiv som de tog upp var framför allt situationer ur folklivet, gärna med anekdotisk underton. Från 1850-talet kom detta måleri att dominera det svenska konstlivet under några decennier och här återfinner vi målningar av konstnärer som Kilian Zoll, Bengt Nordenberg, Vilhelm Wallander, Amalia Lindegren och många, många andra. Alla drog de ut i landet, skissade omsorgsfullt de enskilda detaljerna för att sedan hemma i ateljén arbeta ihop det insamlade materialet till större, ofta händelsemättade och föremålsfyllda, målningar. I många av dessa målningar spelar de folkliga dräkterna en framträdande roll. Arbeten av dessa konstnärer färglitograferades och publicerades i planschverk som *Bilder ur svenska folklifvet* 1855 och *Svenska folket sådant det ännu lefver*, som kom ut 1864. Sådana populära bildframställningar gjorde naturligtvis sitt till för att öka intresset för allmogens bruk och sedvänjor.

Den uppmärksamhet den folkliga kulturen drog till sig avspeglade sig inte bara i konsten och litteraturen. På 1840-talet blev t ex bondbröllop en uppskattad omramning till studenternas vårfester i Lund och Uppsala. Man gick också gärna på maskerad i folkdräkt. Om Blekingedräkten sägs det i en dräktbok från 1857, med färglitografier av bland andra A Hård, att den "blivit adopterad av den eleganta världen och svårligen lärer den saknas på någon kostymbal eller maskerad". Andra exempel på hur man klädde ut sig i folkdräkter har vi tidigare nämnt.

Vid den här tidpunkten var det framför allt överklassens nöje att till fest och förströelse klä sig i folkdräkter. För bönderna gällde det i stället att lägga av bondedräkten, klassmärket som spelat ut sin roll. "Avläggandet av folkdräkterna, bondeklassmärket, blev ett av medlen till bondeklassens självhävdelse", har etnologen Sigfrid Svensson påpekat med utgångspunkt i skånska förhållanden. Han har också konstaterat att "när ingen bondmora längre bar de gamla silversmyckena blev de på modet hos herrskapsfruarna". Det är onekligen ett intressant påpekande som i viss mån kan gälla hela dräkten.

När folkhögskolorna vid 1900-talets början engagerade sig i folkdräktfrågan blev folkdräkten åter en folkets dräkt och därmed var grunden lagd till folkdräktens renässans under de senaste decennierna.

Forsslund, Zorn och Ankarcrona

Ett intressant inslag i dräktskickets historia är knäbyxans uppblomstrande popularitet i radikala kretsar framemot 1800-talets slut. Gustaf Näsström har behandlat denna fråga i sin bok om Dalarna som svenskt ideal, men det tycks ännu vara outrett hur bruket uppkommit. Redan August Strindberg bar knäbyxor på 1880-talet. Men framför allt var det Karl Erik Forsslund som blev deras store förespråkare. I boken om Göran Delling (1906) skriver han rentav: "Och knäbyxorna — den som tror att vi utan dem kan bli ett fritt och ungt och spänstigt folk, den vet inte vad frihet och ungdom vill säga." Skrudad i knäbyxor och vadmalskläder reste Forsslund på föredragsturné med en blå slängkappa över axlarna. Så gick också de andra lärarna vid den av honom grundade Brunnsviks folkhögskola klädda och modet spred sig även till andra kretsar. Åtskilliga riksdagsmän kom i sportig dräkt med knäbyxor till riksdagen. I Operans salong satt vår dåvarande kronprins (Gustaf VI Adolf) i svarta sidenknäbyxor till smokingen och många följde exemplet. Ännu omkring 1920 bars knäbyxan med förkärlek i stället för långbyxor av moderna unga män i storstaden.

Karl Erik Forsslund har betytt mycket för att väcka intresset för folkdräkten och dess användning ute i bygderna, framför allt i det landskap han så hängivet skildrat i det stora verket *Med Dalälven från källorna till havet*. Här behandlas dräkten i särskilda kapitel socken för socken på grundval av författarens egna traditionsuppteckningar och i belysning av plagg som han sett under sina mångåriga vandringar. Men själv gick han alltså i den av honom själv komponerade dräkten. Detsamma gjorde Anders Zorn som ändå var född Morapojke och som hela sitt liv var fängslad av färgspelet i de ålderdomliga dräkter han ännu kunde se i användning i sin hemsocken. Förklarligt är kanske att smålänningen Gustaf Ankarcrona inte klädde sig i Leksandsdräkt, trots att han bodde där så länge och mer än någon annan bidrog till att socknens gamla dräktskick överlevde en kritisk period. Men knäbyxa bar han med förkärlek. Detsamma var fallet med den världsberömde nationalekonomen Gustaf Cassel som konstruerade "en alldeles egen dräkt av nästan vit vadmal med knäbyxor. Därtill bar han en grön väst med silverknappar."

Tillsammans med Carl Larsson komponerade Ankarcrona en allmän svensk kvinnlig nationaldräkt, som skulle användas när ingen dräkt med lokal prägel fanns att tillgå. Den hade blå kjol och gult förkläde och det röda livstycket var liksom förklädesbården broderat med vita prästkragar.

En skapelse i ungefär samma anda är den husmodersdräkt som sedan 1920-talets början användes inom husmodersföreningar i hela landet. Tanken var att alla oberoende av samhällsställning, skulle bära samma typ av bomullsklänning och därigenom ådagalägga en sann demokratisk anda. Husmodersdräkten består av en långärmad klänning präglad av det borgerliga dräktmodet före 1800-talets mitt och sydd av olika randiga och rutiga tyger. Sedan ungefär tio år tenderar den att bli allt mindre använd efter hand som bruket av egentliga folkdräkter och bygdedräkter ökar i omfattning. (Se även text och bild på s 119.)

Den allmänna svenska nationaldräkten.

Folkdräkten kring sekelskiftet och 1900-talets folkdräktsrörelse

Det folkdräktsintresse som flammade upp omkring det senaste sekelskiftet var till en början skäligen blåögt och romantiskt. Ännu saknades i mycket stor utsträckning både kunskap och känsla för problemen. Dräkterna ute i bygderna var i upplösning, det var mest gammalt folk som slet på sina dräkter och dräkten blandades upp med moderna blusar, nya skärp och nya kjollängder. Det var då inte märkvärdigt, att stadsfolket ibland satte ihop en daladräkt av plagg från olika socknar. Enstaka plagg användes också tillsammans med de vanliga modebetonade kläderna.

Att problemet hade många aspekter framgår av den kända kvinnosakskvinnan Anna Hierta-Retzius farhågor. Hon var socialt verksam och engagerad i ungdoms- och uppfostringsfrågor. För henne framstod folkdräkt som olämpligt i kombination med dans, eftersom flickorna då inte var snörda och gossarna därigenom gavs större möjlighet att känna det mjuka hullet!

Så småningom blev det dock alltmer självklart att dräkterna skulle

44   *Folkdräktens renässans*

Det var många konstnärer som omkring sekelskiftet 1900 sökte sig upp till Dalarna lockade av både naturen och det särpräglade folklivet. En av dem var Ottilia Adelborg. Hon slog sig ner i Gagnef, där hon bl.a. startade en knyppelskola som fick stor betydelse. 1910 målade hon den här kvinnan och den lilla flickan, båda klädda i pälströjor, skinnkjolar och skinnförkläden s k skimpor. Akvarell i Nordiska museet.

bäras så som de en gång burits på ort och ställe. Museerna började mera allmänt samla in gamla dräktplagg och ställa ut dem, ofta som fullständiga dräkter och grupper av dräkter och när dräktkunskaperna ökade ökade också förståelsen och känslan för traditionen. Inte minst Nordiska museet och sedermera Skansen kom att få ett normaliserande inflytande genom de stränga krav som ställdes på den personal, som gick klädd i sina respektive hemsocknars dräkter. Där var framför allt Dalasocknarna representerade. Skansen hade och har också egna danslag och ringleksbarn som uppträder i folkdräkter. Vad man såg på Skansen fick sin betydelse när det gällde dräktkunskap inte bara för huvudstadens befolkning utan också för turisterna. För att tillfredsställa de egna behoven grundades där genast en särskild klädkammare, som med åren blev mycket välförsedd och som i våra dagar har en landsomfattande utlåningsverksamhet.

På Skansen föddes också flera organisationer som kom att få stor betydelse för den fortsatta användningen av våra gamla folkdräkter. Skansens grundare Artur Hazelius tog 1893 själv initiativet till *Svenska Folkdansens Vänner* och några år senare, 1905, tillkom under medverkan av hans son Gunnar det s k *Folkvisedanslaget*. 1920 bildades *Svenska Folkdansringen* (namnet ändrat 1922 till *Svenska ungdomsringen för bygdekultur*). Allra först satte emellertid denna folkdräkternas renässans sina spår bland studenterna i Uppsala, där en sammanslutning kallad *Philochoros* bildades redan 1880. Till en början bedrev man sina övningar i gymnastikdräkter men 1884 fastställdes att i varje fall högtidsdräkten skulle vara "svensk folkdräkt".

Bland dessa ännu fullt levande organisationer har särskilt Svenska ungdomsringen genom ett målmedvetet arbete nått ut över hela landet. Man gör genom aktiv medverkan från medlemmarnas sida en betydelsefull insats för att hålla kunskapen om de gamla dräkterna levande och för att bidraga till en god standard på nytillkomna dräkter. I detta sammanhang bör även landets hemslöjdsföreningar nämnas. Deras försäljning av material och av färdiga dräktdelar spelar en allt större roll.

Den frivilliga studieverksamheten har inte sällan tagit upp folkdräkterna till allvarligt studium, som dels inriktat sig på lokala inventeringar dels på tillverkning av plagg efter gamla förebilder. Tidigt var en liknande verksamhet många gånger knuten till de för landsbygdens ungdom så betydelsefulla folkhögskolorna.

Intresset för folkdräkterna har vuxit fram med större styrka under vissa perioder. Så var fallet vid 1900-talets början liksom på 1920-talet då också hembygdsrörelsen upplevde sin första stora blomstring. De flesta av landets omkring 700 hembygdsföreningar tillkom under mellankrigstiden. På 1920-talet nådde tillverkningen av nya dräkter en dittills oanad höjdpunkt. En ny sådan våg kom på 50-talet men intresset torde ändå aldrig ha varit så landsomfattande och starkt som på 70-talet. Så långt man nu kan se förefaller inte heller någon avmattning vara att vänta.

Detta spontana intresse för folkdräkterna och för deras bevarande som levande inslag även i våra dagars samhälle stöder sig på en fackmässig, vetenskaplig forskning. En sådan kom igång redan före sekelskiftet vid Nordiska museet, som sedan dess är centrum för dräktforskningen i landet. Därifrån har också utgivits en rad publikationer,

Utställningsarrangemang med Vingåkersdräkter från Nordiska museets första lokaler på Drottninggatan i Stockholm. Dockorna var utformade av skulptören C A Söderman och de visades också på världsutställningen i Paris 1878. − Färglagt fotografi, Nordiska museet.

som kommit att bilda ryggraden i forskningsarbetet, även sedan detta kommit att bedrivas på många andra håll i landet. Här ska endast några huvudarbeten nämnas: P G Wistrands *Svenska folkdräkter* som utkom redan 1907, Gerda Cederbloms *Svenska Allmogedräkter* från 1921 och Anna-Maja Nyléns *Folkdräkter*, som kommit ut i två upplagor, den första 1949 och den andra med nytt bildmaterial och flera tillägg i texten 1971 (se översikt s 230). Monografiska studier av dräktskicket inom ett begränsat område är Sigfrid Svenssons *Skånska folkdräkter* (1935) och Anna-Maja Nyléns *Folkligt dräktskick i Västra Vingåker och Österåker* (1947). Till dessa kommer ett mycket stort antal smärre handböcker och skrifter för att inte tala om uppsatser och artiklar om speciella områden inom dräktskicket eller förhållanden i enskilda bygder. Anvisningar till en del av dessa lämnas i litteraturförteckningen på s 227.

2

Skåne

Skåne är ur dräktsynpunkt ett av Sveriges rikaste landskap. Här återfinns också flera av landets ålderdomligaste dräkter. Ekonomiska och politiska händelser har vid några avgörande tidpunkter bromsat utvecklingen i landskapet. Därvid har klädedräkten fixerats i ett visst utvecklingsstadium för att sedan under lång tid leva tämligen oberörd av tidens växlingar.

Skåne var fram till 1658 en del av det danska riket. Efter Karl X Gustavs danska krig tvingades Danmark avträda Skåne till Sverige. Från att ha varit en central del i en stormakt blev Skåne en utkant i ett nytt land. På 1500-talet hade denna provins upplevat en mycket gynnsam utveckling. En allmän högkonjunktur i Europa drev upp priserna på lantbruksprodukter, vilket givetvis gynnade det bördiga Skåne. Goda ekonomiska konjunkturer för i allmänhet med sig en modemedveten livsstil. I Skåne tog allmogen snabbt upp åtskilliga drag ur modedräkten årtiondena omkring 1600, vilket betydde att renässansens och barockens dräktmoden blev dominerande.

De goda åren varade ett stycke in på 1600-talet. Sedan vände kurvan och Skåne fick vänta betydligt mer än hundra år på en ny högkonjunktur. Det dräktskick som tagit form vid 1600-talets början överlevde in på 1800-talet. Då kom den nydaning av jordbruket som skulle betyda så mycket för de bördiga men tunga jordarna i Skåne. En ny högkonjunktur var på väg och snart kunde man se nymodigheter dyka upp i klädedräkten, huvudsakligen dock lyxbetonade detaljer. Den traditionsbundna dräkten var djupt förankrad och många av dess ålderdomligaste drag levde kvar så länge den skånska allmogens dräktskick behöll sin egenart av folkdräkt. Ännu vid 1800-talets mitt syddes tröjor med axelkarmar och bars vida knäbyxor, precis som 250 år tidigare. Kvinnodräkten bevarade ännu efter 1800-talets mitt plagg som har sina rötter långt tillbaka i tiden. Det gäller livkjolen med mycket kort liv, som har medeltida ursprung, liksom kluten, den för den skånska kvinnodräkten så karakteristiska huvudbonaden. De rika silversmyc-

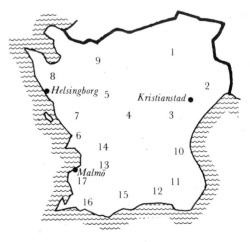

1 Göinge	7 Rönneberg	13 Bara
2 Villand	8 Luggude	14 Torna
3 Gärds	9 Åsbo	15 Vemmenhög
4 Frosta	10 Albo	16 Skytts
5 Onsjö	11 Ingelstad	17 Oxie
6 Harjager	12 Herrestad	

Detalj som visar broderiet över ryggsömmen på en manströja av skinn från Ingelstads härad. Sådana tröjor har varit mycket vanliga i Skåne. Alla bevarade skinntröjor har den relativt sena skärningen med mittsöm i ryggen. – Nordiska museet.

ken som var så typiska för den skånska dräktprakten bevarade också medeltida former.

Sigfrid Svensson har i sin ingående analys av det skånska dräktskicket fastslagit, att landskapets olika dräkter inte kan knytas till t.ex. socknar eller härader. Om strängt lokalbundna variationer funnits, har kunskapen om dessa tidigt gått förlorad. Sockenstämmoprotokoll från 1800-talets början visar att man ofta eftersträvade likhet med angränsande områden, när justeringar av dräkten var uppe till diskussion. I det bevarade materialet kan man i stort sett urskilja fyra dräktområden, ett nordöstligt, ett nordvästligt, ett sydöstligt och ett sydvästligt. Skärningspunkten ligger i Färs härad. I allmänhet gäller att landskapets södra del uppvisar de ålderdomligaste dragen medan det nordvästra hörnet snabbast tagit upp nyheter utifrån.

När man i sen tid känt behov av särskilda dräkter för olika avgränsade områden, har rikedomen i det bevarade materialet med lätthet anpassats till lokalt bundna bygdedräkter, så att man idag räknar med olika dräkter för landskapets 23 härader. Dräkter som bärs som bygdedräkter för samma härad kan vara varandra ganska olika, efterom det gamla dräktmaterialet är rikt varierat även inom ett begränsat område. Detta överensstämmer med äldre tiders bruk men bör kanske ändå påpekas.

Slutligen ett par kommentarer i anslutning till de Skånedräkter som bärs idag. Livstyckena snörs allmänt ihop med maljor och kedja. Så är också fallet med de flesta bevarade gamla plagg. Genom bouppteckningar vet man emellertid att häktade livstycken varit väl så vanliga. Livstycken med maljor var allmänt ansedda som de förnämsta och har därigenom bevarats i större utsträckning. Till kvinnodräkterna bärs gärna svarta strumpor. Den svarta strumpfärgen dominerade redan på 1600-talet i södra Skåne, medan man norrut i landskapet ofta bar blå strumpor. I de gamla folkdräkterna i Sverige är den svarta strumpan annars nästan okänd, medan den varit vanlig i Danmark. Här har vi alltså ett av de drag som förenar det skånska dräktskicket med det danska.

Flera av de skånska museerna har utomordentligt intressanta och fina samlingar av äldre dräkter, som åtminstone till vissa delar visas i museernas permanenta utställningar. På Kulturen i Lund finns det mest omfattande materialet och den rikaste utställningen.

Bonde från Färs härad på 1830-talet. Han bär tröja med knappar och bandbesättning. Den prydande listen vid ärmsömmen är den *axelkarm* som har sitt ursprung i renässansens spanska modedräkt. Tröjor av den här typen var vanliga i Skåne långt in på 1800-talet. Mannen är högtidsklädd i broderad skjorta, hög hatt och eleganta stövlar. — Färglagd litografi efter Otto Wallgren. Nordiska museet.

Vi vet ganska mycket om folkdräkterna i Skåne under 1800-talets förra del, inte minst tack vare konstnären Otto Wallgrens många utomordentligt exakta och fina teckningar och dräktstudier. De är utförda på 1830-talet och tiden däromkring. Några av dem avbildas här och visar hans sakliga och omsorgsfulla teckningsstil. Åren 1860—63 litograferades 22 av hans teckningar och publicerades i planschverket *Skånska allmogens klädedrägter*.

I Frosta härad tecknade Otto Wallgren på 1830-talet av den här högtidsklädda kvinnan, som bär en dräkt med öst- och sydskånska drag. *Kluten* är av den grundtyp som burits i östra Skåne. Den består av en stor kvadratisk duk, som viks diagonalt till en trekant. Trekantens långsida ligger mot pannan, de båda över varandra lagda snibbarna hänger ner i nacken, sidosnibbarna läggs i kors bak och knyts sedan mitt fram, ofta som här med breda band som är fästa i dukens hörn. Den *stickade tröjan* använd som synligt plagg hör hemma i västra och södra Skåne. Den uppträdde tidigast väster ut. Under 1700-talets lopp blev den allt vanligare. Längst höll den sig tydligen kvar i Torna härad där stickade tröjor bars långt efter 1800-talets mitt. *Skinnkjolar* med det utseende bilden visar, är i Sverige bara kända i södra Skåne. Det är en livkjol med kjol av vitt och rött skinn med ett nedre parti av rött ylletyg. Bland annat den tvärrandiga effekten visar att den sydskånska skinnkjolen är ett arv från modedräkten vid 1500-talets slut. Många bevarade skinnkjolar av den här typen är från 1840-talet. – Nord. mus.

Bondhustru från Ingelstads härad i stor högtidsdräkt. Tecknaren har noggrant återgivit alla detaljer i den praktfulla dräkten. Från midjan hänger den karakteristiska "listen" med metallspetsar och galoner och det tunga silverbeslagna bältet. Under bältet ser man det vävda livbandet med tofsar. Kvinnan bär dessutom en rikt broderad linneduk, fäst i midjan över det vita högtidsförklädet. I handen håller hon en sidenduk. Hon bär också en mängd smycken: tröjspännen, halslås, trillekors och striglakors. Kluten är av den typ som bars till stor högtid i sydöstra Skåne. Det är samma klut som kvinnan bär på den nytagna bilden av Ingelstadsdräkten. Lägg också märke till de dubbla kjolarna och särken som sticker fram under dem. – Akvarell av Otto Wallgren. Nordiska museet.

Bjärekvinna finklädd i kjol och tröja av samma tyg samt vitbottnat förkläde och broderad klut. Dräkten är starkt präglad av dräktmodet på 1830-talet och det är ungefär vid den tidpunkten Otto Wallgren utförde teckningen. Till de moderna kläderna bär hon den ålderdomliga kluten. Ofta var huvudbonaden det sista av de gamla dräktplaggen som kvinnorna lade bort. Den regeln gäller lika över hela landet. Nordvästra Skåne, där Bjäre härad ligger, var den del av landskapet som snabbast påverkades av förändringar och nyheter. Tendensen märks på flera sätt och sammanhänger delvis med den roll sjöfarten spelade här. – Akvarell av Otto Wallgren. Nordiska museet.

kilmössa. Lägg märke till hur nära trö-
jan överensstämmer med manströjan till
Villandsdräkten. Västen går tillbaka på
en väst på Gärds härads hembygdsmu-
seum, tröjan och huvudbonaden är syd-
da efter plagg på Kristianstads museum.

Villand

Mansdräkten på bilden består av knä-
byxor, blå enkelknäppt vadmalsväst och
svart jacka, "tröja", med häktor. Skjor-
tan är av linne med fina vitbroderier.

Strumporna, som döljs av läderstövlar-
na, är vita. Hatten har den i Skåne så
vanliga, ålderdomliga formen med rund
kulle och relativt breda brätten.
   Kvinnan är klädd till stor högtid.
Lägg märke till silversmyckena: halslå-
set och hängsmycket, "striglakorset",
samt det silverbeslagna bältet. Dräkten
består av livkjol med öppet livstycke
med prydnadsmaljor. Kjolen är av rött
ylle med svart sammetsband en bit ifrån
nederkanten. Bröstduken, som täcker
livstycksöppningen, är gammal. Gamla

Göinge

Kvinna i festdräkt. Hon bär livkjol av
blått ylle med brokadlivstycke snört med
silverkedja och maljor. Kjolen är nertill
kantad med grönt sidenband. Förklädet
är av blå rask med broderier och band.
Det röda livbandet, "brudlisten", är
prytt på samma sätt. Kluten är vit med
öglor uppe på huvudet. Tröjan är av
blått ylle med rött foder, gröna kantband
samt ärmuppslag av livstyckets brokad.
Till dräkten bärs ibland vitt förkläde
men det blå är högtidligare. Någon stör-
re skillnad mellan dräkterna i östra och
västra Göinge föreligger inte. Det är
egentligen bara klutarna som utformas
olika. Kluten på bilden hör hemma i
västra Göinge. I östra Göinge kan man
knyta kluten ungefär som i det angrän-
sande Villands härad.
   Likheten mellan den här dräkten och
den kvinnliga Värenddräkten är slåen-
de. Det är här fråga om ett samman-
hängande dräktområde som i gammal
tid omfattade nordöstra Skåne, Värend i
Småland och även västligaste Blekinge.
   Mansdräkten består av knäbyxor, en-
kelknäppt väst av grön vadmal, svart
jacka, "tröja", med häktor samt svart

plagg är också det vita förklädet med vävt mönster, överdelen, "opplöten", som är daterat 1859, liksom kluten med sina fina vitbroderier. I handen håller hon den för Villands härad så typiska "svansatröjan" där ryggstycket mitt bak utarbetats till ett överdrivet markerat skört, som förs ut med hjälp av en insydd pappbit. Tröjan är svart med besättning av svart sammet. Den knäpps med häktor. Det ena av de två tröjspännena syns på bilden.

Båda dräkterna går tillbaka på gamla plagg på Kristianstads museum och på Kulturen i Lund.

Gärds

Kvinna i enklare högtidsdräkt och man klädd till sommarhögtid. Kvinnan bär mörkblå vadmalskjol. Även livstycke

och tröja är av blå vadmal. De är prydda med band av blått siden och svart sammet. Livstycket, som häktas ihop, är dessutom kantat med rött. Förklädet är av bomull, randigt i röda och blå färgtoner. Huvudbonaden är en rutig bomullsklut i rött och blått.

Mansdräkten består av vita linnebyxor som är gamla. Skjortan är också ett gammalt plagg med fint broderad krage. Västen är dubbelknäppt och försedd med slag. Den är sydd av tvärrandigt bomullstyg, vävt i rosengång. Ryggstycket är av grovt linne med snörning, med vilken man kan reglera västens vidd. Tröjan är av svart vadmal med hög krage. Den knäpps med hornknappar. Förebilden till tröjan finns på Kulturen i Lund. Vita linnebyxor har använts allmänt i Skåne både som vardags- och högtidsplagg.

Frosta

Man och kvinna i stor högtidsdräkt. Kvinnodräkten består av livkjol med roströd kjol och brokadlivstycke med mullvadsfärgade sammetsband. Det snörs ihop med silverkedja och maljor. Förklädet är vitt och tröjan av svart kläde. Lägg märke till smycket, "halslåset". Kluten är en s.k. spånklut. Den hör framför allt hemma i det nordvästra dräktområdet men spred sig i sen tid diagonalt över landskapet ända ner till Järrestads härad. Jämför de här avbil-

dade klutarna från Onsjö, Luggude och Harjager. I Frosta, liksom på så många andra håll, är kjolen ofta svart till kyrkdräkten. Andra förkläden förekommer som variation till det vita högtidsförklädet.

Mansdräkten på bilden är av blå vadmal. Som alternativ till den randiga västen används en blå väst av samma tyg som dräkten i övrigt. Även kilmössan är sydd av dräktens tyg. Långbyxor av den här typen började vinna terräng i den skånska allmogedräkten redan på 1810-talet men riktigt slog de aldrig ut knäbyxorna. Även i Frosta härad bärs ofta knäbyxor i folkdräktsammanhang.

Onsjö

Kvinnodräkten på bilden består av livkjol med mörkblå kjol och livstycke av blå sidenbrokad. Kluten är en s.k. spånklut och den, liksom det vita förklädet,

markerar stor högtid (jämför Frosta). Mannen bär knäbyxor och tvärrandig väst med ryggstycke av grovt linne. Strumpebanden är flätade och strumporna mönsterstickade av vitt ullgarn. Blå långrock bärs som ytterplagg till mansdräkten.

Harjager

Kvinnan till höger bär en högtidsdräkt sammansatt av gamla och nya plagg. Den svarta kjolen liksom den fint broderade kluten, som här kallas "spånhätta", är gamla plagg. Livstycket är av brokad med bandbesättning. Det snörs med maljor och kedja. Det randiga bomullsförklädet är vävt i rosengång. Sådana fint vävda förkläden har använts mycket till högtidsdräkten i Skåne.

Den andra kvinnan bär en vardagligare dräkt. Den består av livkjol med mörkblå kjol och ljusare blått livstycke med bandbesättning. Livstycket häktas ihop. Förklädet är randigt och kluten av mörkrutigt bomullstyg. Livkjolen är enligt uppgift sydd efter den äldsta kända dräkten i häradet, vilken finns i Harjagers härads fornminnesförenings samlingar.

Till mansdräkten bärs den vita vadmalsjacka med blå kantband, som finns belagd även i andra härader i sydvästra Skåne. Det är ett plagg som blev modernt vid 1800-talets början. Först bars det framför allt av de unga männen men snart blev det mera allmänt använt.

Rönneberg

Kvinnan är klädd till mindre högtid. Hon bär rutig bomullsklut, mörkblå klädeskjol och livstycke av fint mönstrat siden, knäppt med hyskor och hakar. Det randiga bomullsförklädet är gammalt. Kjolen och livstycket går tillbaka på plagg på Malmö museum.

Mannen bär randig väst och mörkblå jacka med slag, sydda efter gamla plagg på Rönnebergs hembygdsgård. Byxorna är mellanblå och skurna med sömmar endast på benets insida, s.k. ensömsbyxor, efter gamla plagg och avbildningar. Han bär hög hatt vilket de skånska bönderna började göra på 1820-talet, tidigast i landskapets nordvästra delar, lite senare söder ut och allra sist i det sydöstra hörnet, som i många avseenden var ett reliktområde, vilket betyder att man där konserverade gamla bruk.

På den andra bilden ser man hur kvinnan klätt sig till en större högtid.

Hon har samma kjol och livstycke men har nu tagit fram det vita förklädet, den broderade tyllkluten, sidenhalsklädet och halssmyckena av silver, "trillekor-

set" och "striglakorset". Till de verkligt stora högtiderna bärs till dräkten en större klut, lik de här avbildade spånklutarna från Luggude, Onsjö och Harjager.

Luggude

Kvinnodräkten på bilden är en högtidsdräkt med kjol och tröja av svart kläde med bandbesättningar av svart sammet

och på tröjärmarna dessutom guldspets. Tröjan häktas ihop fram och har ett uppvikt skört, skott med röd vadmal. Livstycket, som döljs av tröjan, är av körsbärsrött siden med kantskoningar av svart sammet. Det knäpps med hyskor och hakar. Den mycket fint broderade spånkluten och rosengångsförklädet av bomull är båda arvegods från 1830-talet. Dräkten i övrigt är sydd efter museiplagg.

Mannen bär knäbyxor av sämskat skinn, tvärrandig väst och mörkblå långrock. Den långa rocken togs upp av den skånska allmogen först sent på 1700-talet. Sigfrid Svensson har påpekat att konstnären Pehr Hilleström regelbundet avbildar smålänningarna i livrock, d.v.s. långrock, medan skåningar och blekingar på hans målningar alltid bär korta tröjor. Tidigast dyker långrocken upp norr ut. Framför allt i de nordvästra häraderna påverkas den av modedräkten under 1800-talets förra del.

Åsbo

Flickor i söndagsdräkter. Båda dräkterna består av livstycke med häktor och kjol av vadmal med uddbård på kjolen

och kantskoning på livstycket av svart sammet. Randiga förkläden på vit botten och huvuddukar av rutigt bomullstyg. Till den röda dräkten bärs tröja av svart kläde. Flickan till höger har särk med vitbroderier under sin blå dräkt. Hon har halskläde av ylle och hennes förkläde är vävt efter gammal förebild. Kjolar och livstycken är sydda efter plagg på Nordiska museet.

Albo

Den unga kvinnan bär livkjol med mörkblå kjol och livstycke av sidenbrokad med mullvadsfärgade sammetsband. Den är sydd efter originalplagg på Stenestads hembygdsgård. Där finns

också förebilden till överdelen som har öppna ärmar. Det randiga bomullsförklädet är gammalt. Håret är uppbundet med röda band i överensstämmelse med det gamla bruket att de ogifta kvinnorna ofta gick med håret obetäckt. Till dräkten hör en tröja av mörkblått kläde. Mansdräkten består av knäbyxor och blå enkelknäppt väst. Även randiga västar används. Den blåsvarta vadmalsjackan är en avkortad rock. Den är ett gammalt, ärvt plagg.

Ingelstad

Kvinnan är klädd till stor högtid. Hon bär livkjol med röd kjol och brokadlivstycke. Både överdelen och den praktfulla kluten är gamla plagg och förklädet är sytt efter ett gammalt förkläde. Det breda livbandet är vävt i opphämta med mönster i rött ullgarn på linnebotten. På höger sida hänger brudlisten av rött kläde med band och galoner precis som man kan se ibland på äldre avbildningar. Tröjan är av svart kläde med den karakteristiska rundade öppningen fram, som finns där för att man ska se även de fina plaggen under tröjan. Denna är prydd med gröna sidenband och tröjspännen av silver, fästa på underlag av rött siden. Från midjan hänger ett rikt broderat vitt kläde och en sidenduk, också detta i överensstämmelse med

gammalt bruk. – Samma klut används vid högtider också i grannhäraderna Ljunits och Herrestad. I något enklare sammanhang bärs s.k. halvklut, en mindre vit klut. Även rutiga bomullsklutar förekommer ofta. Jämför den här avbildade kvinnodräkten från Herrestad.

Mansdräkten består av knäbyxor, gammal skjorta med rika broderier, mörkblå, enkelknäppt väst med knapphålen omväxlande röda och gröna samt jacka, "tröja", av mörkblå vadmal. Västen bärs knäppt men är här öppen för att skjortans broderier ska synas. Den kalottformiga kilmössan är blå med grön kant. Väst och tröja är sydda efter plagg på Simrishamns museum. I Ingelstad används inte sällan mörkblå manströjor med grön bandbesättning och broderier. En sådan tröja finns avbildad t.ex. i Anna-Maja Nyléns *Folkdräkter* från 1949.

Herrestad

Mannen bär brudgumsdräkt, kvinnan en något enklare högtidsdräkt. Mansdräkten består av sämskskinnsbyxor med broderier samt väst och jacka, "tröja", av mörkblått kläde. Knapphålen i tröjan är omväxlande röda och gröna.

Skjortan med den högt uppstående kragen är av linne med fina vitbroderier. Rundkullig bredbrättad hatt med brett hattband. Påfågelsfjädern markerar enligt uppgift att bäraren är trolovad. Samtliga plagg, även stövlarna, är gjorda efter gamla originalplagg.

Kvinnans dräkt är mycket lik den från Ingelstad men livstycket är här kantat med blå sidenband. Hon bär vidare randigt ylleförkläde med knytband och rutig bomullsklut. Dräktskicket har varit mycket likartat i sydöstra Skåne och vid en stor högtid kunde en kvinna från Herrestad vara ungefär likadant klädd som den Ingelstadskvinna som avbildas här.

Torna

Kvinnan bär vardagsdräkt med livkjol av mörkblå vadmal. Under denna har hon särk med öppna ärmar. I högtidligare sammanhang är ärmarna rynkade mot en linning. Förklädet är randigt och den mörka kluten är av bomull. Strumporna är blå. Knytet i handen har ett modernt rutmönster, men i sådana enkla dukar bar man i gammal tid med sig det man kunde behöva vid ett besök i grannbyn eller på marknaden. Mansdräkten består av knäbyxor, mörkblå

dubbelknäppt väst och vit vadmalsjacka med blå kantband. Här är huvudbonaden en trekantig hatt men ofta bärs kilmössor till de vita jackorna.

Torna

Flickan till höger bär högtidsdräkt bestående av livkjol med svart, goffrerad kjol och livstycke av brokad med besättningar av blått siden. Det snörs med maljor och silverkedja. Dräkten är sydd efter originalplagg på Nordiska museet. Under livkjolen bärs en festsärk med broderier. Förklädet är av tunt, mönstervävt tyg, nertill prytt med en figurklippt skoning. Håret bärs ombundet med röda band. Den andra dräkten är en vardagsdräkt med särk av linne, randigt förkläde och klut av bomull samt träskor direkt på fötterna. Så gick man ofta klädd i arbetet på sommaren inte bara i Torna härad. Lägg märke till den ålderdomliga, höga skärningen både på livkjolen och särken. Den gamla livkjolen levde längst kvar i ett område från Torna till Ingelstad. I dessa trakter var den i bruk ännu efter 1800-talets mitt.

Bara

Kvinnodräkt bestående av grön kjol och livstycke av brokad med gröna band. Det snörs med maljor och kedja och bakom snörningen ligger en skyddande bröstlapp. Förklädet är av halvylle, vävt i munkabälte. Det är ett högtidsförkläde. Den vita kluten är också ett högtids-plagg. Bara-kluten har en karakteristisk form och är den ålderdomligaste av de skånska klutarna. I det angränsande Torna härad har klutarna bundits på ett mycket likartat sätt.

Mannen är klädd i vita linnebyxor och skjorta av linne. Västen är ett gammalt plagg. Den är sydd av svart kläde med liten krage. Ryggstycket är av linnelärft med tryckt mönster. En svart jacka hör till dräkten. De vita linnebyxorna upp-ges ibland höra till skörde- eller "hös-te"-dräkten men de har använts allmänt sommartid i olika sammanhang.

Vemmenhög

Kvinnodräkten består av brokadliv-stycke med valk, s.k. pölsa, i nederkan-ten. Det snörs ihop med maljor och ked-ja. Kjolen är av grön vadmal med mull-vadsfärgat band nertill. Även tröjan är av grön vadmal. Överdelen har relativt

stor halsringning med bred, rynkad halsremsa. Håret bärs uppbundet med röda band. Förklädet är randigt med mönster i krabbasnår, vävt efter ett för-kläde på Kulturen i Lund. Dräkten i övrigt är sydd efter plagg på Malmö mu-seum.

Mansdräkten består av knäbyxor samt väst och jacka, båda enkelknäppta och sydda av mörkblå vadmal. Under jackan sticker en röd snusnäsduk fram. Den lilla pojkens dräkt överensstämmer med mansdräkten. På huvudet har han en kilmössa av mörkblå vadmal.

Skytt

Till höger högtidsdräkt och till vänster en enklare festdräkt. Mannen bär "fiskardräkt" av svart vadmal. Den består av långbyxor, väst och jacka och är sydd efter originaldräkt på Kulturen.

Till båda kvinnodräkterna bärs svarta, tätt rynkade kjolar med blå sidenband nertill. Båda överdelarna har vid halsringning och bred rynkad halsremsa. Högtidsdräktens gröna sidenlivstycke har valk nertill och på denna vilar kjolen. Livstycket snörs fram med maljor och kedja. Det rikt mönstrade förklädet är vävt efter original på Kulturen. Halsklädet är av siden i grönt och svart. Den vita, broderade kluten fullbordar intrycket av högtid. Till denna dräkt används en likadan svart tröja med blå sidenband som bärs till den andra dräkten. Också kvinnan till vänster har sidenlivstycke men hennes förkläde är enklare och kluten är av mörkt bomullstyg, vilket ger dräkten en vardagligare karaktär.

Oxie

Högtidsdräkten till höger består av grön yllekjol och kort livstycke av sidenbrokad med bandbesättningar. Livstycket snörs fram med maljor och kedja och är nertill försett med en valk eller en "pölsa", som kjolen vilar på. Överdelen har rund, rynkad krage eller halsremsa, precis som dräkten till vänster. Ett brokigt sidenhalskläde ligger i kors över bröstet. Förklädet är av tunt, vitt tyg och kluten är den gifta kvinnans vita högtidsklut. Tröjan är av svart kläde med svarta sammetsband och nertill på ärmarna garnering av blommiga sidenband. Den vänstra kvinnodräkten har en vardagligare prägel med den röda stickade tröjan, "spetetröjan", det mörkrandiga förklädet och bomullskluten. Överdelens runda krage överensstämmer med högtidsdräktens. Man känner igen den från både Vemmenhögs och Skytts härader. Kjolen är av blått ylle och vilar på livstyckisvalken. Livstycket med de mycket smala axelbanden är av siden. Med andra tillbehör kan dessa plagg bäras också i högtidssammanhang. De anmärkningsvärt korta livstyckena är typiska för det sydvästra hörnet av Skåne. Också modellen på överdelarna och högtidsklutens utformning är element som återfinns på andra håll i sydvästra Skåne.

Mannen bär knäbyxor och högknäppt blå väst med liten krage. Västen knäpps med silverknappar. Även jackan är av mörkblått ylle. Den är enkelknäppt och har nerliggande slag. Hatten är bredbrättad och rundkullig.

Blekinge

I Blekinge levde länge ålderdomliga dräktelement kvar samtidigt som nya material och moderna detaljer togs upp och införlivades med dräkten, som blev färgrik och varierad.

Trots att Blekinge är ett litet landskap har i dess olika delar utvecklats markerade särdrag. Man lägger märke till det också i dräktskicket. I väster hittar man flera ålderdomliga element och där dominerar de hemvävda tygerna. Österut blev dräkten tidigt starkt präglad av granna, köpta material. En gränslinje mellan västligt och östligt går ungefär vid Ronnebyån. Västra Blekinge sammanhänger av gammalt med nordöstra Skåne och det gamla Värend, medan landskapets östra del haft viktiga kontakter med Kalmartrakten och även med Öland.

Liksom andra delar av Sydsverige har Blekinge under långa perioder tillhört Danmark och den växelvisa påverkan av danskt och svenskt har givit landskapets odling åtskilliga särdrag. Ytterst betydelsefullt för utvecklingen blev att den svenska flottan omedelbart efter segern över danskarna 1658 började planera för att flytta sin örlogsbas till Blekinge. Den låg bra till vid ett eventuellt krig med Danmark och där fanns möjligheter att anlägga hamnar som var isfria nästan hela året.

Under 1700-talet upplevde Blekinge en blomstringsperiod som räckte in på 1800-talet. Karlshamn, som redan tidigt var en viktig handelsplats, växte i betydelse och var årtiondena före 1830 Sveriges tredje sjöstad. Karlskrona blomstrade som militärstad. År 1805 fanns där 10 553 innevånare, vilket betyder att Karlskrona då var landets tredje stad i storlek. Det var hamnarna, fartygen och seglationen som förde välståndet till dessa trakter.

Som vid alla kuster med betydande sjöfart mottog befolkningen intryck och impulser utifrån. Utländska varor som siden och porslin blev självklara inslag i det dagliga livet. I klädedräkten tog man upp köptyger i större omfattning än i något annat svenskt landskap. Detta gav framför allt den kvinnliga Blekingedräkten en färgrik och festlig karak-

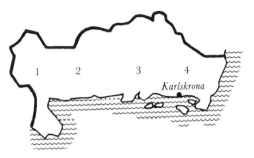

1 Listers härad
2 Bräkne härad
3 Medelstads härad
4 Östra härad

Den blekingska kvinnodräkten var färgrik och vacker. På den här målningen, "Offer i en Blekingekyrka", ser man också att den var variationsrik. Här finns olika färger på kjolar och livstycken och olika material i förkläden och garneringsband. Även huvudbonader och tröjor är varierande. Oljemålning av J. V. Wallander, signerad 1858. – Nordiska museet.

tär, som uppmärksammades av resenärer både på 1700- och 1800-talen. Gustav III, som reste genom Blekinge 1773, berömde i ett välkänt yttrande allmogekvinnornas "vackra dräkt". Den var också en av de dräkter som tidigast togs upp av de högre stånden och bars som en uppskattad fest- och utklädselkostym (se s 42).

I den folkliga dräkten har närvaron av sjöofficerare och båtsmän satt sina spår. Den korta mansjackan har här som i andra kustbygder utvecklats i nära anslutning till det sjömilitära modet. Den jacka som bärs t.ex. till den öllerska mansdräkten för omedelbart tankarna till uniformsmodet vid 1800-talets början.

Redan före 1800-talets mitt började den folkliga dräkten i Blekinge ge vika för modedräkten. Ett stort och varierat dräktmaterial finns dock bevarat. Det har mestadels en ganska ung karaktär. Endast i enstaka plagg från västligaste Blekinge kan man spåra ett äldre dräktskick. I det bevarade materialet kan man urskilja vissa olikheter i tygval och snitt för landskapets östra och västra delar, men några mer avgränsade lokala särdrag går inte att uppfatta. De Blekingedräkter som bärs idag är inte heller knutna till socknar eller härader. De är rätt och slätt "Blekingedräkter" med en allmän anknytning till västra, östra eller mellersta Blekinge.

Östra Blekinge

Kjol av mörkgrönt halvylle med kant-
band. Livstycke av lila sammet med
bandbesättning, sytt efter original från
Edestads socken i Medelstads härad.
Överdelen är av fin bomullslärft med
rikt broderad stor krage. Lägg märke till
den generösa ärmvidden, som är typisk
för Blekinge. Huvudbonad av slät vit
lärft knuten utan stomme med en liten
knut i pannan. Halsklädet är av grått
siden, förklädet av blommig kattun. Det-
ta material, ett bomullstyg med tryckt
mönster, fick redan på 1700-talet en rik
användning i den folkliga dräkten på
många håll i landet. I Blekinge är kat-
tunsförkläden inte så vanliga, vilket kan
ha berott på att sidentygerna tidigt fick
så stor spridning här.

Mellersta och västra Blekinge

Sorgdräkt från mellersta Blekinge och
sommarhögtidsdräkt av västblekingsk typ.
Den lilla flickan bär helgdagskolt sydd
efter äldre uppgifter och gamla avbild-
ningar. Mycket få barnplagg från Ble-
kinge finns bevarade. Sorgdräkten är
sammanställd av svarta plagg i överens-
stämmelse med gamla uppgifter. Det vi-
ta, släta sorgförklädet med mycket bred
fåll är karakteristiskt också för de högre
ståndens sorgdräkt. Sommarhögtids-
dräkten till höger består av rynksärk
över vilken bärs vit kjol, livstycke av rött
ylle med sidenband samt randigt förklä-
de. Håret är ombundet med blåa band. I
äldre tid var det vanligt att de unga
kvinnorna gick utan huvudbonad med
håret uppbundet eller hängande. Den vi-
ta sommarkjolen bars mellan Kristi
Himmelsfärdsdag och Mikaeli.

Östra Blekinge

Tre dräkter som speglar det rikt varierande dräktskicket i östra Blekinge, d.v.s. öster om Bräkne Hoby. Personerna på bilden är alla klädda i högtidsdräkter, som är sydda efter gamla plagg, huvudsakligen från Medelstads härad.

Mannens dräkt består av gula knäbyxor, randig sidenväst och mörkblå jacka med ståndkrage och dubbla knapprader. Han har mörkblå strumpor, skjorta med hög krage och halsduk av siden. På huvudet hatt med hattband.

Kvinnan i den vita huvudduken är klädd till stor högtid. Hon är gift och bär under kluten en liten undermössa av tryckt bomullstyg. Hon har överdel av fint bomullstyg med lös krage, sidenlivstycke och sidenförkläde. Kjolen är mörkgrön.

Flickan till höger har en enklare högtidsdräkt. Huvudduken är av rutigt bomullstyg knuten direkt på huvudet. Dräkten består för övrigt av rak särk, en undre kjol med förkläde, som ej syns på bilden, och däröver en rödbrun halvyllekjol, randigt förkläde av bomull samt livstycke av blått kläde med sidenband. De blå livstyckena var de vanligaste och användes både till vardags och i högtidligare sammanhang. Över armen bär hon en stor ylleschal med orientaliskt mönster som vid behov kan läggas över axlarna. På 1800-talet uppträder den stora schalen som ytterplagg. Träskorna på bilden markerar att man i gammal tid var rädd om sina läderskor och ofta inte satte dem på sig förrän man var framme vid kyrkan.

Öllerska dräkten och Blekingedräkt

Den s.k. öllerska dräktens kvinnodräkt består av blå kjol, rosa livstycke och överdel av linne. Förklädet är vitt men kan också vara randigt i rött-vitt-blått.

Strumporna är röda med vita korsstygnsbroderier. Till dräkten bärs klut med tyllbroderier och det karakteristiska livbandet, "fälttecknet", som ju till typen är välkänt i angränsande delar av Småland och Skåne. Mansdräkten består av gula mollskinnsbyxor, dubbelknäppt väst av gråblått linne, mörkblå jacka och hatt med brätten.

Till grund för dessa delvis konstruerade dräkter ligger prosten J. J. Öllers berömda beskrivning från år 1800 över Jämshögs socken i västligaste Blekinge. Öller beskriver en dräkt som har åtskilliga likheter med den ålderdomliga kvinnodräkt som vi känner från Värendbygden i södra Småland och från nordöstra Skåne och som också finns belagd i bevarat material från västra Blekinge. Den öllerska bygdedräkten, som sammanställdes åren omkring 1950, har inte denna ålderdomliga karaktär utan tar upp flera av de yngre drag som antyds av Öller.

Kvinnan i mitten bär en dräkt som består av blå yllekjol, överdel med vit-broderier, rosa linnelivstycke av västligt snitt samt bomullsförkläde i de typiska blekingefärgerna rosa och blått. Huvudbonaden är av vitt bomullstyg med yllebroderier i färger. Det är en fyrkantig duk som knutits till en "hätta" eller "luva". Sådana här huvudbonader är kända framför allt från Medelstads härad. Av flera uppgifter att döma bars de av de gifta kvinnorna "inomhus utan klut, utomhus med kluten över".

Gotland

Gotlands blomstring och storhetstid inföll mycket tidigt. Under hög-medeltiden var Visby Nordens kanske viktigaste stad, men redan vid nya tidens början hade ön förlorat sin centrala ställning.

Knappast några plagg med lokal särprägel har bevarats på Gotland. Det finns dock gamla notiser som antyder att ålderdomliga och karakteristiska dräkter funnits här. Man vet också att gotlänningarna kallades "byxkarlar", och det är ett öknamn som ger en intressant dräkthistorisk upplysning. Av benämningen framgår att den medeltida och förhistoriska långbyxan levde kvar här och blev ett karakteristiskt plagg, precis som i en del andra fiske- och sjöfararbygder.

När Linné på sin Gotlandsresa 1741 besökte Rone socken på södra delen av ön, antecknade han att Roneborna, som länge varit kända för sitt gamla språk och sin speciella klädedräkt, förändrats så att man knappast längre kunde få se deras vita, knälånga tröjor, deras svarta västar som snördes utanpå tröjorna och deras stora byxor. I sina arbeten om gotländskt folkliv beskriver P. A. Säve på 1870-talet ålderdomliga drag i allmogens klädedräkt men, skriver han, "i senare tiden är allt vad gammal folkdräkt heter försvunnen".

Det är uppenbart att den gotländska allmogens klädedräkt redan på 1700-talet blev allt mer borgerlig. Att dräktlyxen åtminstone på sina håll var utbredd, framgår av sockenstämmoprotokoll från 1700-talets slut, där siden och andra köpetyger är återkommande diskussionsämnen. Visby upplevde en viss uppblomstring under 1700-talet och borgarna där har säkert haft betydelse som nyhetsförmedlare. Allmogens återkommande handelsfärder till Stockholm kunde naturligtvis också ge nya impulser och intryck. Fårkött, ull och skinn var viktiga handelsvaror. På Gotland framställdes också en för sin vithet berömd vadmal, som var eftertraktad även av "förnäma herrar" i Stockholm. En annan handaslöjd som gjorde Gotland känt var de stickade varorna. Redan på 1600-talet tycks gotlänningarna ha lärt sig tekniken och tidigt såldes stickade Gotlandsstrumpor på fastlandet. På 1700-talet

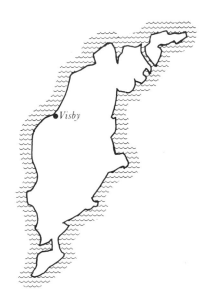

talar Linné om de fina stickade tröjorna som bars på Fårö, och i Stockholm såldes tusentals strumpor och tröjor av de berömda gotländska "tröjkärringarna".

Det bevarade folkliga dräktmaterialet från Gotland är utomordentligt fragmentariskt och räcker inte till för en underbyggd dräktkonstruktion. En kvinnodräkt sammanställdes 1916 med visst stöd av äldre uppgifter och en mansdräkt komponerades några år senare.

Bilden till vänster. Trots frånvaron av gamla plagg tycks dock särpräglade dräkter på sina håll ha burits ett stycke in på 1800-talet. Den här teckningen av Hjalmar Mörner från 1835 kan tyda på det. Den ska vara utförd i Roma socken och föreställer enligt uppgift en gotländsk kvinna i sina fina kläder. Dräkten har flera ålderdomliga drag av folklig karaktär. Den goffrerade kjolen, den stora huvudduken och den långa tröjan, som häktas ihop framtill är några av dem. Pennteckning av Hjalmar Mörner. – Nordiska museet.

Gotlandsdräkten består av grön, veckad kjol och rött sidenlivstycke med broderier. Livet snörs med kedja och maljor. Förklädet är vitt med nerpressade veck. Överdelen har vid halsringning med rynkad halsremsa. Kjolväska och bindmössa bärs till dräkten.

Mansdräkten består av rödbruna knäbyxor, dubbelknäppt sidenväst och skjorta med krås vid ärmlinningarna. Som halsduk bärs en vit långhalsduk lagd två varv kring halsen och knuten fram. Sådana långhalsdukar bars i modedräkten på 1600- och 1700-talet.

Öland

Från Öland finns anmärkningsvärt tidigt goda uppgifter om folkliga dräkter. På några välkända avbildningar från 1703 kan man se att ölänningarna då klädde sig 1600-talsmässigt i vida byxor, korta tröjor och gärna i svart. Man lägger märke till att mannen på bilden bär två tröjor, den övre något kortare. Långt fram i tiden finns uppgifter om att männen på Öland ofta använde flera tröjor i lager över varandra. På samma sätt bars flera par byxor samtidigt. "Att bruka 3 à 4 tröjor, och även så många par byxor, det ena över det andra, fast alla ofodrade, är en allmän plägsed, och det så väl sommar som vinter", skriver Petter Åstrand 1768. För den kvinnliga Ölandsdräkten var länge den långa och smala, randiga schalen, den s.k. täpan, en karakteristisk detalj. Resenärer på 1700-talet lade också märke till att de öländska kvinnorna bar så korta kjolar "att strumpan lyste fram". Delvis levde denna med tiden mycket ålderdomliga dräkt kvar ännu vid 1800-talets början. Men den snäva knäbyxan, ett av 1700-talets bidrag till den folkliga dräkten, började då bli allt vanligare och kvinnorna tog i allt större omfattning upp bindmössor, sidenklänningar och annan "usel prakt".

Av Åstrands beskrivning framgår, att det då fanns avgörande skillnader mellan dräkterna i de olika socknarna: "Märkligast är det, att de ännu ganska ringa ändrat sitt urgamla bruk, då någon blir gift utur den ena socknen in uti en annan, måste den oundvikligen rätta sin klädedräkt, jämlikt det, som där är brukeligt."

Många ålderdomliga drag i livsföring, bruk och föreställningar levde långt fram i tiden kvar på Öland. Ända framemot våra dagar kunde man här se de gamla radbyarna med ålderdomliga gårdsanläggningar liggande tätt sammanbyggda sida vid sida efter vägarna. Särskilt i norr och söder konserverades också gamla hushållsmetoder och levnadsformer. Särpräglade dräkter tycks däremot tidigt ha kommit ur bruk att döma av att så få gamla plagg blivit bevarade.

Sina viktigaste närkontakter har Öland haft med Smålandskusten

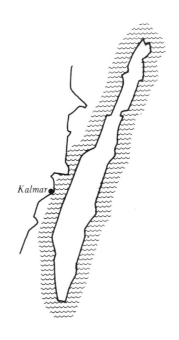

Kalmar

Dessa båda framställningar av en
"Öländsk bondhustru" och en "Ölands-
bonde" ingår i en serie akvareller av
svenska folkdräkter från tiden omkring
1700, utförda av en okänd konstnär.
Dräkterna är präglade av det tidiga
1600-talets mode. Det gäller såväl
kvinnotröjan med det långa skörtet som
de vida byxorna och den korta tröjan
med röda lister till mansdräkten. Mans-
kragen med tofsar är likaså ett 1600-
talsmode. Observera de rikt ornerade
vantarna och kvinnans axelschal, den
randiga "täpan", som var en karakteris-
tisk detalj i den öländska kvinnodräkten.
— Nationalmuseum.

och med Blekinge. Eftersom ön nästan helt saknade skog var vedför-
sörjningen ett ständigt problem som förde med sig täta förbindelser
med fastlandet. Genom gamla uppgifter vet vi att de småländska kust-
borna och ölänningarna klädde sig på ungefär samma sätt.

I början av 1900-talet sammanställdes en kvinnlig Ölandsdräkt un-
der medverkan av bland andra Nordiska museet. Initiativtagare till
rekonstruktionsarbetet var drottning Viktoria. Hon tillbringade gärna
sina somrar på Solliden och ville i tidens anda gärna kläda sig i folk-
dräkt. Den Ölandsdräkt hon kom att bära var en modedräkt med folk-

dräktinspirerade detaljer (se bilden s. 36). Samtidigt utformades en Ölandsdräkt som stödde sig på bevarat folkligt dräktmaterial, huvudsakligen från norra Öland. Den dräkten blev snabbt populär. Den överensstämmer i stort sett med den dräkt som Gerda Cederblom publicerade 1921 i *Svenska allmogedräkter*.

Till dagens Ölandsdräkter bärs i allmänhet en gul tygkjol med en röd list nertill. Den går tillbaka på den skinnkjol med klädeslist i rött, grönt eller blått som är belagd både i bevarat material och i tryckta notiser från 1700-talet.

Ölandsdräkten

Kvinnodräkten består av sämskskinnskjol med röd yllekant, livstycke av röd damast med besättning av ljusblått siden, förkläde av röd rask med bård av band och broderier samt tröja av svart damast med garnering av svart siden med broderier. Strumporna är mörkblå. På huvudet bärs vit linnehatt. Gifta kvinnor bar enligt äldre uppgifter vit huvudduk. Denna dräkt är sydd 1973 efter plagg på Nordiska museet.

Mansdräkten består av gulbruna knäbyxor och tvärrandig, dubbelknäppt väst. Den är midjekort och ryggstycket är sytt av linnelärft.

Småland

Småland är ett stort landskap uppdelat i tre län, Jönköpings, Krono-
bergs och Kalmar. Det äldsta dräktmaterialet hittar man i landskapets
inre delar medan kustbygden nästan helt saknar spår av gamla dräkter.

Det inre av Småland brukar räknas som ett av Sveriges mest utpräg-
lade reliktområden. Här levde alltså gamla seder och bruk kvar in
emot våra dagar. Bygden utefter Östersjökusten har däremot kommit
att präglas av den rörlighet som ofta utmärker kustområden med allt
vad det innebär av föränderlighet och förnyelse. Bondeseglationen
spelade tidigt en framträdande roll.

Norra Småland har en gammal samhörighet med södra Östergot-
land. De östgötska häraderna Ydre och Kind hörde länge till Småland.
I trakten av Vättern har ämbets-, militär- och bruksmiljön i Jönköping
och Huskvarna haft ett visst inflytande och säkert har också de stora
herrgårdarna i dessa bygder haft betydelse som nyhetsförmedlare.

I västra Småland har man uppehållit förbindelser med Halland
langs Nissastigen och Lagans dalgång. I söder har kontakterna med
Skåne och Blekinge varit viktiga. Här nere var förhållandena kompli-
cerade, eftersom den nuvarande landskapsgränsen före 1600-talets
mitt var Sveriges gräns mot Danmark. Det är dock uppenbart att det
funnits en djupgående gemenskap över gränsen. Man ser tydliga spår
av den bland annat i dräktskicket.

Hur har nu de skiftande förutsättningarna i detta stora landskap satt
sina spår i det folkliga dräktskicket? I hela Kalmar län, alltså utefter
kusten, finns mycket lite bevarat av särpräglade dräkter. I en socken-
beskrivning från 1760-talet finns uppgifter om ålderdomliga dräkter
efter kusten norrut. Det var 1600-talets mode med vida byxor och kor-
ta tröjor som levde kvar här alldeles som på Öland. Av dessa medde-
landen framgår också, att dräkterna då i viss utsträckning var knutna
till olika socknar. I en källa från 1770-talet kan man läsa om dräktskic-
ket i Södra Möre. Talrika uppgifter om siden och andra köpetyger lik-
som om granna band och galoner för tanken till den blekingska dräk-

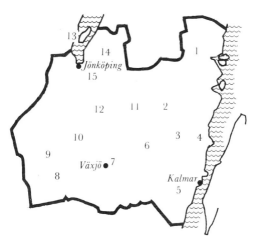

1 Tjust	6 Uppvidinge	11 Östra härad
2 Aspeland	7 Värend	12 Västra härad
3 Handbörd	8 Sunnerbo	13 Visingsö
4 Stranda	9 Unnaryd	14 Vista
5 Södra Möre	10 Östbo	15 Tveta

ten. Bevarade dräktplagg visar också påtagliga överensstämmelser mellan de dräkter som bars i Södra Möre och angränsande delar av Blekinge. Ett lokalt särpräglat dräktskick har alltså funnits, men det upplöstes mycket tidigt och kan nu inte ens anas i det fragmentariskt bevarade materialet. Redan vid tiden omkring 1800 hade i stället den borgerliga dräkten fått fotfäste. Den bomullsklänning som tagits upp som häradsdräkt i Stranda härad illustrerar hur borgerligt allmogen i dessa trakter ofta klädde sig redan vid 1800-talets början. De bygdedräkter som nu bärs i Kalmar län är sena konstruktioner.

I det gamla Värend, som omfattade stora delar av nuvarande Kronobergs län, levde länge ålderdomliga traditioner och seder kvar. De särskilda förhållandena i Värend uppmärksammades tidigt och mycket har skrivits om denna bygd och dess invånare, virdarna. Den s k Värendsdräkten är den mest kända av de småländska folkdräkterna. Några av problemen kring dräkten behandlas i bildtexten s. 74.

I Smålands sydvästra hörn ligger Sunnerbo härad som var fattigt och glest befolkat. I vissa bygder bevarades ett lokalpräglat dräktskick långt in på 1800-talet. I Södra Unnaryd i Västbo, häradet närmast norr om Sunnerbo, levde också en särpräglad dräkt kvar länge. Detsamma kan i Jönköpings län bara sägas om ytterligare en bygd, nämligen Östra härad.

Tjust

Mansdräkten består av gula knäbyxor och dubbelknäppt, randig väst. Kvinnodräktens kjol är grön och livstycket av samma randiga tyg som mannens väst. Det snörs ihop med röd snodd. Förklädet är vitt liksom halsklädet, som är prytt med ullgarnsbroderier. Röd eller grön bindmössa med stycke bärs till dräkten.

Bygdedräkterna för Tjust härad sammanställdes på 1950-talet. Ett halskläde på Nordiska museet och ett livstycke var de enda gamla plagg man hade att arbeta med.

En äldre version av kvinnlig Tjustdräkt har tidigare använts. Den konstruerades redan omkring 1920 och kom att bäras framför allt av eleverna vid Gamleby folkhögskola. Några gamla förebilder till den dräkten, som var av randigt bomullstyg, fanns knappast.

I de angränsande häraderna *Sevede* och *Tunalän* används bygdedräkter som i stort sett överensstämmer med Tjustdräkten från 50-talet. De varieras med olika färger på kjolar och strumpor och olika randningar på västar och livstycken. Dessa dräkter har varit i bruk sedan slutet av 1930-talet.

Aspeland

Kvinnodräkten består av randig kjol och rött livstycke med skört. Det snörs fram med snörhål och snodd. Till dräkten bärs vitt förkläde, lindblomsfärgad bindmössa med stycke och halskläde av siden. Även vitt halskläde förekommer. Mannen bär knäbyxor och dubbelknäppt, kort väst.

Dräkterna är resultat av rekonstruktionsarbete i början av 1940-talet. I Aspelands härad, liksom i hela det småländska kustlandet, är dräktplagg av folklig karaktär mycket sällan bevarade. Några livstycken och ett antal bindmössor blev i förening med muntliga uppgifter underlag för den Aspelandsdräkt som bärs idag.

Handbörd

Dräkten består av röd bomullskjol, gråblått livstycke med snörning, rutigt bomullshalskläde, förkläde av randigt bomullstyg samt bindmössa av broderat siden med stycke av tyll. Strumporna är vita.

På 1940-talet gjordes en omfattande genomgång av bevarat dräktmaterial i Handbörds härad. Under arbetets gång enades man om att sammanställa en

kvinnodräkt som skulle vara gemensam för bygden kring Högsby, av gammalt häradets centralort.

Stranda

Koftliv och kjol av bomullstyg i vitt med rosa och blå ränder. Vitt halskläde med broderier och vitt förkläde samt bindmössa med stycke. Strumporna är mörkblå.

Dräkten sammanställdes på 1950-talet. Klänningstyget är vävt efter gamla tygprover. Halsklädet går tillbaka på en gammal schal från Mönsterås och förebilden till mössan kommer från Döderhult. Äldre plagg saknas så gott som helt i Stranda härad. Klänningen, som är av 1780-talstyp, syddes upp efter en klänning som påträffats i Högsby socken i Handbörds härad.

Södra Möre

Mansdräkten består av knäbyxor och randig enkelknäppt väst, som är lång och har snedskurna fickor med stora ficklock. Långrocken är mörkblå. En rock av sämskat skinn har också förekommit.

Flickorna bär den röda respektive gröna varianten av Södra Möre-dräkten. Båda är av bomullstyg med bandbesättning på kjolar och livstycken. Även förklädena är av bomull. Till den röda dräkten bärs blårandigt eller ibland tryckt förkläde, till den gröna används ett brun- och grönrandigt förkläde. Halsklädena är av siden. Till den röda

dräkten hör blå strumpor, till den gröna vita. Bindmössa används till båda dräkterna men de ogifta flickorna kan om de vill i stället binda upp håret med band.

Södra Möre-dräkterna sammanställdes redan vid mitten av 1920-talet under medverkan av bland andra Gerda Cederblom på Nordiska museet. Tydligen var den röda dräkten först färdig. Det var 1925.

Uppvidinge

Mansdräkt med gula knäbyxor, röd väst med tryckt mönster i svart, och mörkblå dubbelknäppt klädesjacka med nerliggande krage och slag. Skärmmössan är mörkblå och strumporna grå.

Dräkten är sydd 1970 efter en dräkt på Nordiska museet, som burits vid mitten av 1800-talet i Dädesjö socken i Uppvidinge härad.

Värend

Kvinnans dräkt består av livkjol av blått ylle med rött liv som snörs med maljor och kedja. Förklädet är av blått ylle med broderier och påsydda silvergaloner nertill. Livbandet, det s.k. fälttecknet, är av rött ylle. Ändarna är prydda med galoner och enligt gammalt bruk broderade med bärarinnans initialer, tillverkningsåret och den regerande kungens monogram. Den vida axelkappan är även den av blått ylle. Om håret bärs röda band. Den gifta kvinnans huvudbonad utgörs av vit klut.

Mannen är klädd i gula knäbyxor, randig enkelknäppt väst och blå strumpor. Blå långrock hör till. Den manliga Värenddräkten kallas ibland den götiska dräkten, troligen därför att man efter Linné uppfattade Värenddräkten som ett prov på det "götiska urgamla modet".

Värend omfattade häraderna Allbo, Kinnevald, Norrvidinge, Konga och

Uppvidinge. Den kvinnliga Värend-
dräkt som används idag fick sin utform-
ning under den nationalromantiska epo-
ken vid 1800-talets slut. Den knyter an
till ett mycket ålderdomligt dräktskick,
som finns skriftligt belagt vid 1700-talets
mitt i några socknar i Värend.

Anna-Maja Nylén har påvisat att be-
nämningen "Värenddräkt" är förhål-
landevis ung. Den användes första gång-
en av den kände konstnären Pehr Hille-
ström, som på 1770–80-talen målade av
några personer i "Wärendsdräkter". De
dräkter han avbildar överensstämmer
dock inte med vad vi är vana att uppfat-
ta som Värenddräkter utan dräkterna på
Hilleströms målningar är präglade av
yngre moderiktningar.

Redan vid 1700-talets slut var uppen-
barligen den ålderdomliga dräkten med
livkjol, raskförkläde, livband (fälttecken)
och axelkappa ovanlig. Man vet att den
vid 1800-talets början bars huvudsakli-
gen vid stora högtider och att dräkterna
bevarades inom släkterna som klenoder.
Säkert är det förklaringen till att denna
tidigt uppmärksammade dräkt är så
sällsynt i museala samlingar. Den första
folkdräkt som kom att ingå i en musei-
samling är visserligen en Värenddräkt.
Redan 1847 sålde en småländsk riks-
dagsman en kvinnodräkt från Värend
som nu ingår i Nordiska museets sam-
lingar. Men när man efter mitten av
1800-talet började samla folkdräkter me-
ra metodiskt var Väresddräkten sedan
länge ur bruk.

De dräkter och dräktdelar som finns
bevarade ger dock en föreställning om
den märkliga och praktfulla dräkt som
fängslade Linné när han såg den i några
socknar på 1740-talet. Det finns skäl att
anta att likartade dräkter längre tillbaka
i tiden burits inom ett vidsträckare om-
råde. I nordöstra Skåne och i västligaste
Blekinge finns dräkter bevarade som står
de Värendska mycket nära. Jämför t.ex.
bilden av den skånska Göingedräkten.

Sunnerbo

Mansdräkten består av dubbelknäppt
väst av röd ylledamast, svarta knäbyxor
och mörkblå strumpor.

Kvinnan är klädd i ljust randig bo-
mullskjol och livstycke av rött ylle med
karakteristisk trekantig bröstlapp, s.k.
smäck. Förklädet är av bomullstyg med
tryckt mönster, och halsklädet brokigt.
Huvudbonaden är här en vit linnehatt,
men varierande huvudbonader före-
kommer liksom olika förkläden och liv-
stycken.

Framför allt det kvinnliga dräktskick-
et i häradet är väl dokumenterat genom
bevarade plagg.

I *Svenska Allmogedräkter* avbildade
Gerda Cederblom 1921 en kvinnlig Sun-
nerbodräkt, med bland annat hätta av
kattun, broderad pannbindel och tröja
av ylledamast.

Unnaryd

Högtidsdräkter från Södra Unnaryds socken i Västbo härad. Mannen är klädd i blå långrock med häktor, sämskskinnsbyxor, randig, dubbelknäppt väst med ståndkrage och slag, mörkblå strumpor och hatt med breda brätten. Dräkten är sydd efter originalplagg på Nordiska museet.

Kvinnodräktens kjol är blå med rött band nertill, livstycket är randigt av kalminkstyp. Det har långt skört och häktas ihop fram. Förklädet är av bomullstyg med tryckt mönster, halsklädet av siden och huvudbonaden är den ogifta kvinnans hatt av vitt linne ombunden med ett gult sidenband.

Dräkten är utformad med stöd av de rika kunskaper man har om äldre dräktskick i Unnaryd, som tidigt uppfattades som ett intressant dräktområde. Liksom fallet är med de flesta väl dokumenterade dräkter finns många varianter till Unnarydsdräkten. Till stor högtid bärs röd kjol, förklädena varierar liksom livstycks-

tygerna och huvudbonadens utformning.

Dräktskicket i Unnaryd uppmärksammades redan på 1700-talet av resenärer och så tidigt som 1880 började Nordiska museet förvärva dräkter härifrån. Samtidigt insamlades uppgifter om det äldre dräktskicket i socknen. Ännu fram emot 1800-talets mitt bars här en ålderdomlig dräkt med drag både av 1600-talets och 1700-talets moden. Tidigare hade denna dräkt varit spridd över ett större område men kommit att konserveras i Unnaryd, som var en relativt isolerad socken. Unnarydsdräkten är en av de åtta dräkter som finns med i Wistrands stora arbete *Svenska folkdräkter* från 1907.

Östbo

Kvinnodräkt med randig yllekjol, tegelrött livstycke, förkläde av randigt bomullstyg, rutigt halskläde av bomull, bindmössa och kjolväska. Dräkten sammanställdes redan 1927 för Värnamo folkdanslag. Förebilder finns enligt uppgift i Apladalen i Värnamo. En mansdräkt med gröna knäbyxor, väst av samma tyg som förklädet samt vita strumpor konstruerades samtidigt men numera ser man den inte ofta.

Östra härad

Kvinnan bär bredrandig kjol. Livstycket, som döljs av den svarta, djupt ringade tröjan, har ett kort skört av små uppvikta skörtflikar nertill. Det snörs ihop fram. Förklädet är av tunt vitt tyg och halsklädet av sidenbrokad. Bindmössa med stycke och kjolväska bärs till dräkten.

Mansdräkten består av mörkblå knäbyxor och randig väst. Den knäpps med dubbla rader små knappar. Dräkten är sydd efter original på Nordiska museet.

Redan på 1920-talet såldes många Östra häradsdräkter både för kvinnor och män på Hemslöjden i Jönköping.

Efter Unnaryd har Östra härad och Sunnerbo det rikast dokumenterade dräktskicket i Småland, om man ser till bevarat material. Wistrand skrev redan 1901 om dräkterna i Östra härad. Han ansåg att de burits tämligen likartat över häradet och alltså borde betraktas som häradsdräkter. De var i bruk på 1830-talet och "ännu på 1860-talet levde . . . både män och kvinnor av gamla stammen, som klädde sig på gammalt vis".

Wistrand nämner den svarta, ringade tröjan som högtidsplagg. Även det vita förklädet markerar högtid.

Västra härad

Kvinnodräkt av bomullstyg. Kjolen är vit med rosa och blå ränder, livstycket är randigt i vitt och rosa. Det snörs fram och har nertill ett kort skört av små uppvikta flikar. Till dräkten hör vitt förkläde och halskläde med bred röd bård. Bindmössan är av blått linne med broderier. En tröja av kjolens randiga tyg kan bäras till dräkten.

När man på 1950-talet såg sig om efter en bygdedräkt för Västra härad stannade man för den sommardräkt, som Anna-Maja Nylén publicerat i *Folkdräkter* 1949. Med den som förebild syddes en dräkt 1958 och denna har sedan använts som häradsdräkt. Det bör påpekas att originaldräktens kjol når ner till fotknölarna.

Dräkter av den här typen blev ganska vanliga i södra och mellersta Sverige vid 1800-talets början. Bomullen, som tidigare varit ett exklusivt och dyrt material, blev då åtkomlig för alla och allmogen började använda bomull i stället för linne till sina dräkter. Nordiska museets Västra häradsdräkt kan dateras till omkring 1800.

Visingsö

Kvinnan bär kjol av linne i blått med gula ränder. Förklädet är av bomull, randigt på vit botten. Det blå livstycket är sytt i linne med kantsnodder. Det snörs ihop fram. Bindmössan är grön med stycke, men också rosa bindmössa förekommer. Mansdräkten består av mullvadsgrå knäbyxor av mollskinn och dubbelknäppt väst av halvlinne. Strumporna är blågröna.

På 1920-talet gjordes försök att få fram uppgifter om ett folkligt dräktskick på Visingsö i Vättern. Det enda man hittade var bindmössor. I början av 30-talet komponerades Visingsödräkten av linne och bomull i övervägande blå toner anspelande på vattnet kring ön. Den var färdig 1933.

Vista

Mannen är klädd i knäbyxor och långrock av grå vadmal. Långrockens ryggsömmar är markerade med kedjesömsbroderier i grönt och rött. Det är en detalj som förekom i modedräkten på 1600-talet och togs upp av allmogen på många håll i landet. Mannens väst är randig i grönt och rödlila på svart botten. Strumporna är svarta. Dräkten är sydd efter en dräkt på Nordiska museet och

följer originalet nära. Den sys även i mörkare grå eller gråsvart vadmal men västrandningen är alltid densamma.

Den dräkt kvinnan på bilden bär består av randig kjol och mörkgult livstycke med skört. Det häktas ihop fram. Förklädet är av vitt, mönstervävt tyg och bindmössan av ljusblått siden med stycke. Denna dräktvariant kallas *Skärstadsdräkten* och är en komposition från 1950-talet.

Som kvinnlig häradsdräkt för Vista bärs en delvis dokumenterad dräkt bestående av gult ripslivstycke med broderier och snörning, kjol av samma tyg som mansvästen, vitt förkläde med ränder i grönt, svart och rött, vitt halskläde med ränder samt blå bindmössa. Denna dräkt sammanställdes omkring 1960.

Tveta

I Tveta härad bärs en kvinnodräkt som i det närmaste helt överensstämmer med Skärstadsdräkten. Enligt uppgift är kjoltyget till Tvetadräkten hämtat från Öggestorps socken. En blå variant av bygdedräkten för Tveta härad förekommer också. Även den har anknytning till Öggestorps socken. Båda dräkterna sammanställdes på 1950-talet.

Halland

Ännu vid 1800-talets början fanns varierande och särpräglade dräkter i Halland men av olika skäl kom utvecklingen under 1800-talet att här medföra ett totalt brott med den folkliga dräkttraditionen.

Tidigt – kanske redan på medeltiden – hade bondeseglationen stor omfattning utefter kusten norr om Varberg. På 1700-talet tycks kustsjöfarten ha fört med sig ett välstånd i dessa trakter som bland annat tog sig uttryck i en modernisering av klädedräkten, där de dyrbara köpta materialen kom att spela en allt större roll. Köptyger som kalmink, kambrick, sars, satin o.s.v. förekommer allmänt i bouppteckningarna från 1700-talet.

I likhet med Skåne var Halland fram till 1600-talets mitt en dansk provins. Övergången till den svenska kronan innebar dock inte här som i Skåne en långvarig stagnation. Det gynnsamma handelsläget gjorde Halland till en livaktig landsända. Många nyheter trängde också över gränsen i söder och bidrog till att det nordvästra hörnet av Skåne blev ett innovationsområde, där bland annat dräktnyheter togs upp och påverkade det lokala dräktskicket. Södra Halland har i bebyggelse och språk gammal släktskap med Skåne. Också i textilslöjden finns en gemensam utveckling, t.ex. i vävtekniker som krabbasnår, flamsk och röllakan.

Tidigt på 1700-talet blev södra Halland känt för sin stickning. Tekniken togs troligen upp här redan på 1600-talet, då den i övrigt var helt okänd i Sverige. Från Halland spreds kunskapen till Skåne, Gotland och ända upp till Hälsingland. Mönsterstickade plagg är karakteristiska inslag i flera av de halländska dräkterna, t.ex. i Tönnesjö.

Särpräglade dräkter användes i Halland ännu vid 1800-talets mitt. Av allt att döma var dessa rikt varierade, men flera notiser nämner också den blå färgen som karakteristisk för både de manliga och de kvinnliga dräkterna. En 1800-talsresenär talar om att den halländske bonden "i sin dräkt troget bevarar nationalfärgerna". Det måste varit de mörkblå jackorna, de sämskade skinnbyxorna och de blå strumporna som

Dessa båda stickande
hallänningar är hämta
de ur C. A. Dahlströms
*Svenska folkets seder, bruk
och klädedräkter*, som
kom ut 1863. Denne var
en flitig målare och lito-
graf som gav ut flera
arbeten med folklivsmo-
tiv. Dahlström har inte
givit sin Hallandsbild
någon närmare ortsan-
givelse men eftersom
mannen är klädd i lång-
byxor och kort jacka
bör han vara kustbo.
Lägg märke till att kvin-
nan har stickade ärmar
på tröjan som hon bär
under livstycket. Stick-
ningen som en typisk
halländsk sysselsättning
har fångat konstnärens
intresse och det är den
som är bildens huvud-
innehåll — Nordiska
museet.

fick honom att göra den reflektionen.

I Sven Peter Bexells Hallandsbeskrivning från 1817–19 kan man läsa att "allmogens klädedräkt visar den mest skiftande omväxling. Den svarta, modernt skurna fracken och de utländska tygbyxorna i åtskilliga socknar av norra Halland göra ett starkt avbrott mot den korta vita vadmalströjan och byxorna i åtskilliga socknar av södra Halland, likasom den fotsida högtidsrocken i några socknar av Himle härad starkt avbryter emot den till ytterlighet korta sjömanströjan i andra socknar av samma härad. Nästan var och en församling äger i klädedräkt något eget, som gör den igenkänd bland de andra." Denna sammanfattning talar om norra Halland som det modernare dräktområdet. Det är ett faktum som också belyses mycket klart av det bevarade dräktmaterialet. Vad man däremot har svårt att urskilja idag är de sockenbundna variationer som Bexell talar om.

Det finns skäl att anta att den religiösa väckelse som i Halland verkade med större kraft än på många andra håll starkt bidrog till att de färgrika folkdräkterna kom ur bruk efter 1800-talets mitt.

Under 1900-talet har en lång rad halländska bygdedräkter rekonstruerats så att man nu har över 60 dräkter i landskapet, de flesta knutna till socknar. För flertalet socknar har endast kvinnodräkter tagits fram. Den första dräktvågen kom på 20-talet då omkring tio dräkter sammanställdes. Huvuddelen av de andra bygdedräkterna är resultat av rekonstruktionsarbeten under de senaste 20 åren.

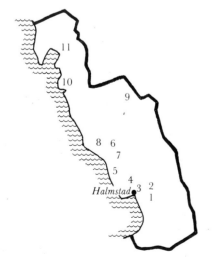

1 Tönnersjö	5 Getinge	9 Fagered
2 Breared	6 Årstad	10 Värö
3 Snöstorp	7 Asige	11 Fjäre
4 Holm	8 Alfshög	

Tönnersjö

Mannen bär knäbyxor av sämskat skinn, mörkblå väst och mörkblå jacka, båda dubbelknäppta. Strumporna är mönsterstickade i rött och vitt liksom mössan. Denna dräkt går tillbaka på en hel dräkt, en högtidsdräkt, bevarad på Hallands museum.

Kvinnan i mitten är klädd i blå kjol, randigt förkläde samt livstycke av rött ylle. Överdelen har röda broderier. Bindmössan är av grått siden med broderier. Halssmycket, ett "halslås" av silver, är kopierat efter gammal förebild. Kvinnan till höger har också blå kjol, randigt förkläde och överdel med röda broderier. Livstycket snörs framtill. Det rutiga halsklädet är av bomull och bindmössan av siden med broderier. Även andra varianter av den kvinnliga Tönnersjödräkten förekommer. På 1920-talet rekonstruerades en dräkt med blå-lila kjol och tvärrandigt livstycke vävt i opphämta i vitt, blått, rosa och gult. Vitt förkläde och rosa bindmössa bärs till den dräkten.

I Tönnersjö härad används också flera sockendräkter, av vilka den mest kända nog är Brearedsdräkten.

Breared

Kvinnan har en dräkt med blå yllekjol och tvärrandigt livstycke av linne, vävt i opphämta. Förkläde av bomullstyg, vävt i rosengång. Blått halskläde av bomull med broderat mönster. Överdelen med de rika smocksömsbroderierna i rött bärs till nästan alla halländska dräkter idag. Bindmössa med tambursömsbroderi och stycke. De gifta kvinnorna bär i allmänhet blå, de ogifta vita mössor. Blå tröja hör till dräkten.

Mannen och pojken har båda knäbyxor och likadana linnevästar vävda i opphämta. Mönsterstickade strumpor och mönsterstickade mössor hör till Brearedsdräkten. Den blå jackan med den bågformiga urskärningen fram och de blanka knapparna är typisk för det manliga dräktskicket i Halland under 1800-talets förra del. Typen förekommer i något varierande former på flera håll i landet och är påverkad av modedräktens frack.

Brearedssocken ligger i Tönnersjö härad och sockendräkten har många likheter med de dräkter som bärs som häradsdräkter. Brearedsdräkten är rekonstruerad 1927.

Snöstorp

Mörkgrön yllekjol och tvärrandigt livstycke av ylle vävt i opphämta. Det häktas ihop fram. Förklädet är av bomull och vävt i rosengång. Det roströda halsklädet är av bomull men sidenhalskläden används också. Som huvudbonad bärs här rutig huvudduk men vanligare är bindmössa av grönt siden med stycke. Denna dräkt rekonstruerades 1927 delvis med stöd av bevarade plagg. Det korta livstycket är sytt efter ett livstycke på Hallands museum. Snöstorps socken ligger nära Halmstad.

Holm

Kvinnodräkt bestående av röd kjol med grön kantskoning, randigt livstycke, ljus broderad bindmössa med stycke, tunt vitt förkläde och halskläde av tyll. Kjolväska med applikationer skymtar under förklädet. Denna dräkt för Holms socken i Halmstads härad rekonstruerades 1927. Livstycke, halskläde och mössa går tillbaka på bevarade plagg på Hallands museum. På många platser i landskapet är den röda kjolen och det vita förklädet belagda som högtidsplagg.

Getinge

Dräkten består av sämskskinnsbyxor, dubbelknäppt väst och blå långrock, som knäpps med knappar. Här bärs vita strumpor och hatt till dräkten. Blå strumpor och röd stickad luva förekommer som variation liksom en blå jacka.

Mansdräkten för Getinge socken i Halmstads härad sammanställdes redan 1927.

En kvinnodräkt för socknen är under arbete 1974 efter beskrivning nedtecknad i början av 1800-talet.

Årstad

Högtidsdräkten till höger består av blå damastkjol, randigt livstycke, förkläde av bomull med tryckt mönster, halskläde av tyll med broderier i vitt samt den gifta kvinnans svarta bindmössa med stycke. Det kalminksrandiga livstycket har långt skört och snörs fram med snodd och snörhål. Liknande dräkter från häradet har flera gånger avbildats i folkdräktlitteraturen, tidigast av Gerda Cederblom i *Svenska allmogedräkter*. Den här dräkten är sydd efter bevarade plagg på Nordiska museet och på Hallands museum.

Den andra kvinnan bär en dräkt som sammanställdes 1971. Till den hör mellanblå kjol, röd- och vitrutigt livstycke

med snörning, randigt bomullsförkläde i blått och rosa, blått halskläde, blå bindmössa samt kjolväska i rött och grönt. Livstycket går tillbaka på ett livstycke på Hallands museum från Skrea socken.

Mansdräkten består av randig, dubbelknäppt väst, mörkblå knäbyxor, mörkblå strumpor och röd mössa. Som ytterplagg används en blå jacka. Dräkten, som bärs i hela Årstads härad, är kopierad efter original på Hallands museum. Den togs upp som bygdedräkt 1966.

Asige

Mansdräkten består av mörkröd, dubbelknäppt väst med slag, mörkblå knäbyxor, vita – eller lika ofta blå – strumpor, rödvita strumpeband samt röd luva. Som ytterplagg bärs en jacka av ljusare blå vadmal.

Kvinnan är klädd i grönblå kjol och

brunt livstycke med stickningar. Det går ner i spets fram och snörs ihop med snodd genom snörhål. Förklädet är av randigt bomullstyg, halsklädet av brokigt siden och bindmössan av grönt siden med broderier.

Dräkten går tillbaka på bevarade gamla plagg i museal och privat ägo. Den rekonstruerades och syddes upp i början av 1970-talet. Mansdräkten sammanställdes några år tidigare. Asige är en socken i Årstads härad.

Alfshög

Dräkten består av grön vadmalskjol, livstycke av bomull vävt i munkabälte, randigt bomullsförkläde och överdel med röda broderier. Till dräkten bärs

broderad bindmössa av siden med stycke. De gifta kvinnorna använder svarta och de ogifta gröna mössor. Alfshögs socken ligger i Faurås härad.

Fagered

Mansdräkten på bilden består av mörkblå byxor, enkelknäppt randig väst, blå strumpor och röd toppluva. Västen är sydd efter original på Hallands museum. Sockendräkter för Fagereds socken i Faurås härad rekonstruerades i slutet av 1960-talet. Till mansdräkten kan också bäras svarta eller gula knäbyxor. Som

ytterplagg används en blå jacka.

Till kvinnodräkten bärs grön yllekjol, livstycke i rött och vitt vävt i dräll, randigt förkläde i blått, rött, ljusblått, gult och vitt samt svart bindmössa och svart halskläde av ylle.

Värö

Kjolen är vävd av halvylle, randig med svart botten. Livstycket är av svart ylle. Det snörs fram. Axelbanden är hopbundna uppe på axlarna med röda snodder. Under dessa plagg bärs här en särk med öppna ärmar och vid halsringning med uppstående halsremsa. Förklädet är randigt. Olika förklädesrandningar förekommer liksom helt vita förkläden. Till dräkten bärs mjuk, blå bindmössa med stycke. Halskläde av bomull eller siden används ibland.

Värödräkten vävdes och syddes upp 1966–67 efter en dräkt från Väröbacka i Viske härad. Originaldräkten är från mitten av 1800-talet och typisk för den tidens dräktskick i norra Halland. Kjolväskan är ett komplement till dräkten som skapades vid rekonstruktionstillfället.

Fjäre

Dräkten till vänster består av röd kjol, grönrandigt livstycke som går ner i spets och snörs fram, förkläde av bomull med tryckt mönster och rosa bindmössa med stycke. Överdelen har öppna ärmar, vid halsringning och uppstående halsremsa. Som variation förekommer både turosfärgad och vit bindmössa. Den här dräkten har sin förankring i Fjärås och Hanhals socknar i Fjäre härad. Den är resultat av ett rekonstruktionsarbete som avslutades 1974.

Den andra kvinnan bär randig kjol i rött och brunt, brunsvart livstycke med broderier, vitt förkläde med röda rosengångsbårder, halskläde av brokigt siden samt röd bindmössa med stycke. Kjolen kommer från Eskhults by i Förlanda socken, livstycke och överdel är uppsydda efter museiplagg. Vit bindmössa och vitt förkläde bärs ibland till dräkten.

Mansdräkten består av mörkblå knäbyxor med mässingsknappar, dubbelknäppt väst och stickad toppmössa. Västtyget är vävt efter ett gammalt tygprov.

Bohuslän

I större utsträckning än något annat svenskt landskap har Bohuslän varit ett gränsområde. Norska, danska och svenska arméer har genom århundradena utkämpat strider här. Genom freden i Roskilde 1658 blev Bohuslän slutgiltigt en del av Sverige. Läget som gränsland har inneburit att impulser från olika håll i ovanligt stor omfattning påverkat livet och utvecklingen.

Släktskapet med norsk kultur är särskilt norrut påfallande, inte minst ifråga om språk och folklig sed och diktning. Längst i söder möter man i byggnadsskick och heminredning drag som för landskapet samman med Halland. På många områden är också sambandet med närliggande bygder i Västergötland klart märkbart. Detta är inte minst fallet inom dräktskicket, t.ex. i de kvinnliga livstyckena.

De ofta dramatiska historiska förloppen har varit av avgörande betydelse för utvecklingen i landskapet. Men Bohuslän har också säregna naturförhållanden som bidragit till en varierad utveckling inom relativt begränsade områden. Livet har gestaltat sig mycket olika i inlandet, utefter kusten och ute på öarna. Viktiga ekonomiska faktorer har varit fisket och stenindustrin. Av dessa två har naturligtvis fisket varit allra viktigast. När sillen gick till betydde det välstånd och massor av människor drogs till Bohuslän från olika håll för att hjälpa till med hanteringen av fisken och få sin del av överflödet. Detta har skett under några legendariska perioder. Den längsta i modern tid varade från 1747–48 till 1808. Sedan dröjde det till in på 1870-talet, innan sillfisket åter blev lönsamt.

Hur dessa mycket speciella förhållanden påverkat det folkliga dräktskicket går inte utan vidare att bedöma. Det är också svårt att säga vad de markanta inslagen av inflyttad arbetskraft haft för betydelse för befolkningens sätt att klä sig. Det ligger nära till hands att tro att alla de olika impulser som korsat varandra här snarare resulterat i ett allmänt folkligt dräktskick än i lokalbundna variationer. Vissa uppgifter tyder dock på att sådana har funnits. Vad man vet är att de bohuslänska kvinnornas dräkt på 1700-talet var anmärkningsvärt färgrik och vacker och att kustborna klädde sig "som båtsmän . . . med korta tröjor".

Vid 1800-talets mitt tycks bohuslänningarna i allmänhet uppträda i dräkter utan karakteristiska särdrag. Eftersom det gäller ett kustlandskap är detta ingenting förvånande. Den stränga religiösa väckelse som från 1800-talet berörde Västsverige påverkade också klädedräkten. Det finns uppgifter om hur man i Bohuslän färgade sina granna klädesplagg svarta sedan färgerna och i synnerhet det röda kommit att uppfattas som syndiga.

Tidigt på 1900-talet försökte man skapa en bygdedräkt för Bohuslän (se s. 87). Nordiska museets dåvarande dräktexpert P. G. Wistrand kom därigenom att få sina blickar riktade på landskapet. Med hjälp av lokala krafter samlades en del material in till museet och 1908 gjorde Wistrand en sammanställning över vad man då visste om bohuslänskt dräktskick. Huvuddelen av de insamlade dräktplaggen kom från Tjörns och Inlands härader. I en studie 1973 har Ulla Centergran utrett de olika bygdedräkternas tillkomst i Bohuslän.

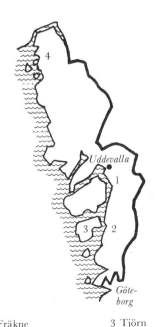

1 Fräkne 3 Tjörn
2 Inlands Norra härad 4 Skee

Bohusdräkten

Kvinnodräkten består av mellanblå,
"potteblå", kjol och rostrött livstycke
med mönster i krabbasnår. Det snörs
ihop och snörningen döljs av en slå.
Överdel med halsslå, förkläde av
bomullstyg med tryckt mönster samt
bindmössa med stycke och röda strum-
por bärs till dräkten.

Mansdräkten består av knäbyxor och
jacka av blått ylle, randig väst, gråblå
strumpor och vegamössa.

Ungefär så här såg de dräkter ut som
man omkring 1910 sammanställde som
bygdedräkter för Bohuslän. En skillnad
var att förklädet från början var vitt. Det
blommiga förklädet togs upp i slutet av
1960-talet. Förebilder till dräkterna
finns på Tjörns hembygdsmuseum. Den
manliga originaldräkten är något mör-
kare blå. Dessa dräkter blev kända un-
der benämningen "Bohusdräkten" och
kallas fortfarande så.

Fräkne

Till höger en högtidsdräkt bestående av
röd kjol och grönt livstycke med isydda
spröt fram. Det snörs ihop. Till dräkten
hör vidare överdel med rund rynkad
halsslå, förkläde av bomull med tryckt
mönster, halskläde av siden, broderad
bindmössa samt blå strumpor. Dräkten
överensstämmer nära med den dräkt
från Fräkne härad som Anna-Maja Ny-
lén sammanställde och avbildade i *Folk-
dräkter* 1949. 1956 tog man första gången

upp denna dräkt för att använda den i
folkdanssammanhang.

Kvinnan till vänster bär en kappa av
mörkblått kläde med gröna yllesnodder.
Den knäpps med häktor. Modellen är
starkt präglad av det borgerliga dräkt-
modet på 1830-talet. Kappan är sydd
efter original från Inlands härad på
Nordiska museet. I dag används den
allmänt som ytterplagg till de bohuslän-
ska kvinnodräkterna. Huvudbonaden
utgörs av en schal som döljer bindmös-
san och knyts under hakan.

Inlands Norra härad

Tre kvinnor i varierande dräkter. Förklädena är alla av bomullstyg med tryckta mönster och till alla tre dräkterna bärs bindmössor av siden med stycken. Dräkten till vänster består av mörkblå kjol, rött livstycke med vita stickningar, överdel med uddkant runt halsringningen och kjolficka sydd av sidenlappar. Som variation används svart kjol, röda strumpor och, vid större högtider, vitt förkläde. Också bindmössor i andra färger förekommer. Kvinnan i mitten har svart kjol och vitt livstycke med broderier sytt efter original på Nordiska museet samt överdel med uddkant. Dräkten till höger har svart kjol, rött broderat livstycke med snörning, överdel med stor krage och halskläde av siden

samt röda strumpor. Den högra dräkten överensstämmer nära med den festdräkt från Inlands Norra härad, som P. G. Wistrand rekonstruerade redan 1908 med utgångspunkt från bevarat material och muntliga uppgifter.

Tjörn

Dräkten till vänster består av mörkblå långbyxor, mörkblå kort jacka med dubbla rader silverknappar, randig väst och skärmmössa, s.k. vegamössa.

I mitten står en man i mörkblå långbyxor med skinnskoningar. Han bär vidare mörkblå jacka, grönrandig väst, halsduk av siden och svart hatt. Med undantag av västen överensstämmer den här dräkten med den som P. G. Wistrand rekonstruerade 1908. Till den Wistrandska dräkten hör blå väst.

Den tredje dräkten består av svarta knäbyxor, kort, svart jacka och rödrandig väst. Sidenhalsduk, flätade strumpeband och vegamössa kompletterar dräkten.

För alla tre dräkterna gäller att de flesta plaggen är sydda efter original på Tjörns hembygdsmuseum. Tjörndräkterna har först på 1960-talet tagits upp till användning som bygdedräkter.

Långbyxor har varit ett utmärkande plagg för kustbor och fiskare på många håll i Sverige. De var ofta skinnskodda men när skinnskoningen är utformad som på den här bilden är den inspirerad av kavalleriuniformens ridbyxor omkring 1830. Den korta jackan var också

typisk för kustborna men dubbelknäppningen är ett tillägg från 1800-talets början.

Bohusdräkt (Skee-dräkten)

Dräkten består av "potteblå" kjol, rött livstycke med brodérier av gula blommor framtill och i ryggen fyra längsgående gula band. Förklädet är av grönt ylle med tvärränder, förklädesbandet avslutas med tofsar. Till dräkten bärs överdel med kråksparksbroderier, röda strumpor och hätta av linne.

Denna utformning fick den första dräkt som syddes upp för att ge Bohuslän en egen bygdedräkt. Det var så tidigt som 1905. Utgångspunkten för arbetet med dräkten var de delvis svårtolkade uppgifter som Pehr Kalm lämnade från Skee socken då han reste genom Bohuslän på 1740-talet. Han talar om "rosor" på livstycket. Detta betyder med den tidens språkbruk bandrosor och anger att livstycket var hopfäst med rosetter och band enligt ett 1700-tals-mode. Eftersom man vid 1900-talets början hade mycket ofullständiga kunskaper om äldre tiders dräktskick i Bohuslän blev den dräkt man skapade med nödvändighet en konstruktion, som dock blivit ganska mycket använd som bygdedräkt för landskapet.

Dalsland

Dalsland är ett av Sveriges minsta landskap. Naturen inom dess gränser är rikt varierad. I norr finns bergsbygd av norrländsk karaktär och i söder slättbygd mera överensstämmande med sydsvenska förhållanden. Trots brukshantering och betydande skogar har något allmänt välstånd aldrig blivit rådande här, utan Dalsland har under långa tider varit ett fattigt landskap. Karakteristiskt nog låg de för befolkningen viktiga städerna utanför landskapsgränserna, Halden i Norge, Vänersborg i Västergötland och Uddevalla i Bohuslän. Den egna staden, Åmål, grundad 1643 som centrum för handeln med trä och järn, förblev en utpräglad småstad och fick aldrig verklig ekonomisk och kulturell betydelse. I mycket har Dalsland karaktär av gränsland och utkantsland. De viktigaste impulserna har kommit från Västergötland, men också närheten till Värmland, Bohuslän och Norge har satt spår.

Dalsland var – och är – bitvis mycket glest befolkat och många levde under knappa förhållanden som torpare och obesuttna. Efter den kraftiga befolkningsökningen under 1800-talets förra del blev nödåren på 1860-talet ödesdigra för dessa utsatta områden. Den växande fattigdomen resulterade i en våldsam emigration. Åren 1860–1910 utvandrade 52 000 personer, de flesta till Amerika. Den totala befolkningen var år 1900 72 662 personer. Inget annat svenskt landskap utom möjligen Öland kan uppvisa liknande emigrationssiffror.

De ekonomiska och sociala förhållandena i Dalsland har knappast gynnat framväxten av ett särpräglat folkligt dräktskick. Undersökningar som gjorts för att klarlägga äldre tiders dräktskick i landskapet ger bilden av en allmänt folklig klädedräkt, men uppgifter om karakteristiska detaljer och lokalbundna bruk saknas i det insamlade materialet. Man frågar sig om det inte har skett en ständig förskjutning mot nyare moden och om det överhuvud taget funnits en lokalt utvecklad dräkttradition med egen karaktär. Åtminstone från landskapets södra del finns relativt tidiga uppgifter om att "allmogen här kläder sig nästan allmänt som ståndspersoner" (Färgelanda 1850).

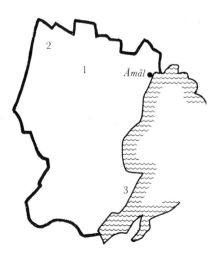

1 Ärtemark 2 Nössemark 3 Rölanda

Med utgångspunkt i de fåtaliga dräktdelar som finns i behåll och med stöd av uppgifter i traditionsmaterial och bouppteckningar har man dock sammanställt några dräkter för landskapet. Det första försöket gjordes 1907 på initiativ av Dalslands fornminnesförening. En kvinnodräkt syddes då upp på Färgelanda folkhögskola. Denna första "Dalslandsdräkt" har reviderats några gånger och överensstämmer nu i det närmaste med den här återgivna dräkten från Ärtemark. De rekonstruerade dräkterna är alla knutna till socknar i Vedbo härad, det glest befolkade nordligaste häradet i landskapet.

Ärtemark

Kvinnodräkten består av blå kjol, rött livstycke som snörs i maljor av tenn, vitt förkläde och vitt halskläde med broderier samt röda strumpor och bindmössa med stycke. Denna dräkt överensstämmer i stort sett med den ovan nämnda dräkten från Färgelanda folkhögskola.

Mannen är helt klädd i svart. Dräkten består av knäbyxor, väst och enkelknäppt långrock. En vardagligare dräkt med gula knäbyxor och grå, kort jacka används som variation.

Dräkterna från Ärtemarks socken i Vedbo härad är sydda efter dräkter i Bengtsfors gammelgård. Dessa är i sin tur uppsydda omkring 1930 med utgångspunkt från äldre minnesbilder och insamlade uppgifter.

Nössemark och Rölanda

Mansdräkt från Nössemarks socken i Vedbo härad, rekonstruerad i början av 1960-talet. Den består av mörkblå knäbyxor och rutig väst med nerliggande slag, båda uppsydda efter originalplagg. Långrocken är av en typ som allmänt används i Dalsland.

Kvinnodräkten är från Bolstad socken, Sundals härad. Till den hör mörkblå kjol, förkläde av bomull med småmönst-

rat tryck, blå eller röd bindmössa och kalminksrandigt livstycke. Detta har långa skört och knäpps med häktor. Typen var vanlig i böndernas dräktskick under 1700-talet på många håll i Syd- och Mellansverige. Den mörkt mellanblå, "pottblå", färgen på knäbyxorna och kjolen ser man ofta i västsvenska dräkter.

Västergötland

Västergötland uppvisar otvivelaktigt många ålderdomliga drag i språkligt avseende, i byggnadsskick, i bruk och sedvänjor. Men med få undantag upplöstes det folkliga dräktskicket i landskapet ganska tidigt under 1800-talet. Vid århundradets mitt tycks endast två socknar bevara ålderdomliga dräkttraditioner, Toarp i Ås härad ett stycke öster om Borås och – i viss utsträckning – Rackeby på den udde, Kålland, som skjuter ut i Vänern nordväst om Skara.

Västergötland är ett av den Skandinaviska halvöns tidigast uppodlade områden. Från äldsta tid var det huvudland i ett kulturområde, som även omfattade Vänerlandskapen Dalsland och Värmland. Hit nådde kristendomen tidigare än till något annat svenskt landskap. Missionen utgick från de brittiska öarna och Västergötland har i alla tider haft en väg öppen väster över mot England.

I Västergötland finns både betydande åkerbruksbygder på slätterna kring Skara och Falköping och utpräglade småbrukarbygder i landskapets södra del, den s.k. Sjuhäradsbygden, som omfattar häraderna Mark, Kind, Bollebygd, Ås, Gäsene, Veden och Redväg. Här nere gav inte jorden full försörjning, vilket framtvingade en rik flora av binäringar i form av olika hemslöjder, smide, träslöjd och inte minst textiltillverkning. De framställda varorna såldes av kringvandrande affärsmän, de berömda knallarna. Under tider då inga andra bönder fick syssla med handel hade befolkningen i Sjuhäradsbygden en särskild rättighet att driva gårdfarihandel. Den utbredda hemtillverkningen av textilier i södra Västergötland blev i sinom tid grundval för Boråstraktens utveckling till Sveriges textila centrum.

Under 1800-talet fortgick över hela landet en upplösning av det gamla bondesamhället. Förändringarna påverkade naturligtvis också allmogens sätt att klä sig. I Västergötland påskyndade en relativt tidig industrialisering denna utveckling. Knallarna som vandrade vida omkring och som hade nymodigheter och köptyger att sälja vid sidan av hemslöjdsalstren måste också ha påverkat dräktutvecklingen i det

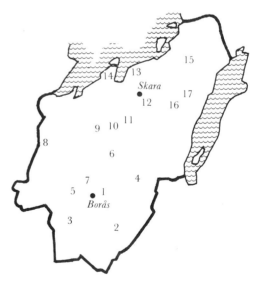

1 Toarp	7 Veden	13 Kinnekulle
2 Kind	8 Tunge	14 Rackeby
3 Mark	9 Essunga	15 Vadsbo
4 Redväg	10 Laske	16 Varola
5 Bollebygd	11 Vångaby	17 Kyrkefalla
6 Gäsene	12 Valle	

egna landskapet, även om det framför allt var de själva och inte deras hemmavarande kvinnor som tog upp modenyheter i den egna dräkten. På olika håll påtalas redan på 1700-talet knallarnas verksamhet som ett hot mot gamla traditioner och anspråkslösa seder, inte minst i klädedräkten.

Det är svårt att ge någon fullgod förklaring till varför det lokala dräktskicket levde kvar just i socknarna Toarp och Rackeby. Kanske hade Toarpdräkten genom sin ålderdomliga, slutgiltiga form en så djup förankring i traditionen att den i det längsta stod emot tillfälliga förändringar. I alla händelser kan man läsa i sockenbeskrivningar från 1860- och 70-talen att "för icke länge sedan hade Toarpboarna sin egen dräkt". Om "Rackebyfolket" berättas att de "haft sin egen dräkt, olika folkets i den öfriga delen av Kålland" och att denna "bortlades efter hand under den tiden Landtbruksskolan på Degeberg blomstrade". Degebergs lantbruksinstitut drevs åren 1834–52. Dess betydelse för traktens dräktskick tycks i första hand ha gällt den manliga dräkten. Traktens ynglingar ville inte vara sämre klädda än lantbruksinstitutets elever.

De västgötadräkter, som används idag är mestadels resultat av sentida rekonstruktionsarbete. Under de senaste decennierna har behovet av särpräglade dräkter för de olika häraderna vuxit sig allt starkare. Med utgångspunkt från bevarat dräktmaterial i museer, hembygdsgårdar och i privat ägo har man arbetat fram dräkter för många av landskapets härader. Åren omkring 1940 rekonstruerades dräkter för Bollebygd, Gäsene, Mark och Kind, alla i Sjuhäradsbygden. I Ås härad hade man ju sedan gammalt Toarpdräkten. I arbetet med de nya dräkterna deltog museet i Borås aktivt. Ungefär samtidigt sammanställdes bygdedräkter för Ale härad. Nästa dräktvåg kom i mitten av 50-talet och sedan har det ena häradet efter det andra fått sin egen dräkt, ibland nykonstruerad, ibland väl dokumenterad genom bevarat material. I årsboken *Från Borås och de sju häraderna* presenteras Sjuhäradsbygdens dräkter i årgångarna 1956–62.

I ett planschverk med *Svenska folkdräkter* som kom ut 1857 finns den här framställningen av västgötaknallar "nu" och "förr". Till höger ser man den äldre typen av knalle klädd i knäbyxor, randig väst, långrock, damasker och hatt. Troligen kommer han från Kinds härad. Till vänster en "knalle" av modernare snitt i rutiga långbyxor, elegant rock, fadermördare, fin halsduk och hög hatt. Knallen har blivit handelsresande.

Toarp

Mansdräkten består av knäbyxor och långrock av mörkblått kläde med ljusare blå broderade ärmuppslag. Västen är enkelknäppt med längsgående ränder. Strumporna är mörkblå, de långa strumpebanden bärs med hängande ändar. Västrandningarna kan variera och i stället för hatt bärs ibland röd toppluva.

Kvinnodräkten är sydd av rött ylle. Kjolen är nertill kantad med ett gult band. Livstycket och tröjan har långa skört och knäpps fram med hyskor och hakar. Även tröjan har gula bandkanter. Förklädet är av mörkblå rask med prydande band. Strumporna röda med vita broderier. Den karakteristiska svarta mössan, den s.k. "stopahättan", är en ålderdomlig och i Sverige ovanlig form av huvudbonad. Den bärs tillsammans med en vit linnehatt. Till kvinnodräkten bärs ibland randigt livstycke.

Båda dräkterna är högtidsdräkter, sydda efter originalplagg på museerna i Skara och Borås. Det dominerande inslaget av enfärgade material liksom kvinnotröjans och livstyckets långa skört är ålderdomliga drag som knyter an till 1600-talets modedräkt.

Dräktskicket i Toarp, som ligger i Ås härad, är väl dokumenterat både genom tryckta notiser och genom bevarat material. Ännu vid 1800-talets mitt var en särpräglad dräkt levande i socknen. Bland de bevarade plaggen finns sådana från såväl 1700-talet som 1800-talet. En viss förskjutning mot modernare snitt kan man iaktta, men grundformen förblir densamma. Innan rekonstruktionsarbetet med dräkterna i Västergötland tog fart på 1930- och 40-talen användes Toarpdräkten allmänt som "Västgötadräkt". I den inledande texten härovan berörs Toarpdräkten ytterligare något.

Kind

Mansdräkten består av knäbyxor av sämskat skinn, dubbelknäppt väst av röd- och vitrutigt halvlinne, dubbelknäppt mörkblå jacka med slag samt sidenhalsduk och kaskett.

Kvinnorna bär kjolar som är bredrandiga i blått, rött och grönt. Röda livstycken med dold knäppning, vita mönstervävda förkläden och mjuka bindmössor av sidenbrokad. Dessa dräktdelar är utförda efter gamla originalplagg. Det gäller också de vita halskläden, som med röda korsstygnsbroderier i överensstämmelse med originalen är daterade 1778 respektive 1784.

Omkring 1940 rekonstruerades mans- och kvinnodräkter för Kinds härad. Förebilder till mansdräkten fick man på Borås museum. Kvinnodräkten vävdes och syddes efter plagg i Nordiska museets samlingar.

Mark

Mannen är klädd i mörkblå knäbyxor av vadmal, svart väst med ränder i grönt och gult samt mörkbrun skinnkaskett. Som ytterplagg bär han en kort dubbelknäppt jacka av mörkblått kläde. Knäbyxor av sämskat skinn används som alternativ till vadmalsbyxorna.

Kvinnodräkten består av mörkbrun kjol med ränder i grönt och vitt samt midjekort livstycke med uppvikt skört.

Det är smalrandigt med mörkblå botten och snörs fram. Förklädet är av grönt mönstrat siden. Också halsklädet är av siden liksom huvudbonaden, den mjuka bindmössan. I stället för bindmössa kan den s.k. marboduken användas, knuten under hakan eller i nacken. Sidenförklädet varieras med förkläden av bomullstyg med tryckt blommönster.

Dräkterna från Marks härad går ofta under benämningen marbodräkter eftersom folket i Mark kallades "marbor".

Dräkterna tillhör de tidigt rekonstruerade bygdedräkterna i Västergötland. Från början utformades en blå och en brun variant av den kvinnliga marbodräkten. Idag bärs ofta, som här, en dräkt med plagg från både den blå och den bruna varianten. Dräkterna från Mark är så gott som helt uppbyggda av väl dokumenterade gamla plagg, dels på Nordiska museet dels på Borås museum.

Redväg

Klänning av halvylle i två gröna nyanser samt svart, rött och vitt. Förklädet är randigt i grönt och vitt. Vit krage och grön bindmössa med stycke hör till.

I häradet finns inte många spår av ett folkligt dräktskick. När man på 1950-talet sökte gammalt material till en häradsdräkt stannade man för att kopiera en brudklänning som burits i Timmele socken 1846. Den är starkt präglad av det borgerliga modet på 1840-talet. Förklädet går tillbaka på ett brudförkläde från 1845. Båda originalplaggen tillhör nu Borås museum. Rekonstruktionsarbetet avslutades 1955.

Bollebygd

Kvinnodräktens kjol är randig i svart, grönt och grått. Livstycket är randigt i rött, svart och grönt. Det snörs ihop fram. Förklädet är här av bomullstyg med tryckt mönster men varierade förkläden bärs till dräkten. Lägg märke till den mjuka bindmössan av sidenbrokad. Den är en föregångare till den hårda bindmössan, som fått så stor spridning i folkdräkterna i hela landet. Mjuk bindmössa används även i de angränsande häraderna Mark och Kind.

Mansdräkten består av gula knäbyxor, röd dubbelknäppt väst med slag, mörkblå långrock och hatt med band.

Dräkterna för Bollebygds härad var de första bygdedräkter som rekonstruerades i Västergötland. De var färdiga 1938. Inga kompletta dräkter fanns att kopiera men med utgångspunkt från bevarade dräktdelar kunde man sammanställa en kvinnodräkt efter plagg på

Nordiska museet och en mansdräkt efter plagg på Västergötlands museum i Skara.

Gäsene

Även Gäsene härad i Sjuhäradsbygden har sin dräkt, sammanställd redan i slutet av 1930-talet av delvis väl dokumenterade plagg. Dräkten består av randigt livstycke med broderier och snörning, randig kjol samt förkläde med småblommigt tryckt mönster. Ljusblå bindmössa med stycke, vita strumpor och halskläde av siden eller tunt ylle med mönster på ljus botten bärs till dräkten. Dräkten finns avbildad i *Från Borås och de sju häraderna* 1961.

Veden

Dräkten består av randig kjol, svart livstycke med broderier och snörning, vitt förkläde med grönt tryckt mönster samt vit broderad bindmössa med stycke. Överdelen hålls vanligen ihop kring halsen med en liten brosch.

Det dröjde till 1957 innan det sjunde av de sju häraderna fick sin dräkt. Det året sammanställdes en kvinnlig dräkt för Vedens härad av spridda plagg och uppgifter. Livstycket går tillbaka på ett originalplagg medan kjoltyget vävdes upp efter ett gammalt tygprov.

Tunge

Kvinnodräkt med svart kjol, rött livstycke med stickningar och snörning, förkläde av tunt mönstervävt bomullstyg, röd bindmössa med stycke och vita strumpor med broderier.

Mansdräkten består av mörkblå knäbyxor, randig dubbelknäppt väst och blå enkelknäppt långrock. Vita strumpor, skjorta med uppstående krage och hög hatt bärs till dräkten.

Båda är högtidsdräkter, sydda efter original på Nordiska museet, vilka kan dateras till 1795 då de på midsommardagen användes som brud- och brudgumsdräkt. Museets dräkter är avbildade i *Folkdräkter* 1973. I förhållande till dräktmodet var de då de användes, inemot 30 år efter sin tid påpekar Anna-Maja Nylén i kommentaren.

Tunge socken ligger i Ale härad. En häradsdräkt för Ale sammanställdes redan 1940, varvid ett rött livstycke kombinerades med randig kjol, uppvävd efter ett västtyg. Vitt förkläde, vitt halskläde och blå bindmössa används till den dräkten. Samtidigt lanserades en Tungedräkt bestående av kalminksrandigt livstycke med skört och häktor, sytt efter original på Nordiska museet, svart kjol, vitt förkläde och vitt broderat halskläde samt röd bindmössa. Man tänkte sig, något orealistiskt, att Aledräkten skulle användas av ogifta och Tungedräkten av gifta kvinnor.

Essunga

Kvinnodräkten består av blågrön kjol, nertill kantad med svart band, och smalrandigt livstycke med broderier och snörning. Förklädet är av rödbrunt bomullstyg. Halsklädet är av siden liksom den rosaröda bindmössan. Som variation till förklädet förekommer ett förkläde av vit bomull med ränder i rosa

munkabälte. I stället för sidenhalskläde används dels ett av tunt bomullstyg med tambursömsbroderier, dels ett enklare av rutigt bomullstyg.

Mansdräkt med svarta knäbyxor och svart rock som till snittet kan härledas till 1800-talets mitt. Västen är rutig och dubbelknäppt. Essunga ligger i Barne härad. Essungadräkten är sammanställd av dräktdelar, som dels tillhör socknens hembygdsgård, dels finns i privat ägo. Dräkten invigdes 1954 efter några års förarbete.

Laske

Kjolen är av blekblått bomullstyg med ränder i rött och vitt och har en blå skoning i nederkanten. Livstycket, av rött halvlinne, har flikigt skört och snörs ihop fram. Halsklädet är av bomull liksom det rödrandiga förklädet. Kjolväska och bindmössa av rött siden kompletterar dräkten.

Det var på 1960-talet som intresset vaknade för att skaffa Laske härad en egen dräkt. På olika håll lyckades man hitta plagg som sammanställdes till en dräkt och 1967 kunde Laskedräkten visas första gången i färdigt skick.

Vångabydräkten

Till kvinnodräkten hör randig kjol med kantskoning, rött livstycke med snörning, röd- och vitrandigt bomullsförkläde, vitt halskläde och blå bindmössa med stycke.

Mansdräkten består av mörkblå knäbyxor och mörkblå jacka samt dubbelknäppt väst av ylle i något ljusare blå färg. En svart långrock, sydd efter original på Skara museum, används ibland till dräkten och till den bärs hatt i stället för toppluva.

Dessa dräkter rekonstruerades åren omkring 1950 av Vångabygdens folkdansgille. Norra Vånga i Skånings härad och angränsande socknar inventerades och bouppteckningar gicks igenom för att kunskapen om äldre tiders dräktskick i bygden skulle bli så rik som möjligt. Dräktarbetet avslutades 1954. Den nya dräkten kom att kallas Vångabydräkten. Till typen är den kvinnliga dräkten präglad av 1700-talet medan mansdräkten hör hemma i det tidiga 1800-talet.

Valle

Kjolen är bredrandig med mörkt brun botten, vävd efter gammalt tygprov från Istrums socken. Livtycket är rött med vita stickningar och snörning. Det går tillbaka på ett originalplagg på museet i Skara. Förklädet är vitt med ränder i rosa och grönt, halsklädet vitt med broderi på snibben, bindmössan är av grönt broderat siden. Valledräkten är sammanställd på 1960-talet av spridda dräktdelar från häradet.

Röda livstycken med vita stickningar och broderier, finns på många håll i Västergötland liksom bl.a. i Bohuslän.

Kinnekulle

Dräkten består av rostbrun bomullskjol, grönt livstycke av bomull, gult förkläde med rödbruna ränder, vitt halskläde av linne med broderier, mörkblå strumpor och bindmössa av mörkblått siden med stycke. I stället för bindmössa bärs ibland vit huvudduk och i så fall gärna vita strumpor.

1955 konstruerades denna dräkt som fick namn efter berget Kinnekulle. Den är gemensam för de åtta socknar som helt eller delvis ligger på bergshöjden. Vid färgsättningen knöt man an till traktens naturförhållanden. Den rostbruna kjolen syftar på Kinnekulles karakteristiska rödlera och förklädet har fått sin färg efter guckuskon, som växer på berget.

Rackeby

Kvinnodräkten består av rutig bomullskjol i vitt, rött och blått samt livstycke av rosa halvlinne med snörning och broderier. Överdelen har en lös krage med monogram och årtal i rött korsstygns-broderi. Förklädet är av blommigt bomullstyg, kjolväskan är sydd på stramalj med korsstygn i många färger, strumporna är mörkblå. Som huvudbonad bärs bindmössa av siden och över denna en "skrullhatt" av halmflätor med hängande röda band. Den midjekorta tröjan är av svart ylle. Dräkten är sydd 1936 efter Nordiska museets original.

Mansdräkten har gråbruna knäbyxor av vadmal och dubbelknäppt väst av rött ylle. Som ytterplagg bärs ibland långrock. Samtliga plagg är sydda efter en dräkt på museet i Skara, som syddes upp på 1880-talet av en skräddare efter gamla minnesbilder.

Sockenborna i Rackeby bar vid 1800-talets början en särpräglad dräkt. Detta framgår av tryckta notiser. Men i det bevarade dräktmaterialet är det svårt att urskilja ett varierat och differentierat dräktskick för socknen. Mansdräkten var ur bruk före 1800-talets mitt, vilket framgår av den inledande texten ovan. En kvinnlig Rackebydräkt publicerades 1921 av Gerda Cederholm i

Svenska Allmogedräkter och den dräkten har sedan blivit flitigt kopierad. Det är en högtidsdräkt för sommarbruk. Den flätade halmhatten, "skrullhatten", som man nu gärna uppfattar som karakteristisk för Rackebydräkten, förekommer också i angränsande landskap och har en gång varit spridd i mellersta Västergötland. När Linné reste mellan Skövde och Falköping 1742 skrev han: "Hattar brukas av böndernas kvinnfolk allmänt att bäras om sommartiden, att de ej må bli solbrände . . . Hitintills har man alltid sett dem gå med halmhattar vilkas öppna kulle ej alldeles är efter nyaste modet . . ."

Först på 1950-talet fick Vadsbo härad sin bygdedräkt. Redan 1918 fanns dock skisser till en Vadsbrodräkt, men varken dessa försök eller ansträngningar i början av 1930-talet resulterade i utförda dräkter. Vid rekonstruktionsarbetet på 50-talet koncentrerades intresset till Fredsbergs socken eftersom där fanns en del bevarat material och det dessutom föreligger tryckta notiser om äldre dräktskick i socknen. Med stöd av de uppgifter man fick fram utformades dräkterna som invigdes 1957. Framför allt mansdräkten stöder sig till stor del på originalplagg.

Varola

Kvinnodräkt med bredrandig kjol med mörkgrön botten, livstycke av blått halvlinne med mycket långa snibbar fram, överdel med raka ärmar och förkläde av grönt halvvylle. Halsklädet är av vit bomull med rutor i vitt. Till dräkten bärs bindmössa av rostfärgat siden med broderier. Som variation till det blå "ungflickslivstycket" på bilden förekommer ett livstycke av sämskat skinn, sytt efter förebild på Nordiska museet. Detta kommer dock från grannsocknen, Värsås.

Mansdräkten består av mörkblå knäbyxor, alternativt gula, samt randig, dubbelknäppt väst. Som ytterplagg bärs blå långrock med uppstående krage och stora knappar. Till långrocken använder man gärna hatt i stället för röd toppmössa. Långrocken och västen går tillbaka på originalplagg på Nordiska museet. Dessa bars 1808 som brudgumsdräkt i Varola socken i Kåkinds härad.

Kyrkefalla

Mörkblå yllekjol och rött livstycke med häktor, vävt med ränder i rosengång. Förklädet är av bomull med ränder i färger. Som variation förekommer ett beigefärgat förkläde med smala ränder i rostbrunt och grönt. Bindmössa av rött siden med broderier hör till. Strumporna kan vara röda eller blå.

Vid mitten av 1960-talet sammanställdes denna dräkt för Kyrkefalla socken i Kåkinds härad på initiativ av socknens hembygdsförening. Då säkra originalplagg saknades konstruerades en bygdedräkt med stöd av bouppteckningsmaterial och plagg från olika delar av häradet. Livstycket går tillbaka på ett livstycke på Nordiska museet medan förebilder till andra plagg finns på det närbelägna Tibro museum.

Vadsbo

Mannen har mörkblå knäbyxor och randig dubbelknäppt väst. Långrocken är svart med bandkantning. Som huvudbonad bär han grön skinnkaskett.

Kvinnodräkten består av svart kjol och blått livstycke med broderier, ibland sytt med uddigt skört. Förklädet är vitt med rosa och blå ränder, bindmössan av blått siden.

Östergötland

I ett herrgårdspräglat landskap som Östergötland har man knappast anledning att vänta sig särpräglade folkdräkter. Norrut i skogsbygden finns dock ålderdomliga dräkttraditioner i Vånga och Skedevi.

Till sin huvuddel är Östergötland bördigt slättland och gammal jordbruksbygd. Här växte redan under medeltiden städer fram, här ligger gamla slott och herrgårdar och här fanns rika bondgårdar samlade i små byklasser. Det var herrgårdarna som dominerade och även den folkliga kulturen fick i landskapet en högreståndsmässig prägel. Godsen och de stora gårdarna hade många underhavande och åtskilliga av dessa tillhörde en rörlig arbetarstam som aldrig utbildat särpräglade dräktformer annat än i form av de livréer och tjänstedräkter arbetsgivaren fastställde. De små bondesamhällena bröts under 1800-talet sönder av laga skiftet, som blev radikalt genomfört i Östergötland. När gårdarna flyttades ut och kom att ligga ensamma på den utskiftade jorden, blev livsbetingelserna nya och de gamla traditionerna lades bort. Från städer och marknadsplatser fördes nyheter ut över bygden. Redan på 1600-talet startades textil industri i Norrköping, som kan betraktas som Sveriges första egentliga industristad. Dessa förhållanden har bidragit till det faktum att de centrala delarna av Östergötland saknar egentliga folkdräkter.

Något annorlunda är förhållandet i de södra skogsbygderna, som har många drag gemensamma med de småländska gränsbygderna i söder och öster. Här finns spår av ett likartat folkligt dräktskick på ömse sidor om landskapsgränsen. Att man också i dessa trakter tidigt följt med i det borgerliga modets utveckling ser man t.ex. på plagg som fracken från Asby och sommardräkten från Svinhult, som kommer ur allmogemiljö men likaväl kunde burits av borgerskapet.

I den norra skogsbygden har bergshanteringen medeltida anor och bruken växte upp här från 1600-talets slut. Detta är den ålderdomligaste delen av landskapet, där sedvänjor och bruk av hög ålder punktvis levat kvar.

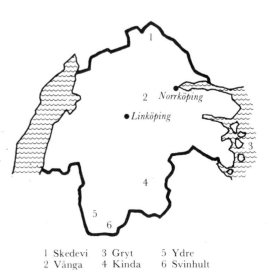

1 Skedevi   3 Gryt   5 Ydre
2 Vånga   4 Kinda   6 Svinhult

Det gäller t.ex. dräktskicket i Vånga. Här uppe ligger också Skedevi socken där särpräglade dräkter bars ännu vid 1800-talets mitt. Intressant nog är Skedevi närmaste grannsocken till Vingåker i Sörmland, som ju är ett av våra märkligaste dräktområden.

Från Vånga men också från andra håll i landskapet finns goda och intressanta uppgifter om användningen av vita linneplagg till både mans- och kvinnodräkter. Männen har haft vita linnebyxor och rockar, kvinnorna vita kjolar och rikligt med tyg i överdelens ärmar. Den vita huvudduken av linne har tydligen använts av både gifta och ogifta kvinnor. Storleken var däremot olika. De gifta bar en stor huvudduk med utstående snibbar och en flik ner i nacken. De ogifta bar en huvudduk som var så liten att den nätt och jämnt täckte huvudet.

Utmed östersjökusten och vid Vättern i väster har befolkningen delvis levat av fiske och sjöfart. Det har präglat arbetskläderna men dessa har slitits ut och försvunnit utan att kunskapen om dem blivit tillvaratagen. Vardagens arbetsplagg är ju inte heller de förlagor man i allmänhet söker till dagens bygdedräkter för fest och gemenskap.

De flesta av de östgötska bygdedräkter som används idag förekom i hembygdssammanhang redan på 1920-talet. Det gäller i själva verket alla de dräkter som avbildas här utom Svinhultsdräkten och de två ålderdomliga mansdräkterna från Vånga. Dessa har först under senare år börjat bäras som bygdedräkter. Museala förebilder till dessa dräkter återges i de båda upplagorna av Nyléns *Folkdräkter*.

De senaste femtio årens folkdräktsintresse har i Östergötland tagit sig uttryck i att man sökt en breddad och fördjupad kunskap om dräktskicket i landskapet. Däremot har det inte annat än undantagsvis resulterat i nyrekonstruerade dräkter.

Bonde och bondkvinna från Vånga socken. Bilden är hämtad ur Richard Dybecks antikvariska tidskrift *Runa*, novembernumret 1844. Både mannen och kvinnan bär påfallande ålderdomliga dräkter. Den långa kvinnotröjan med häktor har 1600-talssnitt. Mannens långa väst, långrock och kilmössa är också plagg som vid 1800-talets mitt endast levde i ålderdomliga dräktområden. Det gäller i hög grad också holkbyxorna med de raka, halvlånga benen. Byxor av det här slaget finns avbildade på gotländska bildstenar från omkr 700 e.Kr. De är alltså uråldriga. I Vånga bars de ännu vid 1800-talets mitt.

Skedevi

Två kvinnor i Skedevidräkter, båda med randiga kjolar och röda livstycken med skört av rundade flikar, gröna kantband samt hyskor och hakar. Även förklädet är randigt mot vit botten. Halsklädet har det för dräkten karakteristiska broderiet i rött och blått. Till vänster bindmössa med stycke samt kjolväska med applikationsbroderi och mässingsbygel. Till höger den gifta kvinnans stora vita huvudduk, som hör till kyrkdräkten. Huvudduken ska vara stärkt. Den knyts med en stor knut i nacken varvid den ena snibben förs uppåt och den andra ner mot axeln. Det är riklig vidd i de vita överdelsärmarna. Ytterplagget är en tröja av blått kläde.

Den kvinnliga Skedevidräkten var den första av de östgötska dräkterna som återupptogs. Den har kallats "östgötadräkten" men är ej representativ för hela landskapets dräktskick. Skedevi socken ligger längst upp i norra Östergötland och därifrån är ett varierat dräktskick väl dokumenterat från 1800-talets förra del.

Vånga

Kvinnan bär rött hophäktat livstycke med skört, grön kjol med röd list av siden, randigt förkläde, broderat halskläde och vit mössa. Hon har öppna överdelsärmar och röda strumpor. På armen bär hon sin svarta skörttröja av kläde. Den vita mössan ersätts ibland av svart bindmössa, och den gifta kvinnan har haft vit huvudduk.

Den kvinnliga Vångadräkten rekonstruerades på 1920-talet. Den invigdes 1929 då ett fyrtiotal kvinnor uppträdde i sockenkyrkan i den nya dräkten.

Männen visar några dräktvariationer. Mannen till höger har svart långrock med häktor, grönrandig väst, mörkblå knäbyxor och ett förskinn med bård av iträdda olikfärgade läderremsor. Förskinnet skulle i gamla dagar begagnas såväl till "heligt som söknet", d.v.s. till både kyrkbesöket och vardagens arbete. Mannen i mitten bär randig, dubbelknäppt väst och vita holkbyxor av linne. Han är i skjortärmarna och har svart kilmössa medan den andre bär hatt. Vita strumpor hör till mansdräkten. Till de vida holkbyxorna bärs sydda strumpor av linne, s.k. holkar eller skaft.

Holkbyxan har anor från forntiden. Den har levat kvar bland annat i Mora och här i Vånga där man sa att ju längre byxan var, desto rikare var bonden och desto större anseende hade han. Se bild s. 99 och 174.

Den numera vanligaste varianten av manlig Vångadräkt består av mörkblå knäbyxor och mörkblå jacka, "stäcktröja", med dubbla knapprader. Plaggens snitt liksom läderkasketten visar att också senare dräktmod togs upp i Vånga.

Mansdräkterna från Vånga går alla tillbaka på väl dokumenterade museiplagg.

Gryt

Kvinnodräkt med randigt livstycke med skört och snörning, grön kjol och rött broderat förkläde samt överdel med kulört broderi på krage och ärmlinningar. Den vita huvudduken knyts i nacken. Röda strumpor hör till dräkten. Bindmössa och stycke kan användas i stället för huvudduken eller under denna. Även en helvit sommarkjol har använts.

Grytdräkten eller "skärgårdsdräkten", som den ibland kallats, togs fram i början av 1920-talet.

Kinda

Kvinnodräkten består av randig kjol i grönt och brunt, rött livstycke med snörning och gula broderier, mörkrandigt förkläde och broderad huvudduk. Som variation används ett ljusrandigt förkläde och grön bindmössa med stycke. Ytterplagget är en grön tröja med häktor.

Till mansdräkten hör knäbyxor, enkelknäppt väst, randig i svart, grönt och

rött samt vita strumpor, strumpeband och hög hatt. Den vita långrocken har axellappar. De första nutida Kindarockarna syddes upp på 20-talet av socknens gamle skräddare "efter gammalt snitt". De går tillbaka på de linnerockar som är belagda i bygden. Numera sys rockarna av ett tyg med linvarp och ylleinslag. Som ytterplagg kan också en blå, enkelknäppt jacka användas.

Häradsdräkterna för Kinda sammanställdes på 1920-talet med stöd av äldre häradsbors uppgifter och en del bevarade plagg.

Ydre

Dräkten består av blå frack och blå knäbyxor samt grön-svart-rödrandig dubbelknäppt väst.

Denna dräkt togs upp som bygdedräkt för Ydre härad på 1920-talet. Den är sydd efter en dräkt på Nordiska museet från Asby socken. Fracken har endast på några håll blivit bondeplagg. Den här typen av frack kan hänföras till 1840-talet.

En kvinnlig Ydredräkt sammanställ-

des på 1960-talet. Till typen är den lik den kvinnliga Kindadräkten. Den har randig kjol i brunt och grått, rött eller grönt livstycke med broderier och snörning, tvärrandigt eller vitt förkläde samt bindmössa eller huvudduk. Enfärgad eller randig tröja med knäppning bärs som ytterplagg.

Svinhult

Sommardräkt med kjol och tröja av samma randiga bomullsväv. Randigt förkläde och hemvävt halskläde bärs till dräkten. På huvudet sitter "skrullhat-

ten" av halm. Den kunde också sakna kulle och träs utanpå bindmössan (jfr. Rackeby i Västergötland). Det stora brättet var ett gott skydd mot solbränna, som man skulle undvika så mycket som möjligt.

Dräkten representerar ett rent borgerligt mode från 1770–80-talen. Den är gjord efter en dräkt på Nordiska museet från Svinhults socken i Ydre härad i sydligaste Östergötland.

Södermanland

I högre grad än något annat svenskt landskap har Sörmland präglats av herrgårdsbebyggelse och av den miljö som formas i anslutning till stora gods och gårdar. Högreståndsmässiga eller åtminstone borgerliga levnadsformer har dominerat kulturutvecklingen. Naturligtvis har också inflytandet från Stockholm haft stor räckvidd och spritt nyheter långt ut i bygderna. I mycket stora delar av Sörmland saknas helt folkliga och provinsiella särdrag och särpräglade dräkter tycks inte ha utvecklats annat än undantagsvis.

Trots detta finns här två av Sveriges intressantaste dräktområden, Vingåker längst i väster och Sorunda på Södertörn. Att just dessa socknar kom att utbilda och konservera lokalpräglade dräkter kan kanske delvis förklaras av att här låg de enda riktigt stora bondbyarna i landskapet. I Vingåker har också personliga initiativ redan på 1600-talet verksamt bidragit till att "then gamble wackre klädedrächten" blivit bevarad. På en sockenstämma 1674 beslöts nämligen, att man för all framtid skulle vårda sig om socknens dräkttraditioner. Ända fram emot 1800-talets mitt fortsatte stämman att övervaka sockenbornas sätt att klä sig. Detta åtagande är tämligen enastående i vårt land, även om sockenstämmorna också på andra håll ingrep till de traditionella dräkternas försvar. I Vingåker och grannsocknen Österåker levde på detta sätt ännu för 100 år sedan en folklig dräkttradition, som i vissa delar hade rötter i ett medeltida dräktskick. Se t.ex. på livkjolen med det mycket korta livet.

Vingåkersdräkten är utan tvivel en av Sveriges mest kända folkdräkter. Den uppmärksammades tidigt och blev flitigt avbildad både på 1700- och 1800-talet. När konstnären Carl Gustav Pilo på 1780-talet arbetade med sin väldiga målning av Gustav III:s kröning valde han att avbilda riksdagens representant för bondeståndet i Vingåkersdräkt. I sekelskiftets nationalromantiskt färgade dräktintresse intog den kvinnliga Vingåkersdräkten en självklart dominerande plats som en favoritdräkt att kopiera och bära. Av lättförklarliga skäl är dräktskic-

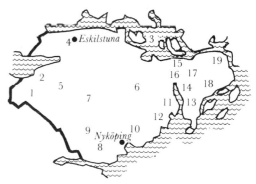

1 Vingåker	8 Brunsta	15 Botkyrka
2 Österåker	9 Åkerö	16 Salem
3 Mälarbygden	10 Tystberga	17 Huddinge
4 Rekarne	11 Mörkö	18 Öster- och
5 Floda	12 Trosa-	Västerhaninge
6 Gåsinge-	Vagnhärad	19 Nacka
Dillnäs	13 Sorunda	
7 Villättinge	14 Grödinge	

ket i dessa båda socknar, Vingåker och Österåker, rikt dokumenterat både i bevarade dräkter och insamlat traditionsmaterial. Ett tjugotal dräktvarianter är kända från dessa bygder.

I Sorunda har dräktskicket inte lika ålderdomlig karaktär som i Vingåker. Här har tydligen en uppblomstring av bondekulturen vid 1700-talets slut starkt bidragit till att prägla och sedermera konservera en lokal dräkttradition. Det är värt att notera att Sorunda på alla sidor är omgivet av socknar, där varje spår av folkligt dräktskick gått förlorat. Från Sorunda finns 100-tals plagg bevarade, de flesta präglade av modedräkten vid 1700-talets slut och 1800-talets början. Ett plagg som mer än något annat uppfattas som typiskt för Sorundadräkten är örmössan. Det är en mjuk, vadderad mössa med stickningar som sluter till om huvudet och har ett karakteristiskt högt nackparti. Den knyts under hakan. Runt mössan går ett prydande sidenband som är lagt i öglor uppe på huvudet. I Sorunda användes örmössan parallellt med den modernare bindmössan.

Genom betydande skogsbygder på tre sidor och Himmerfjärden på den fjärde var Sorunda i många hänseenden en isolerad bygd. Under återkommande handelsfärder till Stockholm, där man framför allt sålde virke och slöjdprodukter, kom sockendräkten uppenbarligen att fungera som ett igenkänningstecken, kanske som ett garantibevis på att bäraren sålde goda Sorundavaror. Även dessa faktorer kan ha medverkat till att den särpräglade dräkten hållits levande.

De övriga dräkter som bärs i Sörmland idag har skapats under de senaste decennierna, i vissa fall med stöd i äldre avbildningar och sporadiskt bevarade dräktplagg. I synnerhet åren omkring 1950 tog sig ett ökat hembygdsintresse uttryck i tillkomsten av en rad nya bygdedräkter.

I en sockenbeskrivning över Mörkö från 1828 finns den här bilden av en bonde och en bondkvinna. Författaren, C. U. Ekström, skriver att en och annan vid den tiden fortfarande höll fast vid den gamla dräkten med kort rock, lång väst, rund hatt och vida stövlar. Till kvinnodräkten hörde "en hög uppåt något avsmalnande mössa", lång tröja, relativt kort kjol, röda yllestrumpor och skor med remmar". Dräktens försvinnande skyller författaren på utsocknes hantverkare, som förde in nya modeideal, och på de kringvandrande knallarna, som "underhöll kvinnornas fåfänga".

Avbildningen ligger till grund för den Mörködräkt som bärs i dag. Den nya dräkten förhåller sig ganska fritt till förebilden, se s. 109.

Vingåker

Festdräkt, s.k. grannlåtsdrakt, för gift kvinna. Livkjolen är sydd av rött ylle med liv av gult siden med broderier. Kjolen hålls samman i midjan av ett brett läderbälte med silkesbroderier i ryggen (se detaljbilden). Förklädet är av grönt ylle med tvärbårder nertill. Från midjan hänger den s.k. pungtrossen med nålhus, knivslida och skedpung i långa, smala läderremmar. Handskarna i handen är ett viktigt tillbehör till högtidsdräkten. I senare tid blev de mest en prydnad och kunde då också användas som psalmboksfodral. Huvudbonaden är den gifta kvinnans s.k. huckel av vitt tyg med fina längsgående veck. Över armen bärs den axelkappa av svart kläde med röda infodringar som i vissa sammanhang bärs till högtidsdräkten. Den hålls ihop vid halsen med ett par stora silverspännen.

Vingåker

Dansande ungdomar i några varianter av Vingåkersdräkter. Den spelande flickan bär en vardagssommardräkt av ganska sen typ. Hon har kjol av vitt linne och livstycke av kattun med häktor. Förklädet är av lila bomull. Den iögonfallande förklädesbredden är ett sent drag. Huvudklädet är av bomull och knutet på huvudet med en stadig knut. Strumporna är vita.

Flickan till vänster har vardagsdräkt, bestående av röd kjol, randigt livstycke av bomull som häktas ihop fram, förkläde av halvylle med kantbård samt

gröna strumpor. Huvudbonaden är ett kvadratiskt bomullskläde som knyts uppe på huvudet.

Den lilla flickan bär vardagsdräkt, s.k. halvdräkt, gul yllekjol med röd kant, rödrandigt livstycke med häktor, förkläde av orangegult halvylle samt vit långtröja av ylle med de karakteristiska infodringarna fram av mönstervävt halvylle, som syns när tröjan häktas ihop bak. Så bar man ofta dessa långtröjor. På huvudet har hon, som de andra flickorna, huvudduk av bomull.

Ynglingarna bär knäbyxor och röda västar med häktor. Mannen i mitten har

sämskskinnsbyxor och är dessutom klädd i svart jacka och röd luva.

Dräktskicket i Vingåker behandlas också i landskapsöversikten.

Österåker

Fyra exempel på dräkter från Österåkers socken i Oppunda härad. Den sittande kvinnan bär högtidsdräkt för vinterbruk. Hon har livkjol av grönt ylle med liv av gult siden med broderier. Förklädet är av blå rask med band och broderier. Vid bältet, av rött läder med silkebroderier på ryggsidan, är fäst ett handkläde av

Pojken bär knäbyxor, randig enkel-knäppt väst, svart kort jacka samt röd luva med tofs.

Österåker utgör ett med Vingåker nära sammanhängande dräktområde och dräktskicket i de båda socknarna bör studeras som en enhet varvid man dock måste vara vaksam på de olikheter som ändå funnits. De båda socknarnas dräkter har studerats ingående ur olika aspekter av Anna-Maja Nylén som publicerat sina forskningsresultat i *Folkligt dräktskick i Västra Vingåker och Österåker*.

Mälarbygden

Mansdräkten består av gula knäbyxor och enkelknäppt randig väst i blått, rött och vitt. Strumporna är blågrå.

Till den kvinnliga mälarbygdsdräkten hör grön yllekjol, förkläde av ylle och randigt livstycke med skört och snörning. Vitt halskläde, vit huvudduk och röda strumpor hör till. Huvudduken ska knytas med en hård knut i nacken så att snibben ligger under knuten och ändarna hålls ihop bakåt. Den blå tröjan med röda uppslag hålls ihop med häktor.

Mälarbygdsdräkten, som ibland kallas Mälaröarnas dräkt, är framtagen på 1950-talet efter en färgplansch i R. Dybecks bok *Mälarens öar*

vitt linne med broderier. I den ena handen håller hon skinnhandskarna som var en prydnad till högtidsdräkten. Så småningom gjordes de så små att de inte gick att sätta på händerna. Huvudbonaden består av en stomme av valkar överklädda med granna band. Över denna är knutet en duk av tyll, ett tyllhuckle. Detta är en "andra rangens högtidsdräkt". Till de allra största högtiderna bärs i Österåker, liksom i Vingåker, en röd livkjol. Sommartid är högtidsdräkten vit i båda socknarna. Den vita livkjolen har kallats "yvaxla".

Flickan är klädd i vardagsdräkt, s.k. halvdräkt. Den består av gul yllekjol med röd kantskoning, blått livstycke med häktor, randigt förkläde av halvylle och rutig huvudduk. Hon bär långtröja av vit vadmal med infodringar längs framkanterna av rödmönstrat halvylle. Tröjan är upphäktad bak. Strumporna är vita. Denna dräkt är mycket lik halvdräkten i Vingåker.

Mannen har helgdagsdräkt med gula knäbyxor, randig, enkelknäppt halvvlleväst och långrock av vit vadmal med framkanterna infodrade på samma sätt som på långtröjan till kvinnodräkten. Svart hatt hör till högtidsdräkten.

Rekarne

Dräkten består av gråblå kjol, randigt livstycke med skört och snörning, vitt batistförkläde och vitt halskläde med broderier samt ljusblå bindmössa med tyllstycke och röda strumpor.

Östra och Västra Rekarne härader ligger omkring Eskilstuna. Rekarne-

dräkten sammanställdes i början av 1930-talet, delvis med stöd av äldre bouppteckningar.

Floda och Gåsinge-Dillnäs

Kvinnan bär vinterdräkten för Floda socken i Oppunda härad. Till den hör svart kjol med smala ränder i rött och grönt, röd- och svartrandigt livstycke med skört av rundade flikar och snörning, förkläde av blått ylle, halskläde av mönstervävt vitt tyg med broderier i färger, röda strumpor samt röd bindmössa med stycke. Som variation bärs en sommardräkt med vit kjol med ränder lika som vinterkjolen.

En Flodadräkt sammanställdes redan 1907 på Åsa folkhögskola. Den syddes upp efter uppgifter av en kvinna (född

1827) som beskrev sin mors dräkt. Vissa förändringar av den ursprungliga dräkten har gjorts efter hand.

Flickan bär en dräkt som komponerades omkring 1950 som bygdedräkt för socknarna Gåsinge och Dillnäs i Daga härad. Den består av kjol och livstycke av randigt bomullstyg, samt förkläde och halskläde av tunt vitt tyg.

Villåttinge och Brunsta

Till vänster Villåttingedräkten som består av randig halvyllekjol, grönt livstycke med snörning sytt efter äldre plagg samt förkläde av bomull med tryckt mönster. Också halsklädet har tryckt mönster. Bindmössan är av grönt siden med kedjesömsbroderier. Stycket till mössan är av tyll. Dräkten är sammanställd åren 1944–50 med visst stöd av bouppteckningar och enstaka äldre plagg anknutna till Dunkers socken i Villåttinge härad.

En dräkt (ej avbildad) för *Flen* i Villåttinge härad komponerades 1950. Den överensstämmer nära med häradsdräkten men livstycket är rött och förkläde och halskläde vita med en slinga i grönt, broderad efter en målning i Flens kyrka.

Till höger Brunstadräkten bestående

av grön halvyllekjol och rött livstycke av halvlinne med gul isättning fram och snörning i fastsydda ringar. Överdelen har lös krage. Broderierna på halsslån och ärmlinningarna varierar mellan de olika socknarna i Jönåkers härad där dräkten bärs som häradsdräkt. Förklä-

det är av vit sållväv. Bindmössan av svart siden med gröna broderier går tillbaka på en mössa på Länsmuseet i Nyköping. Dräkten komponerades 1955 efter en målning från Brunsta gård utanför Nyköping. Målningen som är från 1700-talets början förvaras nu på Länsmuseet i Nyköping.

Åkerö

Kvinnodräkt med kjol av rött ylle med fyra påsydda svarta band. Det randiga livstycket har långt skört och snörs fram. Förklädet är av grönt ylle och halsklädet av tunt, vitt tyg. Den vita huvudduken knyts i nacken med rött ylleband. Överdelens ärmar bärs uppskjutna mot armbågarna. Ytterplagget är en svart klädesröja med skört som är utställt i ryggen. Även armbågslånga handskar hör till dräkten.

Den s.k. Åkerödräkten rekonstruerades 1952 efter färglagda dräktskisser i

Carl Gustaf Tessins dagböcker från 1750-talet. Det kalminksrandiga livstyckstyget är vävt efter ett 1700-talsprov i Berchska samlingen. Livstycke, överdel och tröja är alla sydda efter plagg på Nordiska museet.

Carl Gustaf Tessin var en av de stora gestalterna i det svenska 1700-talet. Bland mycket annat var han den lille prins Gustafs (Gustaf III) lärare under betydelsefulla år. Inspirerad av Vingåkersdräkterna försökte han omkring 1760 införa en Åkerödräkt. Den skulle bäras av de underlydande på hans gods med detta namn. Det ligger på en ö i sjön Yngaren i Bettna socken nära Nyköping. På olika sätt försökte Tessin

uppmuntra de kvinnliga Åkeröborna att använda dräkten. Bland annat skulle de som följde hans uppmaning "ega stohlrum i kyrckan i Åkeröbänken och få mat när de hitkomma i min Sahl, vid ett litet bord". Åkerödräkten fick aldrig verklig förankring i bygden och efter Tessins död 1770 föll den snabbt i glömska. Dräkten är intressant framför allt som ett tidigt exempel på folkdräktsromantik. Se också s. 38.

Tystberga

Den smalrandiga kjolen anses till typen mycket vanlig under 1800-talet i Sörmland. Livstycket är av grönt helylle med skört och snörning. Det tvärrandiga förklädet är av bomull och vävt i tuskaft och rosengång. Bindmössan är av rött siden med broderier. Till mössan bärs stycke av tyll. Tystberga ligger mellan Trosa och Nyköping i Rönö härad. Dräkten komponerades omkring 1950.

Mörkö och Trosa-Vagnhärad

Kvinnan till vänster bär Mörködräkt, bestående av blå halvyllekjol med ränder i rött och vitt, blått livstycke med

snörning och skört av rundade flikar, vitt förkläde och vitt halskläde. Bindmössan är av blått siden med kedjesömsbroderi i färger. Tyllstycke med trätt mönster hör till. Strumporna är vita men till dräkten bärs också röda strumpor med vita kilar.

Dräkten sammanställdes åren omkring 1930. Förebilden är en färgplansch i C. U. Ekströms beskrivning över Mörkö socken från 1828. Den randiga kjolen till dagens Mörködräkt har liksom det vita förklädet, det vita halsklädet och de ibland röda strumporna visst stöd i Ekströms avbildning. Se bild s. 104. Mörkö ligger i Hölebo härad.

Den andra kvinnan bär dräkt från Trosa–Vagnhärad i samma härad. Den består av grön yllekjol och randigt livstycke med skört och snörning. Det är sytt efter ett gammalt livstycke från Trosa. Förklädet är av bomull med tryckt rött mönster. Halsklädet är vitt med kedjesömsbroderi i färger, sytt efter äldre förebild. Den röda bindmössan och tyllstycket har också gamla förebilder. Som variation bärs vitt söndagsförkläde. Dräkten sammanställdes 1937 med stöd av enstaka bevarade plagg och bouppteckningsmaterial från trakten.

Sorunda

Några dräkter från Sorunda socken, Sotholms härad. Till höger står en kvinna i den Sorundadräkt som man oftast ser idag. Den består av kjol och livstycke av randigt halvylle. Livstycket snörs fram med hjälp av en snörnål som fästs i det övre snörhålet. Ljusrandigt förkläde av bomull samt halskläde och örmössa av bomullstyg med tryckt mönster bärs till dräkten. Strumporna är svarta. de kan också vara mörkt blå. Till de mörka dräkterna bärs mörka strumpor, till de ljusa kan man använda vita.

Kvinnan till vänster bär sommardräkt bestående av kjol och tröja av samma randiga bomullstyg. Tröjan fästs ihop fram med nålar. Eftersom ränderna på tröjärmarna går på tvären, kallas sådana här tröjor "tvärärmatröjor". De kom in i modedräkten på 1780-talet. I Sorunda var de i bruk ännu vid 1800-talets mitt. Till sommardräkten bärs här förkläde med tryckt mönster och halskläde av siden, som skyddas mot halsen av en vit "svetteduk". Huvudbonaden är den för Sorunda utomordentligt karakteristiska örmössan, här av siden.

Den tredje kvinnan är klädd i kyrkdräkt med bindmössa. Dräkten består av kjol och tröja av samma randiga halvylle. Tröjan hålls ihop fram med hyskor och hakar. Tröjärmarna är av 1830-talstyp och alltså påverkade av ett senare mode än tvärärmatröjan. Förklädet är av kattun och halsklädet av siden. Till den fina bindmössan bärs stycke.

Mannen har laskade sämskskinnsbyxor, randig dubbelknäppt väst, bandkantad långrock med slag, svarta strumpor och hög hatt samt käpp. En äldre typ av långrock som ofta är buteljgrön eller marinblå och saknar bandkanter var den vanligaste rocken i Sorunda.

I inledningen härovan berörs dräktskicket i socknen ytterligare något. Se även sidan 213.

Grödinge

Dräkten består av kjol och livstycke av randigt bomullstyg, vävt efter äldre tygprov. Halskläde av bomull med bårder i rosa och blått. Blå bindmössa med stycke.

Grödinge ligger ungefär en mil sydost om Södertälje. Dräkten konstruerades på 1930-talet. På 50-talet gjordes vissa justeringar. Ett tidigare beige-färgat förkläde byttes bl.a. då ut mot det blårandiga bomullsförklädet.

Botkyrka

Kvinnan bär röd kjol av ylle, mörkbrunt livstycke med ullgarnsbroderier, grönt förkläde av bomullstyg med en mörkbrun bård med broderier. Förklädesbandet är rött för gift kvinna, grönt för ogift. Bindmössan är här grön men den kan också vara mörkbrun. Som ytterplagg bärs mörkbrun tröja med röda lister.

Mansdräkten består av mörkbruna knäbyxor och mörkbrun långrock med röda lister, röd öppen väst och skjorta broderad med motiv ur den helige Botvids liv.

Botkyrka ligger mellan Stockholm och

Södertälje nära både Salem och Huddinge som båda har egna hembygdsdräkter. Botkyrkadräkten komponerades 1945 på initiativ av Hembygdsgillet. Någon lokal dräkttradition fanns inte att bygga på varför dräkterna är fritt utformade.

Salem

Dräkten är sammansatt av randig halvyllekjol och rött livstycke som snörs i metallhäktor. Livstyckets skört är skuret i tungor. Förklädet är vitt och strumporna röda. Röd kjolväska med broderier och bindmössa med stycke bärs till dräkten. Salem socken, som ligger mellan Stockholm och Södertälje, fick sin dräkt 1952. Eftersom inte något gammalt material fanns är den helt nykomponerad.

Huddinge

Mansdräkten består av knäbyxor och grön enkelknäppt väst med nerliggande krage. Flickan är klädd i grön kjol, rött livstycke med snörning och förkläde av oblekt bomull med ränder i ton med dräkten. Den gröna mössan är broderad med liljekonvaljer. Samma motiv går igen på kjolväskan och på överdelen där broderiet är utfört med vit tråd. Dräkterna komponerades 1944 av socknens kyrkoherde.

Öster- och Västerhaninge

Båda dräkterna är sydda av rutigt bomullstyg. Österhaningedräktens klänning är grön. Till den bärs förkläde och halskläde med kulörta broderier av tunt vitt tyg samt röd bindmössa med stycke. De gifta kvinnorna har vitbroderade halskläden och förkläden. Den här dräk-

ten är sydd som examensarbete på Västerhaninge folkhögskola sommaren 1937.

Västerhaningedräkten består av blårutig klänning utan ärmar. Den knäpps

fram med häktor. Förkläde av bomull och vitt halskläde med kedjesömsbroderier i färger samt bindmössa med stycke. Strumporna är vita.

Båda dräkterna är komponerade, troligen på 1930-talet.

Nacka

Kvinnodräktens kjol är blå, livstycket rödrandigt, förklädet är av bomull med tryckt mönster på ljus botten, överdelen har vid halsringning. Blå bindmössa med stycke.

Mansdräkten består av gula knäbyxor, dubbelknäppt väst av livstyckets randiga tyg samt långrock av brunt ylle. Som huvudbonad kan bäras en mjuk, svart filthatt med breda brätten.

Nackadräkten färdigställdes 1952 sedan man i flera år sökt efter förebilder till en bygdedräkt för Nacka. Några gamla plagg gick inte att spåra upp. Två äldre målningar med motiv från trakten blev i stället utgångspunkt för dräktar-

betet. Några staffagefigurer på dessa målningar bär dräkter vilkas färger går igen i den konstruerade Nackadräkten.

Uppland

I hela Uppland finns egentligen bara en dräkt som med rätta kan karakteriseras som folkdräkt, nämligen Häverödräkten. Endast här i norra Roslagen överlevde in emot vår tid ett varierat lokalpräglat dräktskick som är väl dokumenterat genom goda uppgifter och bevarat dräktmaterial.

Uppland genomkorsas av kulturgränser. Det centrala läget har gjort att många olika impulser mötts här för att smälta samman eller brytas mot varandra. Tydligast är den skiljelinje som går diagonalt från sydväst till nordost och markerar gränsen mellan det mellansvenska kulturområdet och det nordsvenska, där fäboddriften var det mest utmärkande draget.

I norr finns skogs- och bruksbygd där utvecklingen delvis präglats av brukens yrkeskårer, som i stor utsträckning bestod av inflyttad utländsk arbetskraft. Här ligger bruk som Harg, Forsmark, Österby och Lövsta, vilka alla tillkom omkring 1600. Men vid sidan härav fanns också en bondebygd som länge bevarade ålderdomliga drag.

De bördiga slätterna, som från centrala Uppland sträcker sig ner mot Mälarens stränder, var en rik jordbruksbygd och här låg herrgårdar och boställen tätt. I söder kom närheten till Stockholm att ge tillvaron sin speciella karaktär. Längs östersjökusten ligger Roslagen där fiske och sjöfart i förening med ett magert jordbruk präglade utvecklingen. Här återfinner man de ålderdomligaste elementen och den starkaste lokalprägeln. En rik folkkonst med sirade och ornerade redskap, verktyg och seldon är karakteristisk för Roslagen.

Om man betraktar Uppland i stort är det anmärkningsvärt att här bevarats så många ålderdomliga drag, trots bruksmiljö, herrgårdsbebyggelse och nyhetsspridande centra som Stockholm och Uppsala. I seder och bruk, bland annat i samband med giftermål, i folkkonsten med dess karvsnittsornamentik och i konservativa möbelformer som ståndskåp och kubbstolar, liksom i utvecklingen av folkmusiken – Uppland är ju nyckelharpans kärnområde – ser man spåren av en sta-

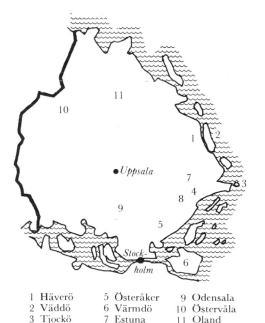

1 Häverö	5 Österåker	9 Odensala
2 Väddö	6 Värmdö	10 Österväla
3 Tjockö	7 Estuna	11 Oland
4 Frötuna	8 Länna	

bil och konservativ bondekultur. Allmogens klädedräkt tycks däremot med få undantag ha saknat lokal särprägel. Ganska tidigt anammade man en borgerlig dräktstil. Från 1800-talets början finns många notiser som talar om att "vadmalen givit efter för det glänsande klädet" och att "klädedräkten närmar sig bruket i städerna". När den hela klänningen under 1800-talets förra del kom i bruk i sydvästra Uppland aṅvändes den som festplagg *utanpå* livkjolen. Denna senare bars i arbetet på samma sätt som tidigare med särkärmar och halvärmar. Det är typiskt för ett äldre dräktskick att nya plagg sätts ovanpå de äldre. Här har vi ett intressant sent exempel på detta.

På något enstaka håll i Roslagen bars relativt länge lokalbundna dräkter. I Häverö socken levde dräkter med ålderdomliga drag kvar ännu vid 1800-talets mitt och från ön Tjockö i Rådmansö socken finns vissa uppgifter om en karakteristisk klädedräkt bland fiskarna.

Många bevarade dräkter och dräktplagg från uppländsk allmogemiljö visar att det borgerliga modet präglade böndernas dräktvanor, även om material och enstaka detaljer kan ha en genuin karaktär, som binder plaggen vid allmogemiljön. Några sådana dräkter har på senare år tagits upp som bygdedräkter, t.ex. i Länna och Estuna. De flesta av dagens hembygdsdräkter är dock konstruktioner från de senaste 50 åren.

Ett utsnitt ur den välkända målningen "Slåtterölet på Svartsjö slott", som Pehr Hilleström utförde 1782. Det visar livfullt och detaljrikt det myllrande folklivet på gårdsplanen framför slottet. Slåtterfolket har bådats upp från de kringliggande socknarna. Deras klädedräkt är allmogepräglad men målningen illustrerar också den regel som säger att bönderna i närheten av slott och herrgårdar följde det enklare borgerliga modet och sällan utvecklade lokala dräkttraditioner. Det är varierade dräkter vi ser med flera ganska moderna drag, t.ex. den sittande kvinnans "tvärärmatröja" (jfr Sorunda i Sörmland). – Nordiska museet.

stycket skulle överdelen lysa fram. Över-
delen har rund urringning med en upp-
stående, slät remsa, ärmarna är tre-
kvartslånga. Fint halskläde av kattun
och bindmössa utan stycke, vilket bety-
der att bärarinnan är ogift.

Mannen är klädd i kyrkdräkt med
älghudsbyxor, kort, dubbelknäppt väst
med uppstående krage, svart jacka med
dubbla knapprader, blå strumpor och
hög hatt.

I Häverö bar åtminstone kvinnorna
särpräglade dräkter ännu på 1860-talet.
Det plagg som mer än något annat ut-
märker Häverödräkten är kvinnodräk-
tens högmössa. Dess ursprung är dun-
kelt. I vårt land har den levat kvar bara
här. Som typ har den troligen uppstått
före 1700. Enligt en resenär bars liknan-
de mössor allmänt i Halland på 1750-ta-
let. Högmössan bärs till storhögtid.

Väddö

Denna dräkt brukar kallas Väddö skör-
dedräkt. Den består av ljusblå bomulls-
kjol med bård i färger, livstycke av rött

halvlinne med knäppning fram, brun-
och vitrutigt förkläde av bomull och ru-
tigt halskläde av bomull som också kan
användas som huvudduk.

Häverö

Tre högtidsdräkter från Häverö socken,
Väddö och Häverö skeppslag. Till väns-
ter en gift kvinna i den typiska Häverö-
mössan, högmössan, med stycke, som
döljer håret. Hon bär röd- och grönran-
dig kjol av halvylle, livstycke av ylle
randigt i rött och grönt och knäppt fram
med dubbla knapprader, mörkrandigt

halvylleförkläde och tröja av rött ylle
med randiga blindslag på ärmarna. Trö-
jan snörs fram med snörhål och snodd.
Kjolväska av flera sorters tyg skymtar
under förklädet. Halsklädet är av siden.
Över armen bär hon en ylleschal som
vid behov kan läggas över huvudet.

Kvinnan till höger har samma röd-
randiga kjol, mörkrandiga förkläde och
korta livstycke. Mellan kjolen och liv-

Dräkten konstruerades 1956. Som mansdräkt bärs i Väddö den manliga Häverödräkten. Även den kvinnliga Häverödräkten förekommer här. Häverö är närmaste grannsocken till Väddö.

Tjockö

Säljägar- och fiskardräkt med jacka och omåttligt vida byxor av grov linnelärft samt s.k. islandströja och vit, nålad toppluva.

Dräkten rekonstruerades till en vårfest på Skansen 1926 efter en uppteckning från 1884 enligt vilken "äldre gubbar . . . ännu för 25–30 år sedan" begagnat "kort buldantröja . . . samt Tjocköbyxor, oförnuftigt vidlyftiga baktill och över knäna, hvarest de i sträng väderlek sammanbundos med en tågstump . . . de hava mer än människor lik-

nat sälar." Det enda bevarade originalplagget till denna märkliga dräkt är en nålad mössa på Nordiska museet. Tjockö är en ö i Rådmansö socken.

Frötuna

Mansdräkt med jacka, "ärmväst", av rött halvylle med blå ränder knäppt med dubbla knapprader. Knäbyxor, mörkblå strumpor och röd toppluva. Ärmvästen var ett modeplagg vid 1700-talets mitt. I

allmogemiljö bars den ännu under 1800-talets förra del. Den är väl dokumenterad i Frötuna skeppslag.

Österåker

Kvinnodräkt med blå-grårandig halvyllekjol och rödrandigt livstycke med rundade skörtflikar och snörning fram. De små maljorna är formade som kungsängsliljor. Förkläde av halvblekt bomull med invävd bård. Broderad bindmössa av siden i valfri färg.

Dräkten är komponerad på initiativ av socknens hembygdsförening. Den invigdes 1954. Österåker ligger i södra Roslagen.

Värmdö

Dräkt av randigt bomullstyg i brunt, grönt, gult och vitt med kjol och liv hopsydda. Randigt förkläde med vit botten. Vitt halskläde med broderi av en typ som varit vanlig i dessa trakter. Bindmössa av gulrött eller grönt siden med broderi efter original i Värmdö fornstuga samt tillhörande stycke. Dräkten är komponerad 1935.

Estuna, Länna, Odensala

Tre dräkter som är uppsydda efter väl
dokumenterade dräkter från 1800-talets
förra del. De visar hur det borgerliga
modet snabbt spreds till allmogemiljön i
Uppland. De båda vänstra dräkterna är
från Norrtäljetrakten.

Till vänster kvinnodräkt från Estuna
socken med hel klänning av bomullstyg,
randigt i vitt och rött. Livet är mycket
kort och endast i ryggen ihopsytt med
kjolen. Livet häktas ihop fram. Förkläde
av vitt mönstrat tyg, halskläde av rutigt
bomullstyg. Liten, broderad mössa med
stycke. Över armen bärs en stor mön-
strad schal, brukad som ytterplagg.
Klänningen är sydd efter original på
Nordiska museet och är helt präglad av
modedräkten omkring 1800.

Kvinnodräkten till höger är från
Odensala socken i Ärlinghundra härad
nära Arlanda. Den bär spår av dräkt-
modet på 1830-talet. Dräkten består av
en grön ylleklänning med upptill vida
ärmar och svarta sammetsbesättningar
på kjolen, bomullsförkläde med tryckt
mönster, brokigt halskläde av siden och
liten bindmössa av broderat siden med
stycke.

Mansdräkten är från Länna socken i
Frötuna och Länna skeppslag. Den är
sydd av grönt kläde och består av lång-
byxor och dubbelknäppt jacka med
sammetskrage samt randig, dubbel-
knäppt väst och grön kaskett. Den går
tillbaka på en originaldräkt på Nordiska
museet och representerar dräktmodet
under 1800-talets förra del.

Nordiska museets dräkter från Estuna
och Länna är båda avbildade i Nyléns
Folkdräkter.

Östervåla

Mannen till vänster har skinnbyxor,
dubbelknäppt väst med hög krage av
randig kattun, dubbelknäppt, mörkblå

kort jacka med slag samt brokig halsduk. Han bär blå strumpor och röd luva. Den andre mannen är klädd i knäbyxor av blå manchester, randig bandkantad sidenväst med hög krage, blå jacka och blå kapprock med axelkrage, halsduk av siden och hög hatt.

Dessa båda dräkter är uppsydda i början av 1970-talet efter gamla plagg som hittats på en gård i Östervåla socken och sammanställts till två dräkter.

En kvinnodräkt för socknen har konstruerats med hjälp av tygprover och en väggmålning i Skogbo.

Upplandsdräkten

Bomullsklänning av borgerligt snitt från 1840-talet. Originalet fanns i en gård i Hacksta socken och hade använts till högtid med tyllförkläde och tyllschal. Upplandsdräkten sys i många varierande randningar och rutningar i både bomull och ylle. Till dräkten hör bindmössa i olika färger samt stycke. Dräkten togs upp redan vid 1900-talets början.

Upplandsdräkten har stora likheter med den s.k. husmodersdräkten, som

används av medlemmarna i Sveriges Husmodersföreningars riksförbund bildat 1919. Även husmodersdräkten är en borgerlig klänning av 1840-talstyp. Den går dock tillbaka på ett annat originalplagg. På 1940-talet hade de båda dräkterna blivit alltför lika varandra. Det bestämdes då att man till husmodersdräkten ej skulle använda tyllförkläde och tyllschal utan ha randiga bomullsförkläden och välja halskläden av andra material.

Oland

Kvinnodräkt med ljusrandig bomullskjol och blått linnelivstycke med smala svarta ränder. Det har skört och knäpps fram med knappar och knapphål. Överdelen är sydd efter Häverödräktens överdel. Tvärrandigt förkläde, rutigt bomullshalskläde, blå broderad bindmössa med stycke och blå kjolväska av siden med broderier. Ett förkläde av grått linne med rosa tryck används också liksom halskläden av siden.

Dräkten är komponerad på initiativ av Södra Olands Hembygdsgille för storkommunen Oland. Den invigdes 1953.

Västmanland

Västmanland har knappast någon överlevande dräkttradition. Det är egentligen bara i Fellingsbro och i Västerfärnebo som man ännu kan se några spår av ett särpräglat folkligt dräktskick.

Landskapet har haft sina viktigaste förbindelser med Mälarlandskapen. I väster och norr har stora ödemarker verkat avskärmande, medan gränsen mot Närke däremot knappast haft någon större betydelse kulturellt sett.

I skogsbygden utvecklades tidigt en bergsmanskultur med starka borgerliga inslag, bl.a. i fråga om heminredningen. På slättbygden har herrgårdarna legat ganska tätt och här har också städerna Västerås, Köping och Arboga alltsedan medeltiden varit nyhetsspridande centra. På marknaderna i Västmanland förekom tidigare än på de flesta håll inte bara vävar av linne och ylle utan t.o.m. färdiga plagg. Detta förklaras av att också kvinnorna engagerades som löntagare vid bruken. De fick därmed dåligt med tid över för spånad, vävning och sömnad. Det var skjortor som först kunde köpas som färdiga plagg.

Den Västerfärnebodräkt som nu används rekonstruerades redan 1917 och är väl dokumenterad. I Fellingsbro socken i Arbogaåns dalgång bars åtminstone sporadiskt ännu vid 1900-talets början de välkända svarta mansrockarna med röda besättningar. Enligt en tradition i socknen var rocken ett hedersplagg som sockenborna fick bära till minne av krigiska bedrifter under Engelbrekts fejder med danskarna. Traditionen har dock visat sig vara ganska ung och föga trovärdig. Uppenbarligen har detta karakteristiska plagg i äldre tid burits i hela Fellingsbro härad. Rocken finns dessutom belagd vid 1700-talets slut i de angränsande Närkesocknarna Götlunda och Glanshammar. Den bevarar många ålderdomliga drag, men ståndkragen är ett tillägg från 1800-talets början.

Det finns ytterligare en ort av särskilt dräkthistoriskt intresse i Västmanland, nämligen Hällefors nära gränsen mot Värmland. Här konstruerades redan 1816 en bygdedräkt som behandlas utförligt på s. 40.

1 Fellingsbro   4 Kila   7 Norberg
2 Bro-Malma   5 Möklinta   8 Västervåla
3 Munktorp   6 Västerfärnebo 9 Grythyttan

Fellingsbro

Mannen bär byxor av sämskat skinn, dubbelknäppt väst med hög krage, mörkblå strumpor och röd mössa med tofs. Halsduk av brokigt siden. Den karakteristiska långrocken är en livrock av svart vadmal med hög krage och hyskor och hakar. Den har röda klädesgarneringar på kragen och ärmens uppslag och på vänster framstycke från halsen ner till midjan. Som huvudbonad kan användas hög hatt i stället för mössa.

Kvinnan är klädd i livkjol av randigt halvylle med bredare ränder på livstycksdelen, vitt förkläde, rutigt halskläde, broderad bindmössa med stycke samt röda strumpor.

Den manliga Fellingsbrodräkten är den enda dräkt i Västmanland som representerar en lång och väldokumenterad dräkttradition. Den karakteristiska långrocken bars vid högtidliga tillfällen ännu vid 1800-talets mitt och sporadiskt även långt senare. I den inledande texten ovan finns ytterligare några uppgifter om mansdräkten i Fellingsbro. Uppgifter om det kvinnliga dräktskicket i socknen saknas nästan helt. Den kvinnodräkt som bärs idag är sammanställd på initiativ av Fellingsbro folkhögskola på 1920-talet.

Bro-Malma

Mansdräkt med knäbyxor, randig dubbelknäppt väst med ståndkrage samt långrock av hemvävd, mörkgrå vadmal med häktor. Grå strumpor och svart

hatt. Långrock, väst och byxor har sytts upp efter plagg som finns på Länsmuseet i Västerås.

Munktorp

Dräkten består av randig mörk kjol med snörning fram på livet och blågrönt förkläde med fyra gröna tvärränder. Från midjan hänger en lång, vit linnelist vars ursprungliga funktion ännu ej gått att klarlägga. Kjolvaska med mässingsbygel

av samma tyg som kjolen. Halsklädet har broderi i vinrött och grönt. Gulrosa bindmössa med stycke. Vita strumpor.

Redan 1912 gjordes ett försök att rekonstruera en Munktorpsdräkt men försöket blev inte helt framgångsrikt. Den dräkt som bärs i socknen idag sammanställdes åren 1953–55, delvis med stöd i äldre uppteckningar och enstaka bevarade plagg.

Kila

Till kvinnodräkten hör randig kjol och bredrandigt livstycke med skört och snörning. Förklädet är vävt i skiftande grått. Broderad kjolväska, vitt halskläde, bindmössa med stycke och röda strumpor. I handen håller hon den svarta tröjan.

Mannen bär skinnbyxor, dubbelknäppt långrandig väst samt svart jacka med slag och två rader mörka knappar. Kaskett kan användas som huvudbonad.

Dräkterna sammanställdes på 1950-talet efter inventering i bygden och genomgång av bouppteckningar. De var färdiga 1959. Kvinnodräktens bindmössa, halskläde och kjolväska är gjorda efter original i Hembygdsgården. Tygerna är vävda efter gamla provlappar.

Möklinta

Kvinnan bär randig kjol i svart och blått, randigt förkläde och livstycke av sämskskinn med prydsömmar i blått. Livstycket snörs framtill. Svart, broderad bindmössa med nackrosett och stycke. Halsklädet är av siden och kjolväskan är prydd med applikationer. Svart tröja används också.

Mannen har svart kort jacka, tvärrandig väst med mässingsknappar, knäbyxor, blå strumpor och skor med plös.

Kvinnodräkten rekonstruerades 1924. Livstycket är kopierat efter ett gammalt livstycke medan tygerna till kjol och förkläde är vävda efter gamla tyglappar. Mansdräkten tillkom först på 1950-talet.

Västerfärnebo

Kvinnodräkt med kjol av randigt halvylle med kantsnodd nertill. Det bredrandiga livstycket har skört och häktas ihop fram. Det mörkrandiga förklädet är av halvlinne, halsklädet av siden och kjolväskan av ylle med applikationer. Röd, broderad bindmössa med stycke, vita strumpor och skor med "västerfärnebospänne", en sentida konstruktion. På stolen ligger den svarta tröjan med skört och häktor. Olika kjolväskor liksom bindmössor i andra färger kan användas. Även halsklädena kan varieras men de är alltid mörka. I *Folkdräkter* har Anna-Maja Nylén publicerat den dräkt från Västerfärnebo som finns i Nordiska museets samlingar. Till den dräkten hör mörkblommigt förkläde av tryckt ylletyg. Ett förkläde av den typen används ibland till dagens Västerfärnebodräkter.

Västerfärnebodräkten rekonstruerades redan 1917, då plagg till en dräkt kunde sammanföras och kopieras. Dessa dräktdelar tillhör nu alla Nordiska museet.

Dräkten fungerade länge som kvinnlig "västmanlandsdräkt" innan en rad socknar på 1950- och 60-talen skaffade sig egna dräkter.

Norberg

Kvinnodräkt bestående av grön kjol, rosa-gult livstycke som snörs fram med snörnål genom ringar, tvärrandigt förkläde, vitt halskläde med rosa broderier och frans samt svart bindmössa med stycke. Vita strumpor och skor med

spännen. Bindmössan kan vara grön i stället för svart men några andra variationer förekommer inte. Dräkten är komponerad på 1950-talet.

Västervåla

Kvinnodräkten består av livkjol med blå kjol och randigt, hophäktat livstycke, ljusrandigt förkläde med långa förklädesband och broderad bindmössa med stycke. Halsklädet är av siden. Kjolväskan är blå med broderier och metallbygel. Vita strumpor och skor med spännen hör till dräkten.

Mannen bär knäbyxor, grårutig väst med krage, blå strumpor och stora skospännen på de svarta skorna.

Kvinnodräkten komponerades 1962.

Mansdräkten sammanställdes 1971. Den är sydd efter gamla dräktplagg i socknen.

Grythyttan

Kvinnodräkt med blå kjol med glesa röda ränder och rött livstycke med vita stickningar. Det går ner i långa flikar fram och snörs ihop. Halskläde av siden och röd bindmössa med stycke. Kjolväskan är svart med rött broderi av sockensigillet. Den är nykomponerad till dräkten som sammanställdes 1968. Det röda livstycket går tillbaka på ett originalplagg. Till denna dräkt används inte förkläde.

Närke

I likhet med de flesta andra mellansvenska landskapen saknar Närke nästan helt lokalpräglade gamla dräkter.

Sina viktigaste kontakter har man haft med Mälarregionen, särskilt Sörmland. Närke har i alla tider tillhört Strängnäs stift. I norr och väster liksom i sydöst avgränsas landskapet av stora skogsområden. I dessa glest befolkade trakter spelade bergshanteringen en viss roll alltifrån medeltiden. Den egentliga jordbruksbygden ligger i det centrala Närke med Örebro som landskapets helt dominerande centrum. Ännu på 1600-talet låg de flesta gårdarna ensamma eller i småbyar. Betesgången längs de sanka dalstråken var den viktigaste faktorn för bebyggelsens spridning. På 1700-talet kom herrgårdskulturen att bli ett dominerande inslag både i jordbruksbygden och i bergslagen. Detta betydde att nyheter kom in och fick fäste på bekostnad av den folkliga kulturen.

Det folkliga dräktskicket i landskapet har få karakteristiska drag. I en enda socken höll man i viss mån fast vid en egen dräkt, nämligen i Stora Mellösa på Hjälmarens södra strand. De bevarade dräkterna från Mellösa är dock alla präglade av ganska sena moden, som går igen i kvinnodräktens korta liv och de smalrandiga tygerna. Mansdräkterna fick på 1800-talet i än högre grad en allmän modekaraktär. Det finns ganska många uppgifter om den "forna" dräkten i Stora Mellösa, som uppenbarligen innehöll åtskilliga av de element som man är van att hitta i ålderdomliga dräkter, långrockar med häktor och broderi i ryggen, långa västar med stora ficklock, enfärgade kjolar och huvuddukar av vitt linne liksom skörttröjor som räckte till knäna.

Stora Mellösa ligger knappt två mil från gränsen till Sörmland och Vingåker. Av gammalt uppehölls livliga förbindelser mellan dessa båda socknar. Vingåkersborna saluförde sina produkter i Mellösa och Mellösabönderna for regelbundet på marknad till Vingåker och sålde ärter, bönor, fläsk, fisk, vävnader o.s.v. Kanske är det kontakten med det traditionsfasta dräktskicket i Vingåker som, åtminstone delvis, för-

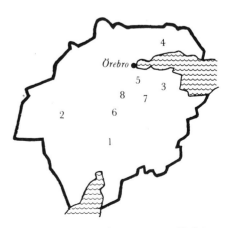

1 Södra Närke   4 Norra   6 Hallsberg
2 Väster-Närke   Hjälmarbygden 7 Sköllersta
3 Stora Mellösa   5 Gällersta   8 Kumla

klarar varför de sista spåren av egentliga folkdräkter i Närke kom att finnas just i Stora Mellösa. Här bars särpräglade dräkter ännu strax efter 1800-talets mitt.

Det finns uppgifter om karakteristiska dräkter även på andra håll i landskapet men inga bevarade plagg som skulle kunna belysa ett äldre dräktskick. De kanske intressantaste notiserna talar om att männen i Götlunda och Glanshammar bar långa svarta rockar med röda besättningar, säkerligen likadana som grannarna i det västmanländska Fellingsbro.

Landskapets hembygdsdräkter är med undantag av Mellösadräkterna av ungt datum. Flertalet är sammanställda efter andra världskriget.

Konstnären J. V. Wallander målade decennierna efter 1800-talets mitt en mängd värdefulla folklivsbilder från olika delar av landet. I Närke utförde han målningar och skisser i Stora Mellösa. Däribland den här studien av "En flicka och en quinna i högtidsdräkt".

Södra Närke och Väster-Närke

Till vänster bygdedräkt för socknarna Laxå, Snavlunda, Lerbäck, Askersund och Hammar i södra Närke. Dräkten består av livkjol av randigt ylle med grön botten. Livet häktas ihop fram. Förklädet är av bomull, halsklädet av linne med kedjesömsbroderi. Bindmössa med karakteristiskt broderi, gjord efter en gammal mössa samt tillhörande stycke. Även halsklädet går tillbaka på originalplagg. Dräkten är i övrigt komponerad, delvis med utgångspunkt från gamla tygprover. Den var färdig 1967.

Till höger Väster-Närkedräkten. Den är sammansatt av randig livkjol av bomull med snörning framtill, randigt bomullsförkläde i rosa, blått och vitt, överdel av linne med fint vitbroderi, rutigt halskläde och kjolväska av yllelappar med metallhake. Röd broderad bindmössa med stycke. Röda strumpor. Dräkten är sammanställd 1947, delvis med stöd av spridda plagg och gamla tygprover.

Stora Mellösa

Kvinnodräkten består av en smalrandig livkjol med snörning fram i sydda hål, randigt ylleförkläde, sidenhalskläde och bindmössa med stycke. Under bindmössan bärs ett rött strykband som håller till håret. Röda strumpor. Kjolväskan är sydd av olikfärgade yllelappar med mässingshake. Till dräkten hör även en svart eller grön tröja med häktning fram samt bred krage och ärmar, som är rynkade vid axeln. Randningen i livkjolar och förkläden kan variera men helhetsintrycket är alltid en rödbrun ton med inslag av grönt och gult. Den här dräkten, som är sydd omkring 1910, snörs ihop fram, men många Mellösadräkter har

livstycken som häktas ihop. Sommartid har kvinnorna här, som på en del andra håll, burit halmhatt, "stjärthatt", som skydd mot solen. En sådan finns avbildad bland annat i Gerda Cederbloms *Svenska allmogedräkter.* Se även bild s. 96.

Mannen bär mörkblå dubbelknäppt livrock av kläde med krage och slag, hög hatt, gula knäbyxor och dubbelknäppt, rutig väst samt skjorta med rött broderi.

Stora Mellösa

Sommardräkt med livkjol av bomull i vitt, rosa och blått. Livstycket häktas ihop fram. Vitt förkläde och överdel med röda broderier. På huvudet bärs rött strykband och blekblå, broderad bindmössa.

I den inledande texten ovan finns ytterligare uppgifter om dräktskicket i Stora Mellösa.

Norra Hjälmarbygden

Dräkt med livkjol av randigt halvylle, förkläde med tryckt mönster, kjolväska av yllelappar, halskläde av rosarutig bomull samt bindmössa av lila siden med broderi och stycke. Dräkten utarbetades 1951 som bygdedräkt för socknarna norr om Hjälmaren, delvis efter gamla tygprover.

Gällersta och Hallsberg

Till vänster Hallsbergsdräkten med klänning av bomullstyg i brunt med gröna ränder. De mot axeln vida ärmar-

na är utformade under påverkan av 1830-talets modedräkt. Förklädet är randigt i grönt och brunt, halsklädet vitt med kedjesömsbroderi i färger. Blå, broderad bindmössa med stycke. Dräkten

utarbetades efter kläderna på en docka på Örebro läns museum och var färdig 1965.

Till höger Gällerstadräkten bestående av livkjol av randigt, mörkt bomullstyg med snörning framtill på livet. Även förklädet är av randigt bomullstyg. Som variation används ett vitt förkläde. Överdel med röda broderier, rutigt bomullsförkläde, broderad bindmössa med stycke och kjolväska av olikfärgade yllelappar av en typ som används till flera Närkedräkter.

Gällerstadräkten komponerades i början av 1920-talet. År 1921 anlades i Gällersta Närkes första forngård av den kände tidningsmannen J. L. Saxon, som i det sammanhanget ville skaffa socknen en egen bygdedräkt. Den var troligen färdig redan 1922.

Sköllersta

Dräkten är sydd av randigt bomullstyg i rosa och vitt. Den består av kjol och koftliv med skört och häktor. Förklädet är vitt med blå ränder, halsklädet av tunt, vitt tyg med broderier i vitt. Även ett röd- och vitrutigt bomullshalskläde används ibland. Bindmössa av blått siden med stycke.

Förebild till Sköllerstadräkten är en klänning från Sköllersta socken på Örebro läns museum. Klänningen skall ha tillhört en flicka född 1822 och har drag från tidigare 1800-talsmode. 1959 kopierades denna dräkt första gången och den har sedan använts som bygdedräkt för sydöstra Närke. Dräkten kallas ibland skördedräkt, slåtterdräkt eller tjänstedräkt, men mera troligt är att en sådan modepåverkad dräkt bars vid festligare tillfällen på sommaren och hade en varmare motsvarighet i ylle för vinterbruk.

Kumla

Dräkt med randig kjol och liv av mörk brokad fastsytt vid kjolen. Livet knäpps fram med knappar. Förkläde av bomullstyg med tryckt mönster och halskläde av siden. Mjuk mössa av lila siden, knuten i rosett under hakan. Som variation används vitt förkläde.

Förebild till Kumladräkten är en dräkt som hittades i en gård i Kumla omkring 1950. Originaldräkten är från 1800-talets förra del men det är inte klarlagt var den ursprungligen burits. Den togs upp som bygdedräkt för Kumla omkring 1960.

Värmland

I Värmland är många gamla dräkttraditioner bevarade, i synnerhet i landskapets norra och västra delar. Det finns också åtskilliga dräkt-uppgifter från Värmland i äldre reseskildringar och dessutom en rik-haltig memoarlitteratur, som ger värdefulla upplysningar. Trots dessa gynnsamma förutsättningar saknas ännu en sammanfattande fram-ställning av det värmländska dräktskicket, som dock är ett av de in-tressantaste i landet. Anna-Maja Nylén har påpekat detta i en insikts-full artikel, "Kring Värmlands folkliga dräktskick" i *Värmland förr och nu* 1973. Här lämnas många värdefulla litteraturanvisningar och upp-ställs många intressanta frågor, som väntar på att bli behandlade, t.ex. frågan om det finska befolkningsinslagets betydelse för dräktskicket liksom det anmärkningsvärda faktum att männen här, tvärtemot vad fallet är på andra håll, behöll sina särpräglade dräkter längre än vad kvinnorna gjorde, i vissa fall in på 1880-talet.

Värmland är ju ett vidsträckt landskap, där olika naturförutsätt-ningar inneburit olika livsvillkor för befolkningen. Det är också ett ty-piskt gränsland, där olika impulser gjort sig gällande. Sydliga tradi-tioner möter här nordsvenska kulturelement. Närheten till Norge gör sig påmind bland annat i dialekterna. Till detta kommer de främman-de kulturinslag som de finska invandrarna förde med sig, när de vid 1500-talets slut och 1600-talets början flyttade hit för att odla upp de vidsträckta skogsbygderna i norr och väster.

De norra delarna av landskapet domineras av stora skogsområden med bebyggelsen koncentrerad till älvdalarna. Här finner man de ål-derdomligaste och längst kvarlevande folkdräkterna i Värmland. Ner emot Vänern fanns stora gårdar och välbebyggda boställen och herr-gårdar. Här ligger också de större städerna och tätorterna och här lade man tidigt bort de folkliga dräkterna och klädde sig i moderna kläder.

Vad som mer än något annat format uppfattningen om Värmland är dock den gamla bruksbygden. Åtminstone sedan 1400-talet har man brutit malm i de värmländska gruvfälten. På 1760-talet kulminerade

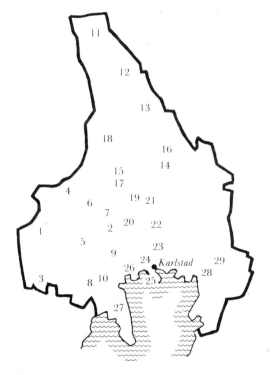

1 Östervallskog	12 Dalby	22 Ullerud
2 Brunskog	13 Norra Ny	23 Forshaga
3 Blomskog	14 Nedre	24 Grava
4 Eda	Älvdalen	25 Hammarö
5 Glava	15 Fryksdal	26 Nor
6 Jösse härad	16 Ekshärad	27 Värmlandsnäs
7 Mangskog	17 Gräsmark	28 Ölme
8 Längserud	18 Östmark	29 Ullvättern
9 Värmskog	19 Sunne	
10 Gillberga	20 Västra	
11 Norra	Ämtervik	
Finnskoga	21 Ransäter	

Troligen på 1870-talet togs den här bilden av en Dalbybonde och hans hustru. Kvinnan ser ut att ha strykband, eller vit hatt under schaletten och hon har även i övrigt gammaldags kläder med häktad tröja och förkläde. Mannens dräkt är påfallande ålderdomlig med knäbyxor och den för Dalby så karakteristiska långrocken med röda besättningar. Det förefaller som om denna s k Dalbytröja fortfarande på 1880-talet bars ganska allmänt i socknen. – Färglagt fotografi. Nordiska museet.

driften. Då fanns här 89 stångjärnshamrar spridda i landskapet. På grund av närheten till Göteborg fick skogsindustrin ett tidigare uppsving i Värmland än i det övriga landet. De göteborgska handelshusen öppnade redan vid 1800-talets början den svenska trävaruindustrin för den internationella marknaden. Detta bidrog till en mycket gynnsam ekonomisk utveckling för bruksbygden. Bruksmiljön har präglat den gängse bilden av landskapet med allt vad det innebär av livliga förbindelser, ståndsmässig bebyggelse och modern klädsel. Bland arbetarna på bruken har säkert funnits karakteristiska arbetsdräkter men däremot inte ett lokalpräglat traditionsbundet dräktskick. I en vid båge kring Vänern saknas nästan helt folkliga dräktelement. Desto mer anmärkningsvärda ter sig de ålderdomliga dragen i dräkterna i framför allt Älvdals och Nordmarks härader, där männen ännu för hundra år sedan gick i långtröjor med den medeltida koltens snitt. Kvinnodräktens vita hatt är också ett dräktplagg av hög ålder. Mestadels är det dock 1700-talets former som går igen i det bevarade dräktmaterialet med skörtlivstycken, randiga kjolar och randiga förkläden som dominerande element.

Den våg av folkdräktintresse som växte fram efter första världskriget gav utslag också i Värmland. I Svenska Turistföreningens årsbok 1928 berörs det stigande dräktintresset och man anger de fem dräkter som dittills tagits i bruk, nämligen Norra Ny, Östervallskog, Ekshärad, Fryksdalen och Jösse härad, manliga och kvinnliga. År 1934 bildades Värmlands hembygdsförbunds dräktnämnd med säte i Värmlands hemslöjd i Karlstad. Dräktnämnden leder sedan dess dräktarbetet i landskapet. Under de två senaste decennierna har verksamheten bedrivits med förnyad intensitet och en rad dräkter har sammanställts för socknar som tidigare saknat bygdedräkter. Flera av dessa faller inom de centrala delarna av landskapet, där det bevarade dräktmaterialet många gånger är mycket ofullständigt. För mansdräkterna i hela landskapet har man tagit upp de för Värmland så typiska långrockarna vilka som tidigare nämnts burits här långt fram i tiden. De förekommer dels med den hela ryggen som har medeltida ursprung, dels med den yngre skärningen med midjesöm och ofta infällda "pipor" som ger vidd i ryggen.

Östervallskog

Kvinnan bär tre bredrandiga yllekjolar.
Den understa är längst för att man ska
kunna se dem alla. Det är en anmärk-
ningsvärd detalj i Östervallskogdräkten,
men bruket med många kjolar över var-
andra har tradition bland annat i Skåne
och Halland. Det var en form av lyx, en
önskan att visa att man hade råd. För-
klädet är av ylle med röda flamgarns-
ränder på vit botten. Brokadlivstycke
med skört och häktor. Halskläde med
tryckt mönster. På huvudet bär den gifta
kvinnan vit linnehatt och utanpå denna

"pannaklädet" av ett kvadratiskt vitt
kläde, vikt till en smal remsa och lindat
två varv om huvudet samt knutet med
en liten knut på hjässan. Under vänster
arm skymtar en kjolväska eller kjolsäck.
I Östervallskog bärs en kjolsäck på var
sida, förenade med ett band som knyts
om midjan. Som ytterplagg bärs en blå
tröja knäppt med häktor.

Detaljbilden visar de vita strumporna
med röda hällappar av vadmal samt
skorna med sina näversulor och den in-
dragna klacken, som var ett mode på
1600-talet och som levat kvar i folkdräk-
ten på flera håll i landet.

Östervallskog

Mansdräkten består av gula knäbyxor och röd väst med ryggstycke av fodertyg. Den knäpps fram med hyskor och hakar. Mannen till vänster bär dessutom blå jacka som häktas ihop samt kilmössa, "trindmössa", av röd vadmal. Till höger långrock av grå vadmal med ålderdomligt snitt. Den är skuren utan midje- och ryggsömmar och är alltså en långtröja med anknytning till den medeltida kolten. Infällda kilar ger vidd nertill. Rocken knäpps fram med hyskor och hakar.

Östervallskogdräkterna uppvisar flera ålderdomliga drag men få originalplagg finns bevarade. Dräkterna lades bort under 1800-talets förra del. När Nordiska museet på 1870-talet ville förvärva dräkter till sina samlingar visade det sig svårt att få tag på originalplagg. Av en gammal skräddare i bygden beställdes då kompletta dräkter som syddes upp i överensstämmelse med gamla uppgifter. Om man så vill ett tidigt exempel på dräktrekonstruktion. Intressant är också att man under insamlingsarbetet på 1870-talet hela tiden talade om dessa dräkter som typiska för det gamla dräktskicket i Holmedals pastorat. Östervallskog nämndes aldrig då. Det namnet har dock så småningom blivit intimt förenat med dessa välkända dräkter som tidigt

kom att användas inom hembygdsrörelsen, sedan P. G. Wistrand 1907 publicerat dem i sin bok *Svenska Folkdräkter*.

Blomskog, Eda

Till vänster dräkt uppsydd efter originalplagg på Nordiska museet från Blomskogs socken i Nordmarks härad. Den röda västen är av köptyg, den saknar krage och knäpps fram med klädda knappar. I Nordiska museets samlingar finns också en blå jacka och en gråbrun långrock från socknen.

Dräkten till höger, från Eda socken i Jösse härad, består av knäbyxor och röd, kort väst med svart ståndkrage och mässingsknappar samt röd mössa. Förebilder till denna ganska nyuppsydda dräkt finns bland annat på museet i Arvika. Flera långrockar med något olika snitt finns också bevarade från socknen. Den korta västen med ståndkrage är påverkad av empirmodet under 1800-talets förra del medan västen från Blomskog är av äldre typ.

Eda, Glava

Kvinnan till vänster bär Edadräkt, bestående av mörkblå kjol, randigt förklä-

de och rött skörtlivstycke hopknutet med bandrosetter på vänster sida. På huvudet bär hon den vita hatten med hopdragssömmar, s.k. Edasöm. Även överdelen har broderier.

Dräkten är rekonstruerad efter spridda plagg från bygden. Den var färdig

1959. Eda socken ligger i Jösse härad och gränsar till Norge.

Den högra dräkten är från Glava socken vid Glafsfjorden i Gillbergs härad. Den består av rödsvart redgarnskjol vävd i tvåskaft, livstycke av röd ylledamast, sidenhalskläde som gärna ska vara mörkt samt bindmössa med stycke. Förklädet är av bomull med småmönstrat rött tryck. Ylledamast till livstyckena köpte man i Norge och det gör man än idag.

Glavadräkten är rekonstruerad efter inventeringar i bygden. Den blev färdig 1974.

Jösse

Kvinnan bär svart kjol med besättning av röda band, rött mönstrat skörtlivstycke med häktor, tryckt förkläde, brokigt sidenhalskläde samt blå bindmössa med stycke. Förebilden till det röda livstycket kommer från Köla socken. I stället för detta används ofta ett randigt liv-stycke. Vitt förkläde och vitt halskläde med broderier är också vanliga tillbehör till dräkten. Som ytterplagg bärs grön tröja.

Mansdräkten består av gula knäbyxor med bred lucka och stora knappar samt

kort, tvärrandig väst med ståndkrage och enradig knäppning. Svart långrock och hög hatt hör till högtidsdräkten.

Dräkterna är sammanställda av spridda plagg från olika socknar runt Arvika. Bland annat i Schröders *En bruksbokhållares minnen* finns värdefulla uppgifter om dräkterna i dessa trakter på 1830-talet. Det tidiga bruket av Jössehäradsdräkt i borgerliga samman-hang berörs på s. 35.

Brunskog

Mannen bär blå knäbyxor och röd en-kelknäppt väst med svart snoddbroderi. Den svarta långrocken har i ryggen in-fällda kilar eller "pipor", vilket är ett ålderdomligt drag. Rocken knäpps med hyskor och hakar. Sämskskinnsbyxor fö-rekommer som variation.

Kvinnans dräkt har en grön kjol vävd i treskaft, som är en ålderdomlig vävtek-nik. Rött livstycke med skört och häktor,

randigt förkläde i flera färger samt hals-kläde med tambursömsbroderi och hatt med trätt mönster på knuten botten.

Sockendräkterna för Brunskog, som ligger nära Arvika i Jösse härad, var fär-diga 1954. Mansdräkten går tillbaka på originalplagg medan kvinnodräkten är sammanställd av enstaka plagg, gamla tygprover och uppgifter i bouppteck-ningar.

Mangskog

Dräkt med grå yllekjol vävd i den ålder-

domliga treskafttekniken, blått förkläde med invävda tvärränder, rött livstycke med skört, blårutigt halskläde och vit hatt, den gifta kvinnans huvudbonad. Den ogifta kvinnans hårnäver hålls här i handen. Kjolväskan är flätad av näver. Den bör höra till vardagsdräkten och ej bäras till stor högtid. Näverarbeten har gammal tradition i Mangskog, som har kraftiga inslag av finnbygd. Som hög-tidsplagg förekommer sidenschalar.

Dräkten invigdes 1960 efter arbete av hembygdsföreningen. Förklädet och halsklädet är gjorda efter äldre plagg. Mangskog ligger i Jösse härad och är annexförsamling till Brunskog.

Långserud

Mannen bär mörkrandig väst med ståndkrage och häktor, gula byxor och vita strumpor med rödvita strumpeband samt röd kilmössa, "trindmössa".

Kvinnodräkten består av mörkrandig kjol med röd kantfläta, rött skörtliv-stycke med häktor, tryckt förkläde och mörkt halskläde av siden samt bindmös-sa med stycke.

Dräkterna invigdes 1974. Långserud socken ligger i Gillbergs härad.

Värmskog

Mansdräkt med skinnbyxor, grön väst med ståndkrage och häktor och blå långrock, "långtröja", med häktor. Strumpebanden ska vara i många färger. Kyrkhatten har band om kullen.

Flickan bär blå kjol, rött skörtlivstycke med häktor och randigt förkläde med breda randgrupper. Förklädet vävs i ett par variationer. Det vita halsklädet har tryckt mönster i rött. Vit hatt med spets. Ett sommarförkläde med ränder i rött, blått och brunt på vit botten används också.

Dräkterna invigdes 1952. Värmskogs socken ligger i Gillbergs härad.

Norra Finnskoga

Ung kvinna klädd i livkjol bestående av grön kjol och livstycke av svart ylle, som knäpps åt vänster sida med hyskor och hakar. Förkläde av skotskrutigt köptyg i rött och blått. Tröjan hon håller i handen är av mörkbrun vadmal med häktor fram och blindslag på ärmarna med ett smalt rött band som kantmarkering. Svarta strumpor. Hårvalk med rött mönstrat band. De gifta kvinnorna använder vit hatt. Över denna kan en rutig huvudduk bäras knuten under hakan.

I snitt och färger bevarar livkjolen äldre drag medan det skotskrutiga förklädestyget visar påverkan från det borgerliga dräktmodet fram emot 1800-talets mitt. Från Norra Finnskoga finns också rödbottnade kattunsförkläden bevarade liksom enfärgade ylleförkläden, som är den äldsta typen. Ylleförklädet hålls uppe av ett bälte med runda metallbeslag (se detalj). Detta är ett ålder-

Gillberga

Dräkten består av svart kjol med smala röda ränder, rött skörtlivstycke och randigt förkläde i röda nyanser, vitt halskläde med röda rutor, vit hatt och kjolväska med yllebroderi.

Dräkten togs i bruk 1965. Med små variationer bärs samma dräkt i *Svanskog*, *Kila* och *Värmlands Nysäter*, vilka liksom Gillberga är socknar i Gillbergs härad. En mansdräkt är 1974 under arbete.

Norra Ny

Mansdräkten består av gula knäbyxor, röd kort dubbelknäppt väst med stansade uddar och blanka knappar. Svart långrock med ståndkrage och knäppning med häktor. Infällda "pipor" ger vidd i ryggen där rocken också är prydd med stansade uddar och svarta bollar. Kilmössa i blått och rött hör till. De vita strumporna har vid vristerna s.k. löv, broderade i rött.

Till mansdräkten från Norra Ny bärs idag ofta en skjorta med rikt broderi i rött och vitt och till denna en kort röd väst som ibland är skuren så att den ej går att knäppa. Detta bruk kan härledas till Gerda Cederbloms år 1921 publicerade *Svenska allmogedräkter*, där en mansdräkt från Norra Ny avbildades med öppen väst för att den fint broderade brudgumsskjortan skulle synas. Dräkten blev mycket populär och man kom att uppfatta det som karakteristiskt för denna trakt att bära västen öppen. Det är dock angeläget att påpeka att en så rikt broderad skjorta är ett sällsynt festplagg och att ingen väst i gammal tid syddes så att den inte gick att knäppa.

Båda kvinnodräkterna består av livkjol av svart, goffrerat halvylle med liv med "smäck" med hyskor och hakar. Grönt förkläde av halvylle med röd kant runt om. Svarta strumpor. Båda flickorna bär hårnäver som de ogifta flickorna gjorde. Här som på andra håll i Värmland använder de gifta kvinnorna vit hatt. Den högra flickan är klädd till enklare högtid. Den andra flickan har rött damastlivstycke till sin dräkt, och detta i förening med det brokiga sidenhalsklädet ger hennes dräkt en festligare prägel.

Norra Ny socken ligger i Älvdals härad, som är Värmlands mest konservativa dräktområde. Här bars de gamla dräkterna ännu på 1860-talet.

---

domligt drag som har paralleller i Vingåkersdräktens förkläde och bälte.

I Norra Finnskoga bars särpräglade dräkter av denna typ ännu efter 1800-talets mitt. Männen i socknen hade dräkter som nära överensstämmer med dem i Dalby. Före 1830 var Finnskogabygden och Dalby en gemensam socken, som först delades i två och 1883 i tre socknar, Dalby samt Södra och Norra Finnskoga. Från Södra Finnskoga finns föga dräktmaterial bevarat.

Dalby

Kvinnan bär mörkbrun livkjol med livet ihophäktat framtill. Överdel med rött broderi. Förkläde med svart botten vävt med ränder och brett rutparti. En kjolväska på var sida, båda broderade. Den vita hatten är de gifta kvinnornas huvudbonad, de ogifta bär hårband. Svart

tröja med häktor hör till dräkten.

Mannen har knäbyxor och långrock av mörkbrun vadmal. Rocken, som här kallas tröja, saknar midjesöm. Den är skuren med ett ryggstycke och två framstycken. Det är en ålderdomlig skärning som går tillbaka på den medeltida kolten. Två infällda kilar ger vidd nertill. De röda uppslagen och listerna är liksom ståndkragen senare tiders tillägg. Västen är av svart kläde, knäppt fram med knappar. Skjorta med knytband. Mörkbrun kilmössa, "trindmössa". Skinnbyxor används som variation. Även blå eller svart armväst förekommer.

I Dalby-Finnskoga levde de lokalt särpräglade dräkterna längre än på andra håll i Värmland. Ännu vid slutet av 1800-talet bars någon gång den s.k. Dalbytröjan, d.v.s. mannens långrock. Den finns avbildad bland annat i Nyléns *Folkdräkter*. Se även bild s. 129.

Nedre Älvdal

Till kvinnodräkten hör grön kjol och randigt skörtlivstycke. Det röda ylleförklädet används till helgdag medan bomullsförklädet med rött tryck på vit botten är en mindre högtidsbunden variant. Halsklädet kan vara vitt eller av siden. Kjolväska med ornerad mässingsbygel används till dräkten. Väskan

liksom livstycket och det röda förklädet är tillverkad efter bevarade original i trakten. De gifta kvinnorna bär vit linnehatt medan flickorna har rött hårband.

Mansdräkten består av knäbyxor, svart väst, grön långrock med häktor samt brun kilmössa med påstickade läderremsor. Även byxor av natursvart vadmal förekommer.

Dessa dräkter är rekonstruerade efter spridda dräktplagg och uppgifter i bouppteckningar. Kvinnodräkten invigdes 1969. Mansdräkten var färdig först 1974. Dräkterna används i Norra Råda, Sunnemo och Gustav Adolfs socknar, d.v.s. i södra delen av Älvdals härad.

Fryksdal

Tre ungdomar i dräkter från Fryksdals härad. Mansdräkten till vänster är sydd efter gamla plagg från *Fryksände* socken. Den rutiga dubbelknäppta västen med slag är av en typ som var modern efter 1800-talets mitt. Mannen till höger är klädd i röd enkelknäppt väst som går tillbaka på originalplagg från *Lekvattnets* socken. Gula knäbyxor samt röd kilmössa, "trindmössa". På vintern används svarta knäbyxor. Dräkten togs upp som bygdedräkt 1945.

Flickan bär bygdedräkt för Fryksdals härad. Hon har mörk livkjol med röd kantsnodd. Livet har bröstlapp med två

rader knappar. Förkläde av bomull med tryckt mönster, vitt halskläde med yllebroderi i färger samt bindmössa. De gifta kvinnorna använder vit hatt. Dräkten är rekonstruerad på 1960-talet.

Ekshärad

Flickan bär livkjol. Kjolen är svart med rynkparti upptill samt mönstervävt kantband. Över livkjolen har hon livstycke med skört av röd ylledamast, knäppt med häktor fram. Förklä-

det är av randigt bomullstyg. På höger sida skymtar den lösa kjolfickan. På huvudet bär hon hårnäver med målad dekor. De gifta kvinnorna bär den sedvanliga vita hatten. Det brokiga halsklädet är av siden. Grön eller svart tröja kan bäras till dräkten. Som variation brukas förkläden av blå rask eller av rött siden, egentligen ett brudförkläde.

Mannens dräkt består av svarta knäbyxor, röd enkelknäppt vadmalsväst, broderad linneskjorta samt långrock av svart vadmal. Han har svart kyrkhatt. I Ekshärad är rockarna långa. De har midjesöm och knäpps med hyskor och

hakar. En karakteristisk detalj är uppslagen på ärmarna liksom rynkningen från midjan i ryggen. De svarta knäbyxorna hör till vinterdräkten, på sommaren bär man skinnbyxor. Precis som i Norra Ny är de vita strumporna ofta broderade med rött vid vristerna.

Gräsmark

Mannen bär blå väst med stickningar, ståndkrage och häktor. Ryggstycket är av linne. Gula byxor och vita strumpor med strumpeband. På huvudet en sydd blå toppluva. Vintertid används blå strumpor

Kvinnodräkten består av randig yllekjol, rött skörtlivstycke med häktor, förkläde av blått linne, vitt halskläde samt hårnäver. Vid midjan är fäst ett rutigt sidenkläde, som hör till festdräkten.

Gräsmarks socken ligger i Fryksdals härad. Dräkterna är båda rekonstruerade och var färdiga 1954.

Östmark

Dräkten har rödbrun kjol, livstycke med tryckt mönster knäppt med hyskor i vänster sida, randigt förkläde och kjol-

väska med mässingsbygel. På huvudet bär flickorna hårnäver omkring den hoprullade hårflätan med band. De gifta kvinnorna använder den vita hatten.

Östmarksdräkten är en rekonstruktion. Den togs i bruk 1965. I angränsande socknar i Fryksdals härad, *Lekvattnet* och *Vitsand*, används samma dräkt med varierande förklädesrandningar.

Sunne

Dräkten består av kjol med ränder i tegel, grönt och vitt på mörkbrun botten,

randigt förkläde, rött livstycke med "brösttäppa", d.v.s. bröstlapp med knappar som döljer en undre knäppning, vitt broderat halskläde och vit hatt. Överdelen har smala hals- och ärmlinningar.

Dräkten är rekonstruerad. Den sammanställdes 1954 som bygdedräkt för Sunne socken i Fryksdals härad.

Västra Ämtervik

Kvinnodräkt med blå livkjol av halvylle, randigt förkläde och rutigt bomullshalskläde samt vit hatt av linne. Halsklädet kan varieras.

Mansdräkten består av röd, dubbel-

knäppt väst, blå byxor och liten blå kilmössa.

Den kvinnliga dräkten sammanställdes 1943, den manliga 1951. Västra Ämtervik ligger vid Frykens västra strand.

Ransäter

Kvinnan har blått skörtlivstycke med häktor, randig kjol och bomullsförkläde med småmönstrat tryck, halskläde med tambursömsbroderi, vit hatt och vita strumpor. Till högtid kan man också använda halskläde av siden och till vardags förekommer randigt förkläde som variation.

Mannen är klädd i randig enkelknäppt väst, mörkblå knäbyxor och svart långrock eller "långtröja". Den har det ålderdomliga snittet utan ryggsöm men med en infälld kil i ryggen som ger

vidd nertill. Tröjan knäpps fram med hyskor och hakar. I handen håller han kyrkhatten.

Båda dräkterna är sammanställda på 1960-talet, huvudsakligen av ganska unga dräktelement men långtröjan är ett ålderdomligt plagg. Ransäters socken i Kils härad är en bruksbygd där nyheter blandats med åldriga traditioner.

Ullerud

Kvinnodräkten består av rött skörtlivstycke med hyskor, mörkblå kjol och randigt förkläde i vitt, rött och blått, halskläde med tryckt mönster och överdel med smal halslinning. På huvudet den vita hatten. Ett förkläde med ljusare färgskala förekommer också.

Mannen bär enkelknäppt kort väst med ståndkrage, gula byxor och skjorta med broderi i rött och blått.

Dräkterna för Ulleruds socken i Kils härad togs fram på 1950-talet.

Forshaga-Grava

Mansdräkt med svarta knäbyxor, enkelknäppt väst i grönt, rostrött och vitt samt röd mössa.

Kvinnodräkten består av rött skörtlivstycke, grön kjol, rödrandigt förkläde, vitt broderat halskläde och vit hatt. Även bindmössa förekommer.

Grava socken och den tidigare kapellförsamlingen Forshaga ligger båda ett stycke norr om Karlstad. Den gemensamma bygdedräkten, Forshaga–Gra-

va-dräkten, rekonstruerades på 1950-talet med stöd av spritt material, gamla tygprover, uppgifter i bouppteckningar och Fernows dräktbeskrivning från 1773.

Hammarö

Kvinnan är klädd i kyrkdräkt och bär handklädet och psalmboken i handen. Hon har svart kjol med röd trefläta i nederkanten, rött livstycke, förkläde och halskläde av linne med breda spetsar samt bindmössa med stycke. Även halskläde av siden används till kyrkdräkten. I Hammarö socken bärs också en mer vardagsbetonad dräkt med randig kjol, rött livstycke, randigt förkläde, halskläde av tunt ylle med tryckt mönster samt vit hatt med spets eller bindmössa med stycke.

Även mannen är högtidsklädd. Han

bär mörkblå knäbyxor, vadmalsväst med blå rygg och röda framstycken som häktas ihop, mörkblå långrock eller långtröja, som knäpps med häktor. Rocken har gröna tränsar i ryggen och en grön slå längs kanten på vänster framstycke. På huvudet den höga kyrkhatten. Även knäbyxor av sämskskinn förekommer.

Hammarö socken, som är en ö i Vänern söder om Karlstad, fick sin bygdedräkt 1954 då man med utgångspunkt från uppgifter i bouppteckningar och i äldre dräktbeskrivningar sammanställde två kvinnodräkter och en mansdräkt.

Nor

Mannen är klädd i blå knäbyxor och blå väst med häktor och ståndkrage, skjorta med röd-vita snodder vid hals- och ärmlinningar samt röd kilmössa, "trindmössa". Blå långrock hör till.

Flickan har skörtlivstycke med häktor och kjol av blått ylle. Mörkrandigt förkläde och halskläde i rött och vitt med ett mönster som kallas "näversäck". Vit hatt av linne med spets. Röda strumpor.

Bygdedräkten för Nors socken i Grums härad invigdes 1958 efter flera års arbete. Det är gammal bergslagsbygd som haft livliga förbindelser med Karlstad och några spår av särpräglade dräkter finns inte bevarade. Enstaka plagg och spridda uppgifter ligger till grund för dräktkonstruktionen. I grannsocknarna *Ed*, *Grums* och *Segerstad* bärs likartade dräkter, varierade med olika förklädesrandningar.

Värmlandsnäs

Kvinnodräkt med grön kjol, randigt livstycke med skört och snörning, förkläde med tryckt mönster i blått samt bind-

mössa med stycke. Något halskläde hör inte till dräkten.

Värmlandsnäsdräkten är komponerad omkring 1960.

Ölme

Kvinnodräkten består av randig yllekjol i brunt och rött, blekrött skörtlivstycke med häktor, grönt förkläde och broderat halskläde. Vit hatt av linne. Även bindmössa med stycke förekommer. Till yt-

terplagg används gärna rutiga ylleschalar.

Mansdräkten är sydd av högblått kyprat ylle. Långrocken har ståndkrage och knäpps med häktor. Enkelknäppt väst av randigt tyg vävt efter gammalt prov.

Dräkterna bärs som bygdedräkter i Ölme härad. De är sammanställda med visst stöd i äldre bouppteckningar. Kvinnodräkten invigdes 1961, mansdräkten 1967. I *Väse härad* bärs samma dräkter med mindre variationer. Mansdräktens strumpeband är där olika liksom kvinnodräktens förkläde och halskläde.

Ullvättern

Kvinnodräkt med kjol och tröja av samma randiga tyg. Tröjan knäpps med knappar. Mörkt halskläde av siden samt

svart förkläde och vit hatt. Det finns också ett randigt förkläde för vardagsbruk.

Materialen i dräkten går tillbaka på äldre prover som hittades vid inventering i bygden. Dräkten, som var färdig att tas i bruk 1958, är starkt präglad av borgerligt 1800-talsmode. Den har fått namn av sjön Ullvättern i Bjurtjärns socken i Karlskoga bergslag.

Dalarna

Dalarna är vårt ojämförligt mest uppmärksammade dräktlandskap, ur många synpunkter också det rikaste och intressantaste. I socknarna kring Siljan har befolkningen in emot våra dagar allmänt burit karakteristiska dräkter med många ålderdomliga drag. Dessa sockendräkter har i hög grad präglat uppfattningen om folkdräkter i vårt land.

Till det gamla dräktområdet hör Siljanssocknarna Mora-Orsa, Rättvik och Leksand. Gamla dräkttraditioner levde också i Gagnef, som räknas till Österdalarna, liksom i Floda och Nås ett stycke uppströms efter Västerdalälven.

Siljansbygden

I synnerhet områdena kring Siljan var redan under medeltiden tätt befolkade. Gårdarna var inte stora men låg samlade i mäktiga byklasar. Tillvaron var baserad på boskapsskötsel där fäboddriften spelade en stor roll. I hela övre Dalarna är fäbodbebyggelsen fortfarande ett karakteristiskt inslag i landskapet. I de folkrika byarna utvecklades fasta mönster för arbete och gemenskap som för århundraden framåt kom att förbli ganska oförändrade. Inget landskap i Sverige torde ha bevarat en så ålderdomlig och särpräglad kultur som socknarna i norra Dalarna.

Socknarna har sinsemellan utvecklat olikheter som markerats inte bara i dräkterna utan också i språkligt hänseende, där dialekterna klart markerat vars och ens hemvist. Socknarna var vidsträckta men varje söndag mötte sockenborna upp vid sin kyrka. För många kunde det betyda långa färder över isarna vintertid eller med kyrkbåt på sommaren. Alla kom klädda i socknens dräkt, varierad efter ett för var och en välkänt mönster med olika plagg allt efter årets växlingar och kyrkoårets gång. Dräkten betydde samhörighet och gemenskap. Kyrkan och kyrkoåret har i själva verket haft avgörande betydelse för folkdräkternas utveckling och variationsrikedom.

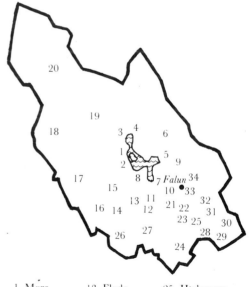

1 Mora	13 Floda	25 Hedemora
2 Sollerön	14 Nås	26 Säfsnäs
3 Våmhus	15 Järna	27 Grangärde
4 Orsa	16 Äppelbo	28 Grytnäs
5 Rättvik	17 Malung	29 Folkärna
6 Boda	18 Lima	30 By
7 Leksand	19 Älvdalen	31 Garpenberg
8 Siljansnäs	20 Särna	32 Husby
9 Bjursås	21 Stora Tuna	33 Vika
10 Ål	22 Gustafs	34 Sundborn
11 Gagnef	23 Säter	
12 Mockfjärd	24 Söderbärke	

Två Morakvinnor som bjuder ut
hårarbeten. I bakgrunden ser man
tornhuven på Östermalmskyrkan i
Stockholm. Hårarbete var en
specialitet framför allt för kvinnor-
na i Våmhus. De båda kvinnorna
har den sedvanliga goffrerade liv-
kjolen och en enkel halskrage som
är skuren i ett stycke med uppåt-
stående krage. Huvudbonaden är
den gifta kvinnans åtsittande vita
hatt. Förklädet är rött respektive
grönt. – Oljemålning från 1832 av
Fredrik Westin. Nordiska museet.

De olika socknarna har utvecklat olika dräkttraditioner också genom att man markerat helgdagarnas rangordning på olika sätt. För att bringa klarhet i dessa komplicerade förhållanden har man i våra dagar upprättat s.k. dräktalmanackor. Den första sammanställdes av Albert Alm, som 1923 gav ut en dräktalmanacka för Leksands socken. 1930 publicerade samme författare en liknande dräktalmanacka för Floda.

Många orsaker har bidragit till att dräkterna i det gamla kärnområdet kommit att leva så länge. Av grundläggande betydelse har varit att den stora jordreform som går under namnet laga skifte aldrig kom att genomföras här. Dess mål var att varje gård i görligaste mån skulle ha en sammanhängande jordlott. Bostadshus och ekonomibyggnader skulle ligga ute på den egna marken. Detta skifte genomfördes med början 1827 i så gott som hela landet, vilket förde med sig att de åldriga byarna splittrades och den gamla gemenskapen gick förlorad. Så blev aldrig fallet i övre Dalarna. Där är jordarna ännu i stor utsträckning oskiftade och där ligger inte sällan de kompakta byarna samlade på sina gamla platser.

Jordarna i landskapet kan knappast anses som bördiga om man undantar slättbygderna kring Stora Tuna och Skedevi samt i Folkare härad i södra Dalarna. Dessutom var byarna så tätt befolkade att jordbruket inte ensamt gav tillräcklig försörjning. Tidigt bedrev man som binäring olika hantverk och genom arbetsvandringar skaffade man sig på annat håll nödvändiga extra inkomster med bland annat tröskning och anläggningsarbeten. I Stockholm blev vedkarlar, snickare, murare och målare från Dalarna välkända inslag i storstadslivet.

Under dessa vandringar hade hemsocknens dräkt betydelse för gruppens gemenskap. Utåt tjänade den som en garanti för att den arbetssökande hörde hemma bland det som arbetskraft högt skattade dalfolket. Säkerligen har detta bidragit till att dräkterna generation efter generation kom att bäras i så oförändrad form. Den påverkan som trots allt skedde berörde egentligen bara detaljer. Köptyger kunde smyga sig in i halskläden, livstycken och mössor och kjollängderna kunde variera. Rent medeltida drag dröjde länge kvar i den helskurna tröjan, i hängslesärken, de vita långbyxorna och den vita kvinnohatten. Livkjolen och kilmössan är något yngre men har också gamla anor.

Dräkterna i Mora-Orsaområdet har bevarat de flesta ålderdomliga

Det här vackra fotografiet av en rättviks-kulla visar hur gråhättan ursprungligen slöt till om huvudet. Det vita strykbandet dolde hårfästet och de röda hängbanden med bollar låg fram över halsklädet. Se vidare texten till Rättviksbilden nedan och fotografiet på s. 37 av "Rättvikskullor" i badortsmiljö. Fotot är taget 1875 av den berömde läkaren och antropologen Gustaf Retzius. - Nordiska museet.

dragen. Där dominerar 1600-talskaraktären. I Floda finns det allra yngsta tillskottet, nämligen rika yllebroderier som togs upp och införlivades med dräkten på 1870-talet. Det är den sista sant folkliga särutvecklingen av ett element utifrån som finns i en svensk folkdräkt.

Fram emot 1800-talets slut påverkades även dräkterna i Siljansbygden av nya moden och nya ideal. I Anna-Maja Nyléns folkdräktsbok från 1973 finns åtskilliga fotografier som visar hur man till de gamla dräkterna använde element ur modedräkten. Samtidigt kom de färgrika dräkterna att betraktas med ovilja i vissa religiösa kretsar. De uppfattades som uttryck för "högfärden och världsligheten". Framför allt var det de granna plaggen till festdräkterna som drabbades av kritiken och lades åt sidan.

I detta kritiska skede kom räddningen i en ökad förståelse för de folkliga dräkterna. Den växte fram ur de nationalromantiska strömningarna kring sekelskiftet. I Dalarna bars denna rörelse av män som Karl-Erik Forsslund, Anders Zorn och Gustaf Ankarcrona (se s. 43). Deras insatser bidrog i hög grad till återupptagandet och förnyelsen av de gamla sockendräkterna. Även socknarna i södra Dalarna kom att beröras av den framväxande folkdräktsrörelsen. Framför allt på 1910- och 20-talen medverkade den energiske hembygdsentusiasten Karl Trotzig aktivt i arbetet med att sammanställa dräkter i de socknar, där de gamla dräkterna blivit bortglömda eller där socken- eller bygdedräkter kanske aldrig funnits. Ankarcrona var 1904 med om att starta Leksands Hemslöjd, som är landets första lokala hemslöjdsförening. Inom denna verksamhet fick också folkdräktrörelsen en betydelsefull förankring.

Bergslagen

Söder och öster om detta gamla dräktområde ligger Bergslagen, där förhållandena varit helt annorlunda. Här har bergsbruket redan under medeltiden lagt grunden till en nästan högreståndsmässig kultur, avspeglad i bostäder, klädedräkt och allmän livsföring. Redan 1288 grundades Stora Kopparbergs Bergslag, ibland kallat världens första aktiebolag. Det var länge Sveriges mest betydande industriföretag. De intima kontakterna med den borgerliga kulturen i Stockholm och i Mälardalens städer spelade uppenbarligen en stor roll och förstärkte ytterligare den borgerliga karaktären, särskilt i socknarna kring Falun,

Hanna Winge var en av de många konstnärer som lockades av den folkliga kulturen. 1870 signerade hon den här lilla akvarellen av en Orekulla i högtidsdräkt med grön goffrerad kjol och rött skörtlivstycke med kraftiga veck i ryggen. På huvudet bär hon "timp", en huvudbonad som är öppen i nacken. Den bars av de ogifta kvinnorna i många socknar i Dalarna. På den här bilden ser man under timpen den röda hårvalken. – Nordiska museet.

Sju vackra flickor från Svärdsjö på ett vykort från sekelskiftet. Deras dräkter överensstämmer i stort sett med den Svärdsjödräkt som bärs i dag. Man känner igen det knäppta livstycket, det randiga förklädet, sidenhalsklädet och bindmössan med sidenband som knyts på vänster sida. Bindmössorna på bilden är varierade men av samma typ. Svärdsjö ligger upp emot gränsen till Hälsingland och Gästrikland och flickornas mössor sammanhänger med de bindmössor som burits i dessa landskap. I Svärdsjö och det närbelägna *Enviken* bär man en gemensam bygdedräkt.

Säter och Hedemora. Här finns inte heller någon bevarad dräkttradition av folklig karaktär. Köpvaror dominerade tidigt klädedräkten och man hade råd med lyxbetonade detaljer som häktor och spännen av silver när man på andra håll nöjde sig med att använda tenn och mässing. Från den borgerliga dräkten tog man bland annat upp den mjuka kvinnomössan och sedermera också bindmössan. De gamla dräktområdena kring Siljan berördes aldrig av sådana modenyheter.

Det finns alltså en mycket tydlig motsättning mellan livsbetingelserna i övre och nedre Dalarna, ytterligare förstärkt av att man i det gamla kärnområdet i åtskilliga fall klart avvisat nymodigheter och därmed hävdat sin egenart.

Västerdalarna

Även i Västerdalarna har utvecklingen gått sina egna vägar. Till Västerdalarna räknar man de gamla socknarna Floda, Nås, Järna, Äppelbo, Malung, Lima. Till dessa ansluter sig i vissa hänseenden, bland annat i fråga om dräktskicket, Älvdalen, Särna och Idre vid Österdalälvens övre lopp.

Här var byarna mindre men boskapsskötseln liksom kring Siljan grundvalen i försörjningen. Samtidigt har man bedrivit handel, särskilt med Norge, och sysslat med ett rikt varierat småhantverk för försäljning. Liesmide, hästskotillverkning och skinnskrädderi är välkända specialiteter i dessa bygder. Också här åstadkom överskottet på arbetskraft att man sökte sig till säsongarbete långt bort från hembygden. Många kullor från Västerdalarna vandrade t.ex. till Hälsingland för att spinna lin. Troligen var det dessa som införde sådana nyheter i hembygdens dräkter som de mönsterstickade tröjärmarna och de stickade armringarna, som togs upp vid 1800-talets mitt. Vi känner dem bland annat från Floda och Gagnef. Av stor betydelse blev det att skogen här kunde exploateras tidigare än i det övriga landskapet. Det betydde en övergång till kontanthushållning.

Befolkningen efter Västerdalälven blev tidigare öppen för nyheter och intryck utifrån. Dräkten var mindre statisk och påverkades av växlande moden på ett helt annat sätt än dräkterna i Siljansbygden. Se bara på Limafracken!

I det följande avbildas ett 30-tal av Dalarnas sockendräkter. Av landskapets äldre dräkter saknas Oredräkten. Från denna socken visas på s. 143 en liten fin akvarellstudie från 1870. Svärdsjödräkten, som bevarat åtskilliga karakteristiska drag presenteras på motstående sida med ett fotografi från seklets början. De sockendräkter som inte kommit med är, kanske med något undantag, sammanställda under de senaste decennierna.

Mora

Kvinnan bär livkjol med rött liv och svart plisserad kjol, rött förkläde med bård nertill och överdel med infällda spetsar samt vitt halskläde med krage. Halsklädet består av släta fram- och bakstycken med infällda axelpartier rynkade mot en uppstående krage. Detta är högtidsdräktens halskläde som kunde vara utomordentligt fint arbetat. Det ålderdomligare och mera vardagsmässiga halsklädet har också krage men är skuret i ett stycke. Båda typerna finns i hela dräktområdet kring Mora. Kjolväskan är av skinn. Den vita "käringhatten" är den gifta kvinnans huvudbonad och under denna bär hon en hårt "åtbunden hatt". De ogifta kvinnorna kan ha rynkhatt med nackstycke. De kan också bära hilka. Tröjan är av grönt kläde med gula infällda lister och röda ärmuppslag (jfr Våmhus). En rad olika förkläden hör till dräkten och används i olika sammanhang.

Mannen har vita vadmalsbyxor, grön väst med häktor, vit vadmalsrock med häktor, mörkblå strumpor och förskinn samt hatt med hattband.

Moradräkten är synnerligen ålderdomlig med vit och enfärgad vadmal till både mans- och kvinnodräkten, med helskurna tröjor och uråldriga mössformer. Även livkjolen och frånvaron av knappar visar att Moradräkten i väsentliga delar formats mycket tidigt och av olika skäl konserverat sin ålderdomliga form genom århundradena. Morabygden är kärnan i ett dräktområde som också omfattar *Sollerön*, *Våmhus* och *Orsa*.

Sollerön

Sollerön hörde intill 1775 till Mora och dräktskicket på ön hänger nära samman med det i Mora. Vissa skillnader har dock utvecklats. Sollbon har vita och blå västar, inte gröna som i Mora. Han har

också använt mörk långrock. Kvinno-
dräktens förkläden var delvis olika
Moras, vilket framgår av förklädesbil-
derna nedan. Nu använder man fyra
förklädesvarianter, grönt till vardags,
rött till stor högtid, blått till allvarshög-
tider, svart till sorg.

Mora och Sollerön

En serie förkläden som ger en antydan
om hur rikt varierade de enskilda plag-
gen kunde vara. De här förklädena är
från *Mora* och *Sollerön* men en likartad
variationsrikedom har funnits på många
håll i de gamla dräktområdena.
Det blåa förklädet till vänster med sina
gulröda ränder bars i fastan från nionde
söndagen före påsk till Palmsöndagen.
Förklädet av grönt ylle hörde till den
vita sommarkjolen, liksom det gulröda
ylleförklädet, där man tog vara på garn-
rester och färgen kunde skifta något men
alltid var ljus. Det fjärde förklädet är av
blått ylle med linvarp. Det är en äldre
variant av det blåa förkläde som bars i
fastan.

Till vänster svart sorgförkläde,
"sorgmagd", från 1870-talet av halvylle
(ull och lin). Förkläde kallas av gammalt
"magd" (utt. majd) i övre Dalarna.
Sorgmagden bars på långfredagen, på
begravning och vid personlig sorg. Tidi-
gare var sorgförklädet blått.
Det vita förklädet är av bomullslärft-
och bars vid den första nattvardsgången
utanpå ett blåvitt kattunsförkläde (se
bilden t. h.). Dessutom användes det vi-
ta förklädet över raskförklädet då Mora
kyrka hade vitt antependium. Ogift
kvinna använde detta släta förkläde hela
livet, medan gift kvinna hade ett vitt
förkläde med "krus", d.v.s. broderier (se
bilden t. h.).
De blåröda förklädena hör hemma på
Sollerön. Det vänstra har använts på
Marie bebådelsedag. På Soll dominera-
de den röda färgen till stor högtid och
den blå färgen till allvarssöndagar. Man
hade en rad förkläden med fallande och
stigande färgskala i rött och blått för
mellanliggande söndagar. Uppvikning-
en nertill är en smal rosengångsbård.

Till vänster förkläde av bomull med
blått tryck på vit botten. Sådana kat-
tunsförkläden har använts både i Mora
och på Sollerön. De har burits vid kon-
firmation samt vid nattvard, då med det
vita förklädet över (se mittbilden). De
har också tillhört bröllopsdräkten. På
senare år har kattunsförklädena åter
börjat bäras efter att länge ha varit
bortlagda.
Det vita linneförklädet med hålsöm-
mar och spets är daterat 1783. Det är
den gifta kvinnans "waitmagd", vita
förkläde (se mittbilden). Det har an-
vänts vid nattvardsgång och av modern
vid barnens dop. Det har också burits av
"grönbrud" men ej av kronbrud.
Det gröna förklädet är av vaxat ylle,
s.k. rask, med en broderad rand av gult
silke. Det bars i kyrkan under trefaldig-
hetstiden tillsammans med den svarta
raskkjolen, som endast de välbärgade
hade råd med.
Det röda förklädet med ränder upptill
och nertill bars förr på martyrernas
dagar men är nu i bruk som högtids-
förkläde.

Våmhus

Kvinnan har livkjol med rött snörliv-
stycke och svart plisserad kjol, blått för-
kläde med bård, kjolväska av läder, röda
strumpor och grön tröja med kilar, sma-
la gula lister och röda uppslag (jfr Mo-
ra). Hon har också halskläde med gult
mönster på röd botten, den s.k. rysstra-
san. Även det vita halsklädet med krage
som bärs till Moradräkten används i
Våmhus. På huvudet vit hatt med fint
broderi i blått, en huvudbonad som bärs
också i Mora.

Våmhuskarlen klär sig som Morakar-
len i knäbyxor och vit långtröja, grön
väst, mörkblå strumpor och förskinn.
Förskinnet på bilden är gammalt liksom
långtröjan, som är från 1860-talet. Hatt
eller röd luva med vit kant bärs till dräk-
ten.

Våmhus var kapellförsamling till Mo-
ra intill 1868 och dräkten har samma
traditioner som den i Mora och är rik på
variationer.

Orsa

Mannen är klädd i knäbyxor av sämsk-
skinn, lång mörkblå väst med häktor, vit
häkttröja och förskinn samt mörkblå
strumpor och hatt. Även toppmössa och
kilmössa används. Observera att för-
skinnet i Orsa bärs under västen.

Kvinnan har livkjol med svart kjol och
rött liv med snörning. Grönt förkläde
med röd list och mönstervävda knyt-
band med tofsar av brokiga tygremsor.
Det fina halsklädet har broderier och
spets i kanten. Halsklädet med nervikt
krage kom i bruk omkring 1830 i Orsa,
äldre är typen med uppstående krage
som finns i Mora och Våmhus. På hu-
vudet den vita "flaxen" av bomullslärft.
I Orsa används också vit hatt och hu-
vudkläde. Strumporna är vita och som
ytterplagg bärs sommartid en vit vad-
malströja med häktor och mörkblå upp-
slag. Numera är det gröna förklädet det
vanligaste men det finns också blå för-
kläden med röd list och röda med svart

list liksom helsvarta förkläden.

Orsa tillhör samma ålderdomliga
dräktområde som Mora. Även här har
funnits ett rikt varierat dräktskick och en
fast dräktalmanacka.

Rättvik

Mannen har väst och "blåtröja", d.v.s.
blå långrock med röda kantlister och
häktor samt knäbyxor, mörkblå strum-
por, svarta skor och kyrkhatt med träns
och fem små bollar. De är röda för den
gifte mannen och svarta för den ogifte.

Kvinnan har blå kjol med den väl-
kända "breddan", en infälld randig
framvåd. Hon har kort rött livstycke
med snörmaljor och hängslen som knyts
vid framstyckena med band. Över fäste-
na sitter en prydande rosett med ner-
hängande ändar. Överdelens ärmlin-
ningar har vävda band i blått och vitt
(jfr de röd-vita i Boda). Röda strumpor,
kjolväska med rika applikationer, tryckt
halskläde samt den gifta kvinnans vita

hatt. Gröntröjan håller hon i handen.

Rättviksdräkten har varit rikt varierad och följt en utvecklad dräktalmanacka. I äldre tid var man inte högtids- och kyrkklädd utan ett förkläde som dolde den tvärrandiga kjolbredden. Även om man gick ett ärende till en annan by skulle man bära ett löst förkläde. Detaljbilden visar det röda söndagsförklädet som också kunde användas bland annat vid besök utombys. Sex andra förkläden, hemvävda eller av köptyg, fanns för olika tillfällen. Det var först vid 1800-talets slut som man kunde vara välklädd i bara breddan och i den

formen blev Rättviksdräkten populär och uppmärksammad långt utanför socknen och kom att figurera även i reklamsammanhang. Många minns säkert t.ex. rättvikskullan i Mazettireklamen.

Vid sidan av breddan är den svarta strutmössan, gråhättan, med röd kant och bollar dräktens mest karakteristiska tillbehör. Den var ursprungligen en mjuk mössa, belagd i Rättvik redan på 1670-talet. Omkring 1870 blev den en limmad hård mössa och den blev samtidigt högre, toppigare och svartare. Till en början var gråhättan de ogifta kvinnornas huvudbonad men i senare tid

togs den upp även av de gifta. En annan huvudbonad är "timpen", de ogifta kvinnornas vita hätta, som är öppen i nacken. Under alla huvudbonader bars håret omsorgsfullt uppbundet. Se Oredräkten, s. 143.

Rättvik

Rättvikskjol med den tvärrandiga breddan och det röda kyrkförklädet. De röda strumporna skulle vara vida och nedhasade vilket var ett mode som markerade välstånd. De gamla Rättviksskorna hade stora plösar och näversulor som ej skulle svärtas.

varianter både för män och kvinnor. En del av dem är i bruk även idag. Särskild sorgdräkt brukas och konfirmanderna bär vitt förkläde.

Leksand

Mannen bär den broderade "blåtröjan", som är mörkt blå med röda kantlister och häktor. Det är ett högtidsplagg och bröllopsplagg. Den vanliga kyrkrocken var förr den helsvarta tröjan utan broderier. Han har svart väst med röda lister, det s.k livstycket, sämskskinnsbyxor, vita strumpor och svarta skor. Kyrkhatt eller toppluva används som huvudbonad.

Kvinnan bär den vanligaste typen av dräkten. Svart kjol, randigt livstycke med snörmaljor och ett förkläde i rött, vitt och svart, kallat blåmagd. Hon har fint vitt halskläde och den gifta kvinnans vita hatt med svart-vitt hattband. Ogifta kvinnor har en röd yllehätta med smala svarta ränder och mönstrat band i rött, svart och vitt omkring. Den ogifta kvinnan använder också tryckt musslinshätta, ett plagg som förr fick bäras endast inom socknen. Svart eller grön tröja hör till de olika typerna av dräkten.

Flickan har den välkända gulkolten med randigt förkläde, vitt halskläde och rosig mössa. Gulkolten var förr småflickornas dräkt ända till de i 9–10-årsåldern började i "storskolan". I äldre tid hade också småpojkarna en gulkolt men den var skuren på ett annat sätt och till den bars förkläde med bröstlapp.

Leksandsdräkten har en fast och ännu djupt respekterad dräktalmanacka som noga följer kyrkoåret. Fortfarande lever också i socknen äldre kvinnor som bär hatten eller hättan varje dag. Till kyrkdräkten, men endast till den, används olikfärgade raskförkläden och till sorg gula förkläden. Hattens spetsar har också olika finhetsgrad efter de olika helgdagarna. Leksands hemslöjd har

Boda

Mannens dräkt överensstämmer nära med mansdräkten i Rättvik. Den består av knäbyxor, blå väst och blå långtröja med häktor och röda lister, blå strumpor samt blå luva med röd kant. Kyrkhatt används också. Mellan väst och byxor finns en glipa där skjortan syns. Så skulle det vara.

Boda har varit kapellförsamling till Rättvik och tillhör samma dräktområde med många gemensamma drag, men framför allt i kvinnodräkten också med markerade skillnader. I Boda är kjolen svart och plisserad med röda krusband nertill och i midjan. Den infällda kjolbreddan har en annan rödare färgskala än i Rättvik. Överdelen har röda mönstervävda band på ärmlinningen, medan dessa är blå i Rättvik. Livstycket och halsklädet visar däremot inte några större olikheter. Boda ansågs vara mera konservativt i sitt dräktskick än Rättvik men har också tagit upp senare plagg som t.ex. den röda luvan med sin flossade valk som ej förekommer i Rättvik. Både den vita hatten och gråhättan används också i Boda.

Den äldre garderoben innehöll många

med häktor. Västen var förr så kort att man fick "le" för skjortan mellan väst och byxor. Strumporna är mörkblå och toppluvan mönsterstickad med röd botten och svart bräm. Kort jacka med knappar används också.

Kvinnodräkten består av svart kjol och bredrandigt livstycke i svart och rött. Det snörs i tre par snörhål av vilka två i äldre tid lämnades öppna. Liksom mansvästen var livstycket förr så kort att överdelen syntes ovanför kjollinningen. Svart förkläde med smala vita ränder och mönstervävda knytband med röda tofsar. På höger sida sitter den svarta kjolväskan med broderi i rött och vitt. Halskläde med tryckt rosmönster på mörk botten. Bindmössa med stycke hör till. Den är grön för de ogifta och svart för de gifta kvinnorna. Detta är de gamla helgdagsmössorna. I äldre tid har även andra färger förekommit, liksom randig yllemössa och huvudduk.

Enligt en skildring från 1860-talet var Bjursåsdräkten då mer lik Åldräkten än Leksandsdräkten. Den lades bort under senare delen av 1800-talet men kom åter i bruk på 1910-talet. De variationer som funnits i äldre tid är nu inte levande utan dräkten har en i stort sett enhetlig utformning.

sammanställt en stencil med uppgifter om hur dräkten ska bäras i kyrkan med alla varianter för kyrkoårets söndagar. Här, där dräkten fortfarande är en levande realitet i socknen, känns det särskilt viktigt att de som bär den följer de fasta traditionerna. Kyrkdräktens många plagg är knutna till kyrkan och byts ut när man kommer hem efter gudstjänsten. Det var och är bara bröllopsfesten som bryter den regeln. I den "vanliga" dräkten med randigt förkläde och livstycke av randigt ylle eller rött siden med broderier är man klädd till gille och dans.

Siljansnäs var en fjärding i Leksand till 1866 då den blev egen socken. Dräkten har varit och är den samma som i Leksand. Siljansnäsborna fick förr, sommar som vinter, ta sig den långa vägen till moderkyrkan och där skulle alla ha samma kyrkoårsdräkt. Ifrån Sollerön, grannen i norr, har man tagit upp den vita vadmalströjan, som annars inte förekommit i Leksand.

Bjursås

Mannen har knäbyxor av sämskat skinn, svart dubbelknäppt väst och långrock

Ål

Några dräktvarianter från Åls socken. Kvinnan till höger har sorgdräkt med svart kjol och rött livstycke, svart förkläde av vaxat ylle, s.k. rask, vitt halskläde och svartmönstrad kattunshätta med spetshatt under. Svart klädeströja och röda strumpor. Med andra tillbehör bärs den här dräkten också till vardags och till mindre högtider. Till vardagsdräkten hör randigt förkläde, rosigt halskläde och rosig kattunshätta. De röda strumporna är genomgående. Till mindre högtider bärs grönt förkläde.

Kvinnan till vänster har stor högtidsdräkt med röd kjol, randigt snörlivstycke, blått förkläde och halskläde med broderi i svart, s.k. svartsticksläde, kjolväska på höger sida samt broderade halvhandskar. Hon har också hatt med Vadstenaknytning och ovanpå denna en gammal sidenhätta med broderi, daterad 1850.

Flickan är finklädd i röd kjol och snörlivstycke, grönt förkläde, kjolväska samt blommigt halskläde och hätta.

Mannen är klädd i högtidsdräkt av svart kläde med knäbyxor, dubbelknäppt väst och jacka med dubbla knapprader samt svarta strumpor. Till mansdräkten hör också långrock med häktor och högkullig hatt.

I Ål bars sockendräkten fram emot 1870-talet. Den återupptogs vid 1900-talets början.

Gagnef

Mannen bär knäbyxor av sämskat skinn med strumpeband med stora brokiga bollar, mörkblå dubbelknäppt väst, broderad skjorta samt armringar med flossad kant och brokig halsduk. Han håller den gröna stickärmströjan över armen (jfr Floda) och har svart hatt på huvudet.

Kvinnorna bär dräkter med svarta goffrerade kjolar och röda livstycken

med snörmaljor, röda förkläden och rö-
da strumpor samt kjolväskor med appli-
kationer och rosiga halskläden. Den
högra dräkten har de gängse gula stick-
ningarna på livstycke och förkläde
medan den andra dräkten har färgrika
blombroderier.

Kvinna till höger bär vintermössa,
den röda broderade "lurkan". I handen
håller hon pälströjan och den röda luvan
med vitt uppslag som kunde sättas
utanpå andra mössor (jfr Leksands gula
ylleluva).

Den andra kvinnan har rosig hätta
över en vit hatt med bred spets (jfr Ål).
Hon har också broderad gröntröja med
stickade ärmar.

De två dräkterna till vänster bars 1906
av bondfolk i Gagnef som brud- och
brudgumsdräkter.

Gagnefdräkten är rikt varierad och
har delvis varit i bruk in emot våra
dagar. Den har ingående behandlats av
folklivsforskaren Ella Odstedt i hennes
jämförande dräktstudie *Övre Dalarnas
folkdräkter*, där hon utgått från just
Gagnefdräkten.

Ett rikt material insamlades också av
Ottilia Adelborg, som särskilt då det gäl-
ler spetsknypplingen gjorde stora insat-
ser för att föra bygdens fina traditioner
vidare. 1903 grundade hon en knyppel-
skola i Gagnef, som fick betydelse även
utanför socknen. Se även bild s. 45.

Mockfjärd

Kvinnodräkten består av svart kjol med
mönstervävt kantband i rött och vitt,
randigt livstycke med snörmaljor och
grönt förkläde, ibland – som här – med
broderi nertill. Broderat halskläde med
spets och kattunshätta med hängband.
Kjolväskan har läderapplikation och
mässingsbygel. Det finns också brodera-
de hättor och olika huvudkläden. Den

gifta kvinnan har vit hatt. Grön tröja
används som ytterplagg.

Mansdräkten i Mockfjärd överens-
stämmer nära med den som bärs i Gag-
nef.

Mockfjärd är kapellförsamling till
Gagnef men har delvis utvecklat en egen
dräkttyp, skild från moderförsamlingen
med många varianter på alla plagg. Det
är en kyrkoårsdräkt som haft en fast
dräktalmanacka.

Floda

Mannen till vänster bär knäbyxor och svart dubbelknäppt väst samt söndagens svarta långrock och hatt. Rocken häktas ihop. Vid handlederna stickade armringar med flossad kant. En äldre typ av armringar är av vadmal med broderier.

Mannen till höger har knäbyxor och svart väst med knappar. Han har också grön vadmalströja med röda stickade ärmar med svart mönster samt röd toppmössa. Han har knäppt upp tröja och väst för att de broderade hängslena ska synas. Hängslen är ett sent tillskott i folkdräkten. Här i Floda fick de rika ullgarnsbroderier.

Kvinnan har svart kjol med broderad röd kantlist, randigt livstycke med snörmaljor, blått förkläde och blåbottnat halskläde format som en trekantig krage. På huvudet den välkända mössan med broderade blommor, den s.k. påsömshättan. Över armen bär hon "påsömströjan", den röda klädeströjan med rika yllebroderier, och i handen de broderade vantarna. De färgrika broderierna, som är utförda med ullgarn, togs upp i dräkten först på 1870-talet. Nu är de ett karakteristiskt inslag i Flodadräkten.

Nås och Floda anses ha utgjort ett enhetligt dräktområde. Visserligen blev Floda redan 1612 egen socken men Hülphers säger 1757 när han reser i Floda att "klädbonaden är mest som i Nås". Omkring sekelskiftet 1900 förföll dräkten, man "klädde sig för dansbanan, icke för kyrkan", sades det. Nu bärs sockendräkterna åter i överensstämmelse med gammalt bruk. Det är en rikt varierad dräkt med olika plagg och tillbehör knutna till kyrkoårets och livets högtider. Flodadräkten blev tidigt omsorgsfullt beskriven av P G Wistrand i *Svenska folkdräkter* 1907.

Nås

Kvinnodräkten består av smalrandig kjol med röd list och mönstrat kantband, randigt förkläde, också detta med röd list, randigt livstycke med snörmaljor, halskläde av tryckt bomullstyg och mjuk, brokig hätta, som ska knytas under hakan på vänster sida. De gifta

kvinnorna har spetskant på hättan. I Nås har de gifta kvinnorna också burit den vita hatten med håret uppbundet med vita band, som här kallas "bindlar". Flickorna använder brokiga hårbindlar.

Mannen har gula byxor, randig dubbelknäppt väst, blå strumpor och vit långrock med häktor samt röd toppluva med blå kant.

Dräkterna i Nås är besläktade med dem i Floda men har inte varit så färgrika. Här har också funnits ett särpräglat dräktskick rikt på plagg och variationer.

Järna

Mannen bär mörkblå långrock med häktor, randig dubbelknäppt väst och gula byxor samt mörkblå strumpor. Till dräkten hör röd mössa med svart bräm

eller kyrkhatt. Även svarta knäbyxor och kort jacka förekommer.

Kvinnan bär högtidsdräkt med svart kjol och rött livstycke med valk, som kjolen vilar på. Mörkbottnat förkläde och mörkbottnat halskläde, båda med tryckta rosmönster. Mössa med veckat stycke och hängande band. Broderad kjolväska. Den svarta tröjan häktas ihop.

I Järna har dräkttraditionerna varit obrutna till våra dagar. Ålderdomliga element har däremot mestadels gått förlorade. I källor från 1700-talet nämns t.ex. korta vita tröjor och vida vita byxor, men de betraktades redan då som föråldrade. Ett nu försvunnet ålderdomligt drag är också att kvinnorna förr bar två vita hattar. De kunde också ha huvudkläde knutet under hakan med en av nacksnibbarna uppvikt över hjässan.

Äppelbo

Kvinnan bär randig kjol, rött livstycke med påknäppt bröstlapp, smalrandigt förkläde, halskläde av siden, svart tröja med häktor, röda strumpor och mjuk mössa med stycke.

Mannen har gula knäbyxor, randig väst och kort svart jacka med dubbla rader mässingsknappar samt mörkblå strumpor och granna armringar vid handlederna. På huvudet en blå toppmössa, "ruckhätta", som också kan vara röd. Långrock och hatt hör även till dräkten.

Kvinnodräkten är sydd efter gamla plagg i socknen. En i dag kanske vanligare dräktvariant i Äppelbo har svart kjol och blommigt förkläde. Äppelbo har till 1822 hört till Nås socken. Kvinnodräkten bars av äldre personer ännu fram emot 1800-talets slut. Den har haft rika variationer både i hemvävda randningar och i köptyger till förkläden och halskläden.

Malung

Mannen har knäbyxor, röd dubbelknäppt väst, rutig halsduk och svart långrock med ståndkrage och röd klädeslist längs framkanten. Kyrkhatt med band.

Kvinnan är klädd i blå kjol med kantsnodd, rött förkläde med bandslå och rött livstycke med tryckt mönster samt

rosigt halskläde och röda strumpor. Den vita hatten används av både gifta och ogifta, de gifta kvinnorna har ett vitt och de ogifta ett kulört hattband. Svart tröja hör också till. Det har även funnits tröjor i svart och rött. Dessutom talar Hülphers 1757 om en gul tröja, som också är belagd senare.

Malungsdräkten fanns ännu vid 1800-talets mitt som en rikt varierad sockendräkt men kom sedan ur bruk. På 1920-talet väcktes intresset för dräkten bland annat genom Folkhögskolans engagemang i saken. I sockenhistorien som trycktes 1973 finns dräkten utförligt behandlad.

Lima

Mannen bär svart frack med dubbla rader mässingsknappar, röd dubbelknäppt

väst med nervikt krage, skinnbyxor och hög hatt. Han har vita strumpor och skor med spännen. Fracken togs tidigt upp av befolkningen i Västerdalarna där den inte bara blev ett högtidsplagg utan också bars i det dagliga arbetet t.o.m. vid skogskörslor.

Kvinnan har högtidsdräkt med svart kjol, rött skörtlivstycke med snörmaljor, vitt förkläde med uddskuren kantskoning och halskläde av siden. Hon bär den gifta kvinnans svarthätta med stycke. De ogifta kvinnorna har vit hatt. Kjolväskan är svart med bygel och broderier utförda i s.k. underläggssöm.

Lima ligger vid handelsvägen upp mot Norge och Limaborna har alltid haft handelsförbindelser med norrmännen och tagit intryck av dem. På 1800-talet gav försäljningen av timmer goda förtjänster som genast avspeglade sig i en ökad klädlyx. Både långbyxor och frackar blev vanliga plagg bland bönderna i socknen.

Älvdalen

Kvinnodräkt med smalrandig kjol, rött livstycke med snörning, röd- och vitrandigt förkläde, broderad kjolväska med bygel och bindmössa med stycke. I Älvdalen bärs ofta dubbla halskläden, ett undre av vit bomull och ett övre av siden. Röda strumpor hör till. En dräktvariant med blårandig kjol, svart livstycke och blårandigt förkläde förekommer också. Även vita högtidsförkläden används liksom olika halskläden. Ytterplagget är en grön tröja.

Mansdräkten är mörkt blå med dubbelknäppt jacka och knäbyxor samt mössa med skärm. En svart kilmössa används också.

Särna

Kvinnan bär randig kjol med mörkblå botten, damastlivstycke med skört och häktor samt förkläde med tryckt mönster. Hon har broderad kjolväska med bygel, halskläde av siden och bindmössa med stycke. I handen håller hon den gröna tröjan. Strumporna är röda. Som variation förekommer randigt förkläde. Från 1820-talet finns en uppgift om Särnakvinnornas "granna, mångfärgade förkläden". Säkert var de av köpta tyger,

som är ett påfallande inslag i dräkterna från dessa områden. Jämför med Härjedalen och Jämtland.

Mannen är klädd i randig dubbelknäppt väst och gula byxor, mörkblå långrock med knappar samt blå strumpor. Kyrkhatten håller han i handen. Röda filtmössor har också använts. Även dubbelknäppt jacka med mässingsknappar hör till dräkten. Strumporna kan vara vita i stället för blå.

Vissa plagg i den här mansdräkten är sydda 1927 och det var vid den tiden sockendräkten rekonstruerades och togs i bruk.

I *Idre* socken bärs nästan samma dräkter. Kvinnorna har dock där ljusblå strumpor. Särna och Idre har hört tillsammans ända till 1916 då Idre blev egen socken. Hela området hörde till Norge fram till 1645 och det sades om sockenborna 1649 att deras klädedräkt var alldeles norsk.

Stora Tuna

Kvinnan har bredrandig kjol, rött livstycke med påknäppt bröstlapp, tryckt kattunsförkläde, halskläde av siden samt stycke med mössa, som är knuten under

hakan. Över armen bär hon den korta mörka tröjan. Rött är den dominerande färgen i den här dräktvarianten. I socknen används idag också en dräkt med grönt som dominerande inslag. De båda dräkterna anses bygga på gamla sommar- respektive vinterdräkter.

Mannen är klädd i blå dubbelknäppt rock med frackurskärning, rödrandig väst med ståndkrage, blå byxor och blå strumpor. I handen håller han hatten. Till dräkten används också blå jacka och röd luva.

Tunadräkten omtalades redan 1743 som "omskiftelig". Här har funnits en rik dräktalmanacka. Efter 1800-talets mitt bars dock knappast särpräglade dräkter i Tuna. Under slutet av 1800-talet expanderade huvudorten Borlänge mycket snabbt för att så småningom bli Dalarnas största stad. De framväxande industrierna påskyndade säkert bortläggandet av dräkten.

På 1910-talet togs vissa varianter av sockendräkten åter i bruk. Initiativet till återupptagandet av dräkten utgick från Fornby folkhögskola. Vid den tiden engagerade sig folkhögskolorna ganska allmänt i det växande intresset för de svenska folkdräkterna.

Silvbergs socken hörde ända till 1861 till Stora Tuna. En kvinnlig sockendräkt används här, utarbetad med de relativt sena Tunadräkterna som förebilder. Den består av en tämligen bredrandig ylle-kjol i grönt och rött samt smalrandigt livstycke i samma färger med dubbla knapprader, smalrandigt bomullsförkläde i rött och blått, överdel med krage och bindmössa med stycke.

Gustafs

Kvinnodräkten består av blå kjol, blått dubbelknäppt livstycke, randigt förkläde, broderad kjolväska, halskläde av siden samt bindmössa med stycke. Halsklädet kan också vara av bomull. Mörk-

blå tröja hör till.

Mansdräkten har mörkblå byxor och mörkblå strumpor samt randig dubbelknäppt väst (jfr Stora Tuna).

Skospännen och knappar är tillverkade i socknen. Gustafs är av gammalt berömt för sina skickliga gälbgjutare och deras produkter har sålts långt ut över sockengränserna. Gustafs socken avsöndrades 1775 från Stora Tuna och fick namn av den då regerande Gustav III. Sockendräkten är sammanställd under ledning av Karl Trotzig. När ortens folkdanslag bildades 1945 ökade intresset för dräkten, som då fick sitt nuvarande utseende.

Säter

Kvinnodräkten består av mörkblå kjol med röd kant, randigt livstycke med skört och dold snörning under en påknäppt bröstlapp, halskläde av siden, blårandigt förkläde och broderad bindmössa med stycke. Kjolväskan är av samma broderade röda siden som bind-

mössan. Den korta mörkblå tröjan bärs här över armen. Olika halskläden och bindmössor kan bäras till dräkten liksom förkläden av olika material. Till högtid används vitt förkläde.

Mannen har mörkblå knäbyxor, mörkblå dubbelknäppt jacka och mörkblå strumpor samt rödrandig dubbelknäppt väst av samma tyg som kvinnodräktens livstycke. Röd luva och skor med spännen. Till högtidsdräkten hör svart livrock och hatt.

Först på 1930-talet blev det äldre dräktskicket i Säter föremål för studier och så småningom sammanställdes den sockendräkt som idag bärs med relativt små variationer.

Söderbärke

Kvinnodräkt med blågrön vadmalskjol, skörtlivstycke av damast med bröstlapp samt randigt förkläde av linne. Röda strumpor, halskläde av siden samt stycke och bindmössa hör till dräkten.

Över armen bärs tröjan av vitt kläde med ärmuppslag av kjolens tyg. Halsklädet kan varieras och för yngre flickor finns ett röd-gul-randigt förkläde.

Dräkten är rekonstruerad efter bouppteckningar från 1700-talet. Ett utarbetat dräktförslag framlades av Karl Trotzig 1930. I Söderbärke har knappast särpräglade dräkter burits. Befolkningen tycks ha följt det borgerliga dräktskickets skiftande moden.

Hedemora

Kvinnan bär en dräkt med blå kjol och rött livstycke med skört. Det har gröna kanter och dold snörning under en påknäppt bröstlapp. Förklädet är randigt och tröjan grön med skört och röda kanter samt snedknäppning. Halsklädet är av mörkt siden och bindmössan, som har stycke, är här av rött siden men kan

variera i färg. Till högtid bärs vitt förkläde och vitt halskläde.

Mansdräkten består av blå knäbyxor och blå strumpor samt röd enkelknäppt väst. Dubbelknäppt blå jacka med slag och nerliggande krage samt bred röd mössa hör till dräkten. Även en mörkblå långrock med häktor och hatt med svart band och silverspänne används.

Hedemoradräkten omtalas av resenärer på 1700-talet men kom under 1800-talet relativt tidigt ur bruk. Den rekonstruerades i början av 1900-talet av Karl Trotzig.

Säfsnäs

Kvinnodräkt med randig livkjol med röd kant och dubbla knapprader, grönt förkläde och grönt halskläde med brode-

rier. Hård, grön mössa med kantspets och grön kjolväska med broderier och blått kantband. Röda strumpor.

Säfsnäs hörde intill 1758 till Nås socken. Sockendräkten är enligt uppgift utformad efter en relativt sen variant av Nåsdräkten. Den togs fram på 1930-talet.

Grangärde

Kvinnans dräkt består av svart kjol och grönt snörlivstycke fastsytt vid kjolen, randigt förkläde och rosigt rödbottnat halskläde. Kjolväskan med sockenvapnet syns ej på bilden. Överdel med krage, grön bindmössa med stycke och vita strumpor hör till dräkten.

Mansdräkten har svarta knäbyxor, vita strumpor och dubbelknäppt randig väst i samma färger som kvinnodräktens förkläde. Mössa med omväxlande blå och randiga kilar. Svart långrock används också liksom hatt med silverträns.

Sockendräkten för Grangärde sammanställdes 1948 i första hand för medlemmarna i Saxdalens folkdanslag.

Mannen till vänster är klädd i s.k. *bergsmansdräkt*, sydd av svart kläde med knäbyxor, dubbelknäppt väst och långrock. Den går tillbaka på originalplagg

på Nordiska museet. Svarta strumpor och kilmössa med påstickade läderremsor kompletterar dräkten. I handen håller han bergsmanskäppen med det yxformade mässingshandtaget, ett värdighetstecken för bergsmännen.

Sådana här borgerligt inspirerade mansdräkter har burits på många håll i Bergslagen. De kan skifta något i färg och västarna kan vara olika men snittet är i stort sett detsamma.

Grytnäs

Flickans dräkt består av röd kjol och rött livstycke med skört och snörning, vitt förkläde och vitt halskläde samt grön broderad bindmössa med stycke. Grön kjolväska med broderier, bygel och hake. Över armen bär hon den grönrandiga tröjan.

Pojken har mörkblå knäbyxor, mörkblå strumpor och väst av samma tyg som kvinnodräktens tröja. Till mansdräkten hör även en dubbelknäppt blå jacka och en blå långrock. Till långrocken används hög hatt.

Grytnäsdräkten sammanställdes 1930

under ledning av Karl Trotzig. Tyget till kvinnotröjan och mansvästen är vävt efter original i Grytnäs gammelgård.

Folkärna

Kvinnodräkten består av grön kjol med röd list, rött livstycke med gröna kantband, skört och snörmaljor samt vitt broderat tyllförkläde och som halskläde

en rund rynkad tyllkrage med broderi. Broderad kjolväska och röd bindmössa med stycke. Bindmössan kan också vara grön och både förkläde och halskläde sys ofta av vitt bomullstyg. Kragen kan

även bytas ut mot en sidenduk. Randig tröja hör till dräkten.

Mansdräkten består av knäbyxor och röd enkelknäppt väst, blå strumpor och röd luva. Både långrock och jacka i mörkblått används liksom hatt med hattband.

Folkärnadräkten sammanställdes redan omkring 1905. En del detaljförändringar gjordes på 60-talet i samband med att folkdräkt och folkdans fick förnyad aktualitet. – Kvinnodräktens rynkade axelkrage kan härledas till en liknande krage i modedräkten som användes över empireklänningens stora runda urringning. Den har tagits upp i folkdräkter på några håll i landet, bland annat i Rackeby i Västergötland.

By

Kvinnan bär en randig kjol i rött, grönt och svart, livstycke av sämskskinn med skörtflikar och snörning samt randigt förkläde med vit botten och bomullshalskläde i mörka färger. Kjolväska med mässingshake och bindmössa med stycke samt svart tröja. – Det finns också en högtidsdräkt med svart kjol, rött livstycke med snörmaljor och vitt eller blommigt förkläde samt halskläde av siden.

Mannen har knäbyxor, blå strumpor, randig enkelknäppt väst i dämpade färger samt dubbelknäppt mörkblå jacka. Sydd mössa med tofs hör till. Även långrock och hög hatt används till dräkten.

1905 började man forska i socknens dräkthistoria. Föga gammalt dräktmaterial fanns bevarat men två kvinnodräkter och en mansdräkt sammanställdes och visades första gången på en utställning i Hedemora 1915. Här som på många andra håll i södra Dalarna var Karl Trotzig engagerad i dräktarbetet.

Garpenberg

Kvinnans dräkt består av blå kjol och randigt livstycke med skört och snörning i trädda hål, grönrandigt förkläde, halskläde av siden och broderad bindmössa med stycke. Blå jacka av samma tyg som kjolen, här med ljusblått foder. Vari-

erande förkläden förekommer. Till kyrkdräkten bärs vitt halskläde och vitt förkläde.

Mannen bär mörkblå knäbyxor, mörkblå strumpor, randig dubbelknäppt väst och mörkblå långrock samt hatt med hattband. Dubbelknäppt blå jacka och röd toppluva används också.

Dräkten är rekonstruerad 1931.

Husby

Mannens dräkt består av gula knäbyxor och blå dubbelknäppt väst med ståndkrage samt blå jacka med två rader knappar och ärmuppslag. Även blå långrock med häktor och hatt med ku-

lört hattband bärs till dräkten. En blå klädesmössa med skärm förekommer också.

Kvinnan har blå kjol och grönt förkläde, rött livstycke med skört och snörning, röda strumpor, halskläde av siden och bindmössa med stycke. Kjolväskan är broderad. Blå tröja med röda lister. Förklädet kan också vara vitt eller randigt, även halsklädet kan varieras. Både män och kvinnor har stora silverspännen på skorna.

Redan 1929 började Karl Trotzig söka efter spår av äldre dräkttraditioner i socknen. Först på 50-talet kunde dock rekonstruktionsarbetet avslutas i samarbete med hemslöjden.

Vika

Kvinnan bär mörkrandig livkjol med snört liv och smalrandigt förkläde, halskläde av siden och bindmössa med stycke samt vita strumpor och skor med stora spännen. Färgen på bindmössan

kan variera och halsklädet kan alternativt vara av bomull.

Mansdräkten består av knäbyxor och kort häkttröja av vit vadmal samt randig dubbelknäppt väst av livkjolens tyg. Hatt med breda brätten hör också till dräkten liksom vita strumpor, knäremmar av läder och skor med stora spännen.

Dräkten utarbetades i början av 1920-talet av några intresserade sockenbor. De randiga tygerna vävdes efter gamla prover och kvinnodräkten syddes upp med ledning av muntliga uppgifter. Förebilder till bindmössor, stycken och halskläden återfanns i många gårdar i socknen.

Sundborn

Kvinnodräkt med randig kjol, grönt livstycke med snörmaljor och rött förkläde med grön bård, röda strumpor och rosigt halskläde. På huvudet en mössa i rött med svarta ränder av leksandstyp, men utformad som en mjuk luva. Till dräkten hör också grön tröja i livstyckets färg.

Sundborndräkten rekonstruerades 1902. Carl Larsson och hans hustru Karin var djupt engagerade i dräktarbetet. Vissa förändringar har gjorts under

årens lopp. Ett långrandigt förkläde i rött och vitt har ersatts med det Morainspirerade röda förklädet. Som huvudbonad användes först bindmössa med stycke, den röda mjuka mössan tillkom senare.

På 1930-talet sammanställdes även en mansdräkt för Sundborn med gula knäbyxor, blå strumpor och randig väst i rött, svart och grönt.

Sundborn ligger närmast norr om Falun och hör till bergslagsbygden, som aldrig haft folkdräkter i traditionell mening utan ständigt följt efter den enklare borgerliga dräkten.

Härjedalen

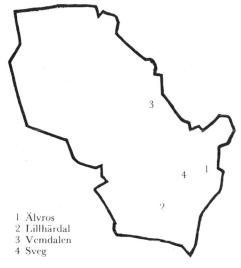

Är 1800 bodde bara 5000 personer i hela Härjedalen. Långt fram i tiden har det varit ett glest befolkat, avsides beläget och inte särskilt burget landskap. I likhet med Jämtland var Härjedalen fram till mitten av 1600-talet en del av Norge. De norska impulserna har haft större livskraft här än i Jämtland. Dialekten t.ex. har starka beröringspunkter med norska mål. Säkert beror det delvis på att Härjedalen mycket länge hade utomordentligt dåliga förbindelser ner emot det centrala Sverige. Röros i Norge var ännu långt in på 1900-talet den viktigaste staden för invånarna i Härjedalen och någon egen stad har landskapet inte heller i våra dagar. Först 1909 drogs järnvägen fram till Sveg, som är landskapets gamla centralort, belägen vid den uråldriga vägen mellan Norge och Hälsingland.

1 Älvros
2 Lillhärdal
3 Vemdalen
4 Sveg

Kyrkdräkt från Härjedalen. Flickan bär smalrandig kjol, förkläde och halskläde av mönstrat siden, halssmycke och brosch samt bindmössa med stycke. Foto från 1909 av Paul Jonze. — Nordiska museet.

Den folkliga kulturen tillhör samma ålderdomliga kulturområde som trakterna kring Ovansiljan. Boskapsskötsel är den gamla huvudnäringen och fäbodväsendet har spelat en framträdande roll. Bebyggelsen var koncentrerad kring Ljusnans och i någon mån Ljungans källflöden. Byarna var i regel ganska stora.

1700-talet förde med sig en ekonomisk uppgång som bland annat satte sina spår i en rik och blommande folkkonst. Den är formad av rokokon men har en folklig egenart och står i nära släktskap med den samtida norska folkkonsten. Samma impulser påverkade också landskapets möbelkonst. Anmärkningsvärt är att vi här också har en timmerarkitektur av utomordentligt hög klass. Flera av den svenska timmerbyggnadskonstens mest fulländade gårdsanläggningar ligger i Härjedalen.

Det folkliga dräktskicket har likheter med det jämtländska, bland annat i det rika bruket av sidenhalskläden och köptyger. I västra Härjedalen visar bevarade mjuka kvinnomössor med knytband under hakan inflytanden från norskt dräktskick. I söder är dräkterna förhållandevis färgglada och ansluter sig delvis till angränsande socknar i Hälsingland.

Älvros

Dräkten består av kjol och livstycke med häktor i samma grön- och svartrandiga ylle samt bomullsförkläde med tryckt mönster, kjolväska med bygel, halskläde av siden, röda strumpor och blå bindmössa med stycke.

Det finns flera, något olika dräkter bevarade från Älvros socken. Den här dräkten bärs bland annat i Älvrosgården på Skansen i Stockholm. I Anna-Maja Nyléns *Folkdräkter* avbildas en dräkt från socknen med mörkblå kjol, randigt livstycke i många färger och randigt ylleförkläde, sidenhalskläde och bindmössa med stycke.

Lillhärdal

De båda kvinnorna har livkjol med något olika randningar. Till den högra dräkten bärs bomullsförkläde vävt efter gammalt i grått och rött, broderad kjolväska med bygel daterad 1817, halskläde med rödbottnat tryck, röda strumpor, storschal över armen samt på huvudet en s.k. luschka, en mössa stickad i färger.

Kvinnan till vänster har svart, hemvävt förkläde med bård i rött och grönt, halskläde av siden, hallstämplat i Stockholm 1848, broderad kjolväska med by-

gel och baksida av skinn, broderade halvvantar samt "högtidsmössa", svart bindmössa med stycke och i nacken nerhängande band. I handen håller hon kyrkasken som kan innehålla psalmbok, näsduk, kryddask med sockerärter och kanske handskar, sidenschal och väldoftande örter.

Den stående mannen är klädd i getskinnsbyxor, smalrandig enkelknäppt väst med ståndkrage, dubbelknäppt svart jacka med svarta knappar, röd toppluva och vita strumpor.

Den sittande mannen har sämskskinnsbyxor, dubbelknäppt väst av randigt ylle, halsduk av rött ylle samt svart långrock, dubbelknäppt med randigt foder, hög hatt och svarta skor med spännen.

I dräkterna ingår åtskilliga gamla plagg, de övriga delarna är gjorda efter bevarade original. I socknen finns ett

relativt rikt dräktmaterial bevarat. Till
dagens manliga bygdedräkt har man
bland annat tagit upp den bruna
jacka som avbildas i Nyléns *Folkdräkter*.

Vemdalen

Dräkt med randig yllekjol och mörk-
brunt livstycke med röd kantning. För-
kläde av bomull i brunt och lila, sytt
med lagda veck, kjolväska med applika-
tioner och bygel, överdel av linne med
rött broderi, gammalt halskläde av si-
den, svart bindmössa med stycke, gamla
halvvantar samt storschal av ylle. Kjol-
tyget är vävt efter gammalt tygprov. Ti-
digare användes förkläden av siden i
mössans färg till Vemdalendräkten.

Sveg

Fyra dräkter som delvis tillhör gammel-
gården i Sveg. En del plagg är knutna till
Ytterbergs by i socknen, det gäller fram-
för allt den vänstra kvinnodräkten.
Männen bär älghudsbyxor, korta västar
med varierade randningar samt jacka
med mässingsknappar respektive lång-
rock. Den högra mannen håller en käpp i
handen och visar fram sina fint brodera-
de brudgumshandskar.

Kvinnan till vänster är klädd i en
gammal livkjol, randig i svart och rött.
Under förklädet har man sparat kjolty-
get och fällt in en grårandig "bredda"
(se detalj). Förklädet är av bomull i
brunt med tvärränder. Kjolväska med
applikationer och tenntrådsbroderi,
mönstrat halskläde, röda virkade halv-
vantar och svart bindmössa med stycke.

Även den högra dräkten består till
stor del av gamla plagg. Kjolen är av
randigt ylle, även den med "bredda".
Grönt, mönstrat livstycke hopsytt med
kjolen. Mönstrat förkläde av fint ylle,
halskläde av brokigt siden och bindmös-
sa med stycke. Kvinnan har också röda
strumpor och röda halvvantar samt över
armen en storschal av ylle. Flera olika
livstycken, bland annat av damast med
skört och häktor, finns bevarade från
dessa trakter.

Jämtland

Fram till mitten av 1800-talet var Jämtland en glest befolkad och relativt fattig landsände. Ännu 1805 fanns bara 28 000 invånare i landskapet. Läget vid den norska gränsen har haft avgörande betydelse. Jämtland var under lång tid en del av Norge. Men samtidigt som landskapet redan under medeltiden ingick i det norska riket, lydde det kyrkligt under Uppsala och hade följaktligen ett svenskt prästerskap. Detta är en unik situation, som naturligtvis satte sina spår och som gav jämtarna en speciell självständighet. Trots det mycket långvariga beroendet av Norge talas i Jämtland en helt svensk dialekt, medan de närliggande svenska gränslandskapen har mycket starka inslag av norska dialekter. Först efter freden 1645 blev Jämtland en svensk provins för gott.

Den viktigaste kontakten med Norge var de handelsförbindelser som upprätthölls genom århundraden med Levanger och Trondheim som främsta handelsorter. En uppgift från 1690 berättar att det året 2 505 foror från Jämtland besökte marknaden i Levanger. Man sålde vilt, skinn, ost och smör och köpte mest salt och fisk. I Norge skaffade man sig också de för jämtarna så karakteristiska röda toppmössorna. Jämtland har vidare haft goda handelsförbindelser ner mot kusten vid Bottniska viken. Gamla handelsvägar gick fram genom landskapet, längs vilka varor utbyttes mellan de östra och västra delarna av Skandinavien. Den stora jämtländska marknadsplatsen låg på Frösön och hit kom köpmän från alla håll med sina varor. Det var bland annat här man köpte de kattuner, siden och andra köptyger som förekommer så rikt i den jämtländska folkdräkten.

År 1786 grundades Östersund, som snart blev den nya marknadsplatsen. Först mot 1800-talets slut blev emellertid Östersund den centralort man hoppats på. Jämtlands urgamla centrum förblev länge Frösön, där bland annat landets enda gymnasium på landsbygden fungerade sedan 1600-talet.

Den viktigaste näringsgrenen är av gammalt jordbruk i förening med en betydande boskapsskötsel, med ett viktigt inslag av hästavel.

Kring Storsjön ligger de medeltida kyrkorna tätt och här återfinner man den äldsta bebyggelsen och de stora gårdarna. Liksom i Norge har gårdarna här ofta legat ensamma och egentliga byar har inte uppstått förrän långt fram i tiden. Familjen som enhet hade i stället en dominerande ställning. Storfamiljen var här mer utvecklad än på andra håll i landet.

Det folkliga dräktskicket i landskapet har fått sin vetenskapliga behandling i Lennart Björkquists bok *Jämtlands folkliga kvinnodräkter*, tryckt 1941. Till grund för boken ligger den stora dräktinventeringen som hembygdsföreningen Heimbygda genomförde i Jämtlands län åren 1933–35. En annan viktig källa är bouppteckningsmaterialet. Björkquist urskiljer tre huvudområden, ett *storjämtländskt*, som omfattat de centrala och sydvästra delarna av landskapet, där många ålderdomliga drag fanns bevarade, ett *östjämtländskt*, som omfattar Ragunda tingslag och som är det område där nyheter lättast togs upp och de äldre plaggen tidigast försvann, samt ett *nordjämtländskt* dräktområde, som i stort sett omfattar Hammerdals tingslag. Här fanns det ålderdomligaste och mest särpräglade dräktskicket i landskapet och här gjorde sig norska influenser, åtminstone i äldre tid, starkast gällande. De olika plaggtyperna i landskapet skiljer sig emellertid mera tidsmässigt än lokalt från varandra och det är svårt att se några genomförda skillnader mellan de olika socknarnas dräkter.

Nu har Jämtland en rad folkdräkter knutna till de olika socknarna, men dessa är resultat av ett rekonstruktionsarbete på 1930-talet. Heimbygdas inventering gav en mängd dräktplagg och tygprover men få hela dräkter. Under medverkan av föreningens slöjdnämnd med Hanna Rydh som ordförande sammanställde man under inventeringsarbetets gång dräkter för många av landskapets socknar. Även representanter för de olika socknarna deltog i dräktarbetet. Tyger vävdes upp och nya dräkter syddes. Det är ett intressant exempel på en konsekvent genomförd folkdräktrörelse, där man utgick från bevarat material men lade till rätta och kompletterade ganska fritt, där uppgifter saknades. När det gällde huvudbonaden beslöt man att ”förorda stycke och mössa framför luvklut och kringhuvudplagg”. Man har hållit sig till svarta bindmössor för de gifta och kulörta för de ogifta kvinnorna. Under de allra senaste åren har man emellertid också tagit den ålderdomliga hilkan och den rutiga huvudduken i bruk till de arbetsdräkter som rekonstruerats i Hammerdal, Oviken och Revsund.

Intresset för det lokala dräktskicket vaknade tidigt i Jämtland. Redan 1909 hade föreningen Jämtslöjd skickat ut artisten Paul Jonze på inventeringsresa och han fotograferade och tecknade av gamla dräkter. På Birka folkhögskola konstruerades omkring 1910 en "folkdräkt", den s.k. Birkadräkten, som fick en viss spridning. 1925 skickades Anna Magnusson, som skulle bli eldsjälen i det kommande dräktarbetet, till Finland där man ansåg sig ha mycket att lära. Där sammanträffade hon bland annat med professor U. T. Sirelius, som 1916 givit ut en bok om de finska folkdräkternas historia. De finska kontakterna anses ha haft stor betydelse för det urval som gjordes vid rekonstruktionsarbetena på 30-talet. Redan 1934 hade man hunnit så långt att Heimbygda kunde ordna en dräktparad på Jamtli och vid dräktparaden 1935 var 52 av länets 60 socknar representerade med egna dräkter.

Under de senaste åren har en del av 30-talsdräkterna reviderats och justerats. Ett omfattande arbete har startat för att kartlägga hur dräktarbetet på 30-talet gick till. Detta sker i samarbete mellan Jämtlands museum, Föreningen Jämtslöjd och Jämtland—Härjedalsdistriktet av Svenska ungdomsringen.

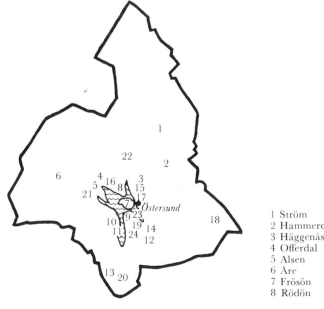

1 Ström	9 Sunne	17 Kyrkås
2 Hammerdal	10 Oviken	18 Ragunda
3 Häggenås	11 Myssjö	19 Lockne
4 Offerdal	12 Revsund	20 Rätan
5 Alsen	13 Klövsjö	21 Mörsil
6 Åre	14 Sundsjö	22 Föllinge
7 Frösön	15 Lit	23 Marieby
8 Rödön	16 Näskott	24 Hackås

Ström

Dräkten har kjol och livstycke av samma brunrandiga halvylle. Förkläde och kjolväska i en rödbrun färgton som tas upp i strumpornas färg. Rosa bindmössa med mörkt band och stycke. Dubbla halskläden av siden. Det finns åtskilliga uppgif-

ter om att kvinnorna i Jämtland liksom i Härjedalen vid 1800-talets början bar flera, ända upp till sex eller sju, sidenhalskläden samtidigt när de gick till kyrkan. Svart tröja hör till.

Ströms socken ligger i norra Jämtland. Dräkten bygger på dokumenterat material som kom fram vid dräktinventeringen på 30-talet.

Hammerdal

Fyra dräkter från Hammerdal där ganska mycket gammalt dräktmaterial bevarats och där ett relativt varierat dräktskick kunnat rekonstrueras.
Flickan till vänster har kjol, livstycke och förkläde i brunt med smala gula ränder av varierad täthet, tröja av svart kläde, mörk bindmössa med band och stycke, halskläde med tryckt mönster samt mönsterstickade gamla strumpor i rostrött och vitt.

Kvinnodräkten till höger består av livkjol i brunt med silkeränder, mörkrandigt förkläde, broderad kjolväska, sidenhalskläde, röda strumpor samt svart bindmössa med stycke och band runt om. Överdelen har kantig halsringning. Kvinnan i mitten bär brun kjol med gula silkeränder, brokadlivstycke, lila förkläde av siden, sidenhalskläde, svart bindmössa med band och stycke samt kjolväska av skinn med mässingsbygel. Hon

har också stickade halvvantar och en storschal hopvikt över armen.

Mansdräkten består av mörkblå knäbyxor med mässingsknappar samt enkelknäppt brunrandig väst. Skjorta med uppstående krage, vita strumpor och röd toppluva. Kort jacka används som ytterplagg.

I Hammerdal har också en kvinnlig arbetsdräkt rekonstruerats under de senaste åren, avbildad på s. 175.

Häggenås

Dräkt för gift kvinna med kjol av randigt ylle i många färger, tegelfärgat ylleförkläde med smala ränder, grönt livstycke med skört, svart halskläde av siden, mörk bindmössa med stycke, röda

strumpor och broderad kjolväska. Överdel av linne med fyrkantig halsringning. Halssmycket är gjort efter original på Jämtlands museum. De ogifta kvinnorna har kulörta bindmössor.

Dräkten är en av de många sockendräkter som togs fram på 1930-talet.

Offerdal

Den vänstra dräkten består av svart kjol, rött livstycke av sammet med häktor, rödbrunt bomullsförkläde, kjolväska med broderi och applikation, halskläde av siden, röda strumpor samt den gifta kvinnans svarta bindmössa. Tröja av grön vadmal kan användas. Här bärs en storschal av ylle över vänstra armen. Så här ser 30-talets rekonstruerade Offerdalsdräkt ut.

Dräkten till höger har bredrandig kjol, dubbelknäppt livstycke med ränder i brunt och blått, överdel med uppstående krage, förkläde av bomullstyg med

tryckt mönster i gult och rödbrunt samt svart bindmössa med stycke. Broderad svart kjolväska med bygel och över armen grön vadmalströja, dubbelknäppt

med överklädda knappar. Denna dräkt går tillbaka på originalplagg i Nordiska museets samlingar. Dräkten avbildas på mycket likartat sätt i Nyléns *Folkdräkter*.

Alsen

Kvinnodräkt med svart verkenskjol, rött livstycke av ylledamast med skört och häktor, grönt förkläde, broderad kjolväska med mässingsbygel, gult halskläde av siden samt svart bindmössa med

stycke och röda strumpor. Över armen bärs en mörk storschal som används som ytterplagg. Den mörka bindmössan hör till de gifta kvinnornas dräkt, flickorna använder grön mössa.

Dräkten rekonstruerades på 1930-talet.

Åre

Kvinnodräkt med bredrandig kjol på svart botten, brunt livstycke som knäpps fram med en rad knappar, förkläde av rödbrunt halvylle med virkat livband och broderad kjolväska med bygel. Strumporna är mörkt lila. Den lila bindmössan bärs av de ogifta kvinnorna. De gifta kvinnorna använder här som på andra håll i Jämtland svart mössa. Som ytterplagg kan en storschal användas. Här är den av brunt ylle med invävd bård och bärs över armen.

Åredräkten sammanställdes på 1930-talet med utgångspunkt från enstaka bevarade dräktdetaljer.

Frösön

Dräkten består av randig kjol i blått, tegel, grönt och vitt samt tegelfärgat livstycke med skört och häktor, enfärgat blått förkläde, kjolväska med applikationer i rött och grönt samt blå bindmössa med stycke. Halsklädet är av siden. Även ett grått förkläde med ränder i grönt och rosa används till Frösödräkten. Dräkten rekonstruerades på 1930-talet.

Rödön

Mansdräkten består av knäbyxor och dubbelknäppt jacka av mörkblå vadmal, enkelknäppt väst av bomullstyg med tryckt mönster, blå strumpor och sidenhalsduk samt röd luva.

Kvinnan bär randig kjol i blått, grönt och grått, grönt livstycke av sammet med skört och häktor, randigt förkläde med bård nertill, kjolväska av läder med bygel samt svart bindmössa med band runt om och tillhörande stycke. Halsklädet är av siden. Röda strumpor. Som variation förekommer broderad kjolväska liksom blå bindmössa.

Mansdräkten är sydd efter original från Rödöns socken i Nordiska museets samlingar, avbildad i Anna-Maja Nyléns *Folkdräkter*. Kvinnodräkten är resultat av 1930-talets rekonstruktionsarbete. Till stora delar tycks den vara en ganska fri komposition.

dräktens livstycke, av kattun, luvan är av vit vadmal.

Båda dessa dräkter är originaldräkter som tillhör Jämtlands museum. De kommer från Hara by i Sunne socken och visar hur ett allmogepar kunde te sig i dessa trakter på 1830-talet. Efter dessa dräkter har sockendräkter för Sunne socken rekonstruerats.

Oviken

Mansdräkt med knäbyxor och långrock av älghud med mässingsknappar och laskningar (se detaljbilden). Dubbelknäppt väst med ränder i färger på brun botten. Stickade strumpor i brunt och grönt. Röd toppluva.

Kvinnan är klädd i smalrandig kjol med rött kantband, rött livstycke som snörs i maljor fram, grönt förkläde med tvärränder samt överdel med öppna ärmar. Hon har broderad kjolväska, halskläde av gult siden, röda strumpor och svart bindmössa med stycke. De ogifta kvinnorna använder grön broderad bindmössa. Över armen bär hon den svarta tröjan.

Sunne

Kvinnans kjol är brun med ränder i rött, gult och grönt med flamgarnsinslag, livstycket är av kattun, d.v.s. bomullstyg med tryckt mönster, förklädet är också av bomull med lila ränder på brun botten. Överdel med uppstående krage, halskläde av siden och svart bindmössa med stycke.

Mansdräkten består av bruna knäbyxor och kort dubbelknäppt jacka av samma tyg som byxorna. Den dubbelknäppta västen är, precis som kvinno-

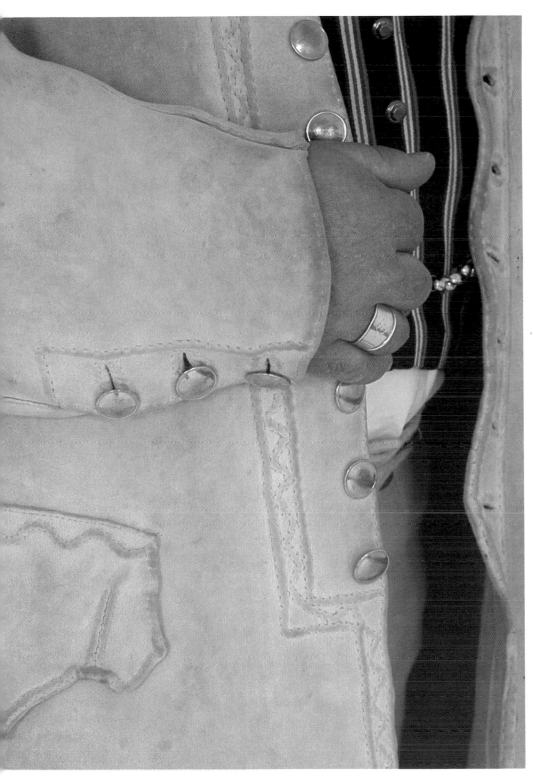

Båda dräkterna är högtidsdräkter. Framför allt mansdräkten är sydd efter bevarade originalplagg och med stöd av uppgifter i bouppteckningar och andra källor. Kvinnodräkten rekonstruerades på 1930-talet men har reviderats under senare år.

I Oviken har också arbetsdräkter rekonstruerats, se bilder på s. 175.

Myssjö

Dräkten består av randig yllekjol med brun botten och grönt livstycke, hopsytt med kjolen. Rött förkläde av ylle med tvärränder, överdel med rött broderi, halskläde av siden, bindmössa av svart sammet från 1800-talets mitt, röda strumpor, kjolväska och över armen schal av ylle. Kyrkasken som står på golvet är från mitten av 1800-talet. I

sådana askar hade man psalmbok, sockerärter, väldoftande örter och annat som kunde behövas vid kyrkobesöket. I kyrkasken bar man också bindmössan, sidenhalsklädet och kanske handskarna på vägen till och från kyrkan.

Myssjödräkten sammanställdes på 1930-talet och har samma karaktär som många av 30-talets rekonstruerade dräkter.

Revsund

Kvinnan bär helgdagsdräkt med randig kjol, tryckt livstycke med häktor, brunt förkläde med tvärrand, halskläde av siden, brun broderad bindmössa med stycke, kjolväska med applikationer och hake samt röda strumpor.

Mannen är klädd i knäbyxor av sämskad älghud, enkelknäppt väst av tryckt

bomullstyg med ståndkrage, mörkblå jacka med ståndkrage och två rader mässingsknappar samt röd toppluva.

Dräkterna är i stor utsträckning väl dokumenterade rekonstruktioner.

I Revsund har också arbetsdräkter tagits fram (se s. 174).

Klövsjö

Mansdräkt med älghudsbyxor, enkelknäppt tvärrandig väst, gröna strumpor och skor med spännen. De ogifta männen använder röda strumpor.

Kvinnan bär randig kjol, blått livstycke, sidenförkläde med blå ränder på brun botten, överdel med rosa broderi, halskläde av siden, svart bindmössa med stycke och röda strumpor.

Dessa båda dräktvarianter är exempel på det rika dräktmaterial som finns bevarat i socknen.

Sundsjö

Kvinnodräkt bestående av kjol med ränder i grönt och rött på brun botten, randigt livstycke med skört och häktor,

förkläde av brunt siden med tryckt mönster, broderad kjolväska med baksida av skinn och mässingshake samt halskläde av sidendamast och svart bindmössa med stycke. Röda strumpor. Över stolen den storschal av ylle som används som ytterplagg.

Dräkten är enligt uppgift gjord efter en bevarad dräkt från Sundsjö socken.

Några av 1930-talets rekonstruerade
sockendräkter. Dräkterna är (från väns-
ter) från Lit, Näskott, Kyrkås, Ragunda,
Lockne, Rätan, Mörsil, Föllinge, Ma-
rieby och Hackås.

173 *Jämtland*

Vardags- och arbetsdräkter för sommarbruk

Efter bevarade dräktplagg och med ledning av muntliga uppgifter har man de senaste åren sammanställt några, delvis mycket ålderdomliga, arbetsdräkter vilka nu används till dans och samkväm, framför allt inom Ungdomsringens ram. Det är också Ungdomsringen i Jämtland-Härjedalen som stått för detta rekonstruktionsarbete.

Dräkter av den här typen har burits in emot vår tid på fäbodarna och på t.ex. myrslåtter. En anmärkningsvärd detalj är mansbyxorna, knäbyxor med påsydda benholkar. När den äldsta formen av långbyxa så småningom efterträddes av knäbyxan bars de båda plaggen på sina håll samtidigt, så att långbyxan stack fram under knäbyxan. Knäbyxan med den påsydda benholken för tanken till detta ålderdomliga bruk, känt bland annat från Mora.

Revsund

Kvinnans dräkt består av särk av hampa, vävd i kypert, grå vadmalskjol och förkläde av grovt linne. På höger sida skymtar "fämatväskan" av linne. Bältet är av älghud med mässingsspänne. Huvudduk av vit bomull med blå ränder. Till denna arbetsdräkt gick man i allmänhet barfota eller med näverskor.

Mannen bär byxor av älghud med hängslen och med fastsydda holkar av vadmal som hålls till vid knäna med bruna remmar. Bälte och näverskor. Grov skjorta av hampa samt röd luva. Han har bärmes av trä och läder och håller i handen en snidad käpp.

Hammerdal

Kvinnodräkt med särk av grovt linne, grå vadmalskjol och förkläde av linne. På huvudet hilka av linne och på de bara fötterna näverskor. Läderbälte med slidkniv och krok för garnnystanet.

Här bärs särken utan vadmalskjol.

Oviken

Mannen bär skjorta av grovt linne samt byxor av sämskad älghud, från knäna iskarvade med svart vadmal. Hängslen av sämskskinn. Förskinn av läder, s.k. barmskinn, röd toppmössa och skor av näver.

Kvinnan bär särk av grovt linne med öppna ärmar och över denna grå vadmalskjol och förkläde av linne under vilket säckvävsväskan, "sleiktaskan", sticker fram. Den skulle innehålla salt och mjöl att locka till sig korna med när man vallade i skogen. Huvudduk av bomull, träskobottnar på fötterna och slidkniv i bältet. Antagligen har också förkläden av skinn förr använts till dräkter av den här typen.

Gästrikland

I Gästrikland har ett relativt rikt dräktmaterial bevarats, huvudsakligen präglat av det tidiga 1800-talet. Materialet har en påfallande enhetlig karaktär och lokalbundna särdrag saknas i stor utsträckning.

Genom Gästrikland går den huvudväg fram som förenar Mälarregionen med Norrland. Förbindelserna över landskapsgränserna har bidragit till att bland annat den folkliga kulturen har beröringspunkter med både Uppland och Hälsingland, grannarna i söder och norr.

Två viktiga faktorer har fört med sig långvarig ekonomisk blomstring i dessa bygder. I äldre tid var välståndet baserat på bergsbruket. Sedan detta mot mitten av 1800-talet förlorat en del av sin betydelse blev skogsindustrin bärare av det ekonomiska livet. Den gynnsamma ekonomiska utvecklingen och de livliga kommunikationerna genom landskapet har format en vital livssituation med borgerliga inslag. Den enda staden var länge Gävle, som naturligtvis också spelade stor roll som nyhetsspridare. Det var en betydande stad, grundad redan på medeltiden, med viktiga handelsförbindelser även ute i världen.

Det finns ganska många notiser om det folkliga dräktskicket i Gästrikland och många dräkter och delar av dräkter har bevarats. Det är dock uppenbart att landskapet i stort sett saknat strängt lokalbundna dräkter. Redan Hülphers anför i sin beskrivning över landskapet, tryckt 1793, angående klädedräkten i Ockelbo att denna "icke är någon egen, som i vissa Hälsinglands socknar, utan mest lika med övriga socknar". "Sockenborna skiljes icke i hushållning eller annat ifrån nästgränsande", konstaterar han vid ett annat tillfälle. I L. E. Åhrmans knappt sjuttio år yngre landskapsbeskrivning kan man läsa att vid det laget "folkets gamla bruk och seder på senare årtionden nästan alldeles försvunnit". Den enda socken som enligt honom i viss mån tycks hålla fast vid det gamla är Hedesunda.

Dräktskicket i Ovansjö och angränsande socknar har blivit väl belyst och dokumenterat genom de undersökningar och studier som Greta Hedlund bedrev från 1920-talet och framåt. Med hjälp av äldre

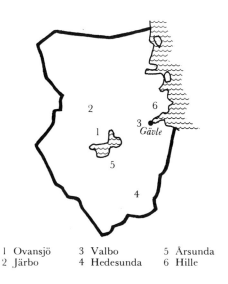

1 Ovansjö   3 Valbo   5 Årsunda
2 Järbo   4 Hedesunda   6 Hille

Ateljéfoto från seklets början av ungdomar i Gästrikedräkter. Flickorna bär den karakteristiska bindmössan som vi framför allt förknippar med Hedesunda socken. Pojkarnas dräkter är med sin rikedom på knappar typiska för den norrländska kustbygden. Den breda luvan finns ju också på flera håll i södra Norrland. Troligen är bilden arrangerad för dräkternas skull men den har en autentisk karaktär och dräkterna är fina och väl påsatta. — Foto Nordiska museet.

sockenbor kunde det bevarade dräktmaterialet sammanställas till en levande bild av hur dräkterna bars i socknen i gammal tid. 1924 sammanställdes en dräktalmanacka för Ovansjö och flera dräkter knutna till kyrkoåret rekonstrucrades samtidigt, bland dem kvinnodräkten "för högsta helg" som avbildas på s. 178. Det område Greta Hedlund studerade omfattade även de nuvarande socknarna Högbo och Järbo, som förr var delar av storsocknen Ovansjö. Den samlade kunskapen om dräkterna i dessa bygder är omsorgsfullt och detaljrikt publicerad i boken *Dräkt och kvinnlig slöjd i Ovansjö socken*, som kom ut 1951.

Järbo, Ovansjö

Mansdräkt från Ovansjö socken och kvinnodräkter från Järbo socken. Mansdräkten överensstämmer i stort sett med den ovan beskrivna dräkten men här bärs den modernare kasketten. Lägg märke till att jackans främre hörn är bågformigt skurna. Detta är en skärningsdetalj som uppträder vid 1800-talets början och man hittar den på allmogejackor från flera håll i landet. De är samtida med modedräktens frack, vars snett skurna framstycken kanske varit förebild till utformningen av dessa jackor.

Kvinnan till höger bär den ogifta kvinnans sommarsöndagsdräkt med mörkrandig livkjol, broderad överdel

med uppstående krage, ljusrandigt förkläde, rutigt halskläde och blå bindmössa, "skarpmössa", med tambursömsbroderi och stycke. Kjolväska med applikationer som vanligen bärs halvt dold av förklädet. Den andra kvinnan har vintersöndagsdräkt för gift kvinna. Även hon bär mörkrandig livkjol och blå bindmössa. Förklädet är mörkrandigt och tröjan är av samma tyg som livkjolen. Mörkt halskläde av siden.

Dessa båda dräkter representerar ett

senare utvecklingsstadium än högtidsdräkten från Ovansjö. De mörkrandiga livkjolarna har haft en rik användning sedan 1800-talets förra del i hela Gästrikland liksom i angränsande landskap och upp efter Norrlandskusten.

Valbo

Kvinnodräkten, en sommardräkt, består av mörkrandig livkjol, vitt förkläde med röda ränder, överdel med broderier i rött, bindmössa med nackrosett och stycke, halskläde med röd bård och kjol-

väska med röda broderier av en typ som i regel har burits under förklädet. Blå strumpor. Olika halskläden används liksom bindmössor av varierande färger. Även blårandigt förkläde förekommer och detta uppges ibland vara den gifta kvinnans förkläde medan det rödrandiga skulle vara den ogiftas.

Mansdräkten har svarta knäbyxor, dubbelknäppt väst med ränder i rött, gult och vitt på svart botten, samt svart jacka med ståndkrage och blanka knappar. Brun läderkasket hör till. Gula knäbyxor används som variation.

Dräkterna är rekonstruerade efter gamla plagg och uppgifter, troligen på 1920-talet.

Ovansjö

Kvinnodräkt "för högsta helg" och mansdräkt för söndagsbruk. Kvinnan bär svart kjol, broderad överdel, rött livstycke med knäppning framtill och skört av små tungor, vitrandigt kyrkförkläde och vitt kyrkhalskläde, kjolväska med applikationer samt mörk bindmössa av en typ som här kallas skarpmössa. Denna bindmössa är hög, vilket är vanligt på många håll i Norrland. Den kan variera i färg och material men allmänt gällde att de gifta kvinnorna bar mörka mössor och flickorna mer lysande. Mansdräkten består av knäbyxor, flätade strumpeband, dubbelknäppt, randig väst och svart jacka med knappar samt röd mössa.

Som framgår av den inledande texten ovan vet man åtskilligt om det folkliga dräktskicket i Ovansjö socken. Kvinnodräkten "för högsta helg" rekonstruerades 1924.

Hedesunda

Dräkten består av mörkrandig livkjol. Livet häktas omlott. Förkläde av randigt bomullstyg. Halsklädet är av siden men även bomullshalskläden förekommer. Överdelen har hög uppstående halsslå med röda korsstygnsbroderier. Även handledslinningarna är broderade med röda korsstygn. Kjolväska av mörkblått kläde med applikationer i rött. Mörk bindmössa med stycke.

Dräkten är sydd efter gamla dräktplagg. Den representerar dräktskicket i socknen under 1800-talets förra del.

Årsunda

Vardagsdräkt med mörkrandig livkjol, överdel med röda broderier, bomullsförkläde i vitt och rött, rutigt halskläde,

kjolväska på höger sida delvis dold av förklädet samt hög bindmössa med stycke. Bindmössor av olika färg förekommer men annars finns inga variationer till dräkten, som är rekonstruerad efter gamla sockenbors uppgifter.

Hille

Kvinnan bär svart klädeskjol och blått livstycke med smala ränder. Livstycket har skört och häktas ihop framtill. Bomullsförkläde med småmönstrat tryck, svart sidenhalskläde och blå bindmössa med stycke. Dräkten är sydd efter en gammal dräkt, enligt uppgift en ungmorsdräkt, i privat ägo. Från samma håll kommer förebilden till mansdräktens väst, som är dubbelknäppt och av samma tyg som livstycket. Till mansdräkten hör gula knäbyxor och blå strumpor. Som variation bärs svarta byxor och grönrandig väst.

Flickan har en vanligare variant av sockendräkt för Hille socken. Hennes kjol är bredrandig med grön botten, livstycket är rött, förklädet randigt, halsklädet av blå- och vitrutig bomull. De vuxna kvinnorna bär blå, broderad bindmössa till den här dräkten.

Hälsingland

Hälsingland är ett av våra mest kända dräktlandskap. Vid sidan av Dalarna och Skåne intar det en särställning genom de många bevarade dräkterna och den livskraftiga muntliga traditionen. Landskapets märkligaste dräktområde omfattar Delsbo med kringliggande socknar. Ännu efter 1800-talets mitt levde här de gamla dräkterna kvar, präglade av lokal egenart och en påfallande hög standard. Även i Ljusnans dalgång, från Ljusdal ner mot Arbrå, finns ett värdefullt delvis ålderdomligt dräktmaterial bevarat. Detsamma gäller Voxnadalen med Ovanåker och Alfta som de i detta sammanhang främsta orterna.

Hälsingland är ett skogrikt landskap och skogen har haft stor betydelse. Här betade kreaturen och här tog man ut ved och kolved till järnbruken. Skogen gav också möjligheter till extraförtjänster. Eftersom gårdarna i många delar av landskapet var ganska små hade binäringarna stor betydelse. Särskilt kolningen spelade redan tidigt en framträdande roll i försörjningen. Först med den moderna skogsindustrins framväxt på 1800-talet blev emellertid skogen en faktor av verkligt avgörande betydelse, här som överallt i Norrland. Tillgången på välbelägna flottningsleder bidrog i hög grad till den gynnsamma ekonomiska utvecklingen i Hälsingland.

Bebyggelsen i landskapet koncentrerades tidigast till områdena kring Dellensjöarna. Här och i Bollnäsbygden fick jordbruket sin största omfattning. Det var också här den folkliga kulturen utvecklade en egenart med karakteristiska inslag som blev välkända långt utanför Hälsinglands gränser. Av gammalt var de hälsingska bönderna självägande och några herrgårdar har, om man undantar bruksbygdens bebyggelse, aldrig funnits här. Den bondekultur som på detta sätt växte fram är ofta storslagen och har smak för det praktfulla men är samtidigt traditionellt förankrad i en ålderdomlig formvärld.

Husen på gårdarna fick årtiondena omkring 1800 ofta överraskande dimensioner. Man uppförde manbyggnader med både två och tre våningar, med rikt formade förstukvistar och med ett blommande

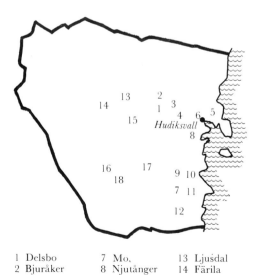

1 Delsbo	7 Mo,	13 Ljusdal
2 Bjuråker	8 Njutånger	14 Färila
3 Norrbo	9 Trönö	15 Järvsö
4 Forsa	10 Norrala	16 Ovanåker
5 Rogsta	11 Söderala	17 Arbrå
6 Hälsingtuna	12 Skog	18 Alfta

Järvsö är vid sidan av Delsbo Hälsinglands kanske mest kända dräktsocken. I Forssells planschverk *Ett år i Sverige* är Hälsingland representerat med två Järvsödräkter. På den här bilden ser man en man och en bondhustru vid spinnrocken. De bär väst respektive livstycke med stora armhål och långa skört. Dessa ålderdomliga plagg uppges i texten vara typiska för Järvsö. Kvinnan har också den karakteristiska svarta mössan med blå kant. − Ur Forssell: Ett år i Sverige, 1864.

dekorationsmåleri i interiörerna. Storleken var mera sällan praktiskt betingad. Det stora huset var främst en statussymbol. Ännu idag präglar denna storbyggnadsperiod den hälsingska bondebygden. Det finns ett drag av stolt självhävdelse i landskapets folkliga kultur och det draget går igen också i de särpräglade dräkterna.

De ekonomiska förutsättningarna till denna utveckling var inte minst de förtjänster som kom från linodling och linnevävning. Dessa näringsgrenar är karakteristiska inslag i landskapets odling. Hälsingelinet var känt för sin höga kvalitet, det var "fint, glänsande, mjukt och långtåtigt" och försäljningen av lärft var ett viktigt ekonomiskt komplement till jordbruksnäringen. Linhanteringen fordrade emellertid stora arbetsinsatser och ända från Västerdalarna kom kullor för att spinna, vilket i sin tur kunde betyda kulturspridning över landskapsgränsen.

Dräkterna i de gamla bondebygderna har mycket svart och rött i helgdagsdräkten men även den äldre vittröjan av vadmal levde kvar i Delsbo. Linet glänste i skjortor och överdelar. Den iögonenfallande rikedomen på knappar i männens dräkter var också ett uttryck för välstånd. Knappen var en verklig lyxvara. Den var dyr i inköp och måste betalas i reda pengar.

I kustsocknarna är utvecklingen en annan. De folkliga dräkterna påverkades här mycket tidigt av skiftande moden. Som fallet ofta är i bygder som gränsar mot havet saknas lokalpräglade dräkter efter den hälsingska kusten. Den viktiga handelsvägen mellan Norrland och Svealand gick fram genom dessa bygder och bidrog säkert till denna utveckling. Det är också klart att bruksmiljön i socknar som Njutånger och Enånger haft nyhetsförmedlande betydelse. En notis från 1790 talar om att "kvinnfolken (här) kläda sig . . . mera som stads- än landbor; vartill de tagit modet av bruksfolket". Från trakten kring Hudiksvall finns en samtida anteckning om att sockenborna "hellre äta sämre och kläda sig grannare". Det sägs också att man köpte de granna tygerna av handlande i Hudiksvall eller på Tjugondedagsmarknaden i staden.

De dräkter som nu bärs som bygdedräkter utefter kusten har helt naturligt en ung prägel. Den randiga livkjolen används överallt och till mansdräkten hör den korta jackan med blanka knappar. De flesta av dessa dräkter är rekonstruerade på 1930-talet, i flera fall på initiativ av hembygdsföreningarna.

Delsbo

Några exempel på det varierande dräkt-skicket i Delsbo där så mycket gammal dräkttradition levde kvar ännu efter 1800-talets mitt.

Kvinnan till höger har den utanför socknen mest välkända typen av kvinnlig Delsbodräkt. Hon har svart kjol med nedsydda rynkor och röd kantslå. Livstycket är rött med glesa ränder, hyskor och hakar och i ryggen utstående skört. Svart- och blårandigt ylleförkläde med mönstervävda band med avslutande tofsar. Kjolväska med applikationer och tenntrådsbroderi, halskläde av siden, röda strumpor och bindmössa av bomullstyg med tryckt blommönster.

Flickan till vänster bär samma dräkt men "svartluva" i stället för den blommiga bindmössan. Hon har också den kappliknande "svarttröjan" av kläde med häktor fram, svart halskläde samt muff och broderade handskar. "Svartluvan" är ett slags bindmössa av svart sammet med breda, vaxade spetsar. Det långa hängande håret är karakteristiskt för Delsbo. Också i gammal tid bar både gifta och ogifta kvinnor sitt hår fritt hängande under mössan.

Den mörkblå mansdräkten är den idag mest använda manliga Delsbodräkten. Till den hör knäbyxor och tröja med röda besättningar och blanka knappar, röd enkelknäppt väst, blå strumpor och röd kilmössa med svarta band. Skjorta med hög uppstående krage och brokigt halskläde.

Den vita mansdräkten är till typen ålderdomligare. Den består av byxor av älghud med röda klädeskanter, skinnväst ("livstycke") med röda kanter och platta metallknappar, långrock ("vitkoft") av vit vadmal med klädeskanter och metallknappar, skjorta med hög krage och röd halsduk, vita strumpor och röd stickad luva. Brett bälte ("brungördel") av brunt skinn.

Delsbo

Mansdräkt med stickad tröja i rött, grönt och svart, vid armlederna flossade bräm i samma färger. Dräkten överensstämmer i övrigt med den vanliga mansdräkten i Delsbo. Till den hör mörkblå knäbyxor med röda kanter, röd väst, mörkblå strumpor och "knäbälten" med

metallspännen samt skjorta med hög krage, halsduk av siden och röd kilmössa med besättningar.

Kvinnan är klädd i svart goffrerad kjol med röd kantlist, rött livstycke med hyskor och hakar och svart förkläde med blå ränder. Förklädets mönstervävda knytband avslutas med tofsar och knyts mitt fram. Halskläde av siden och kjolväska med applikationer i rött med konturer av tenntråd. Den vita hatten är en i Delsbo inte så vanlig form av huvudbonad. Den användes "vid bröllopsgillen och andra större glädjefester så länge hon (den nygifta hustrun) var ungmor" skriver Wi-

strand i *Svenska Folkdräkter* 1907. I gammal tid tycks den haft en något vidare användning, bland annat sommartid i kyrkan, vid husförhör och på kyrkvägen.

Även till den kvinnliga Delsbodräkten har en rikt mönstrad stickad tröja använts. Dessa välkända sticktröjor är ett karakteristiskt inslag i socknens dräktskick. De är nära besläktade med tröjor från Halland och Skåne, som också bevarat ålderdomliga mönster från 1600-talet. Det finns en tradition att spridningen skett över Gotland upp till Hälsingland, där stickade tröjor tycks ha kommit i bruk omkring 1800.

Bjuråker

Kvinnodräkt med svart, veckad kjol med röd klädeskant samt rött livstycke med glesa ränder, knäppt fram med hyskor och hakar. Blått förkläde med vita ränder och flamgarnsränder i vitt. Kjolväska med applikation i rött och tenntrådsbroderi samt bygel. Broderad bindmössa med stycke och halskläde av brokigt siden. Någon gång används vit ungmorshatt till dräkten (jfr Delsbo). Stickad tröja och lång svart tröja som når till kjolkanten hör också till. Det är i stort sett samma långtröja som bärs i Delsbo.

Mansdräkten består av mörkblå knäbyxor och mörkblå jacka med blanka knappar samt dubbelknäppt väst med ståndkrage av samma tyg som kvinnodräktens livstycke. Huvudbonaden är en hög ålderdomlig kilmössa sydd av rött och mörkblått kläde. Strumporna är mörkblå. Lägg märke till knäremmarna med spännen. I Bjuråker förekommer ibland även långbyxor till dräkten.

Bjuråkers socken hör till samma rika dräktområde som Delsbo och man ser lätt att dräkterna står varandra nära. Här finns ett väldokumenterat dräktmaterial bevarat men idag bärs Bjuråkersdräkten som på den här bilden och har

få varianter. I första upplagan av Nyléns *Folkdräkter* avbildas mans- och kvinnodräkt från socknen med ungefär detta utseende. En mansdräkt som denna ingick redan 1875 i Nordiska museets dåvarande utställning vid Drottninggatan i Stockholm.

Norrbo

Flicka klädd i smalrandig kjol och livstycke av rött kläde kantat med svarta sammetsband. Hon har förkläde av bomull, randigt i rött och blått på vit bot-

ten. Den stickade tröjan i rött, svart och vitt är i mönstret daterad 1849.

Norrbo socken ligger helt nära Bjuråker vid stranden av Norra Dellen. För närvarande pågår arbete med att kartlägga socknens dräktskick och ännu saknas bland annat kjolväska och ytterplagg.

Forsa

Mansdräkt med blå byxor, mellanblå jacka med röda knappar och röda besättningar, randig dubbelknäppt väst,

blå strumpor och skinnkaskett.

Kvinnodräkten består av randig kjol och rött livstycke av ylle som häktas ihop lite omlott. Randigt förkläde med långt knytband, halskläde av siden och gammal bindmössa av siden med stycke. Några olika förklädesrandningar förekommer. I Forsa används också en yngre dräktvariant med den sena livkjolen.

Dessa dräkter är rekonstruerade. Framför allt till mansdräkten finns mycket goda förebilder. Den överensstämmer nära med en mansdräkt från Forsa socken som återges i den första upplagan av Nyléns *Folkdräkter*. Till den dräkten hör röd luva och det är en huvudbonad som varit vanlig här som på många andra håll.

Rogsta

Kvinnodräkt bestående av livkjol med ränder i rostrött och grönt på svart botten. Vitt förkläde med röda ränder och långa knytband, snarlikt det som bärs till Forsadräkten. Halskläde och bindmössa av mörkblommigt siden. Till bindmössan hör stycke. Överdelen har vid halsen en liten uppstående veckad kantslå.

Rogsta socken ligger strax norr om Hudiksvall. Som i de andra socknarna efter kusten saknas här ålderdomliga dräktelement. De livliga kommunikationerna och närheten till stads- och bruksmiljöer gav ständigt nya impulser som påverkade klädedräkten och förhindrade uppkomsten av lokala särdrag. I Rogsta har dock en mansdräkt och några varierande kvinnodräkter rekonstruerats.

Hälsingtuna

Mansdräkt av svart vadmal bestående av långbyxor och jacka med blanka knappar. Blårandig, dubbelknäppt väst och under denna skjorta och nattkappa. Den senare består av en skjortkrage med bröststycke och användes för att dölja en enklare eller kanske smutsig skjorta. Halsduk av ylle. Huvudbonaden är av svart kläde med läderskärm.

Hälsingtuna socken ligger vid kusten helt nära Hudiksvall. Både långbyxorna och jackans skärning är övertagna från den borgerliga klädedräkten under 1800-talets förra del. Även skärmmössan är en 1800-talsform.

Mo, Njutånger

Den vänstra dräkten är från Mo socken några mil väster om Söderhamn. Den består av randig livkjol av ylle med svart botten, grönrandigt bomullsförkläde, broderad kjolväska, sidenhalskläde och bindmössa av rosa siden med stycke.

Olika halskläden används till dräkten och färgen på bindmössan kan variera.

Flickan till höger bär en dräkt från Njutångers socken ett stycke söder om Hudiksvall. Hon har randig livkjol med snörning fram, vitt förkläde av tunt vitt tyg med mönstervävt rött knytband med avslutande tofsar, broderad kjolväska, halskläde av siden samt broderad bindmössa med stycke.

Dräkten är sydd 1934 då hembygds- och dräktintresset blomstrade på många håll i landet.

Trönö

Mansdräkt med svarta knäbyxor, randig dubbelknäppt väst, blå strumpor och skor med spännen. Halsduken är av tryckt bomullstyg.

Kvinnan är klädd i randig livkjol, till typen så vanlig i den hälsingska kustbygden. Hon har överdel med uppstå-

ende kantremsa, randigt förkläde, kjolväska med applikation på svart botten, försedd med bygel och hake. Broderad bindmössa av blått siden med stycke. Röda strumpor och skor med spännen.

Dräkten är en relativt sen rekonstruktion.

Norrala

Mansdräkt med mörkblå knäbyxor och mörkblå jacka med blanka knappar. Randig dubbelknäppt väst med slag och ståndkrage. Varierande västrandningar förekommer.

Flickan har randig livkjol, överdel med rund halsringning och bred halsslå med hålsöm, förkläde av maskinvävt ylle i brunt och grönt med rik bård samt broderad bindmössa med stycke. Även randiga förkläden bärs till Norraladräkten.

Söderala

Kvinnodräkt med randig kjol med blanka prydnadsknappar på livet. Livstycket knäpps med häktor på vänster sida. Förkläde i bruna nyanser med silkeinslag. Halskläde av siden, svarta strumpor samt röd bindmössa med band runt om

och tillhörande stycke. Även broderad bindmössa förekommer. Överdel med rund halsringning med bred kantremsa, I Söderala amvänds också en tvärrandig livkjol.

Mannen bär knäbyxor och jacka av mörkgrönt kläde med blanka knappar, dubbelknäppt väst av halvlinne med ränder i färger på blå botten samt gröna strumpor och svart skinnkaskett.

Söderaladräkten är framtagen av socknens hembygdsförening på 1930-talet. Som i alla de hälsingska kustsocknarna har det bevarade dräktmaterialet genomgående en ung prägel.

Skog

Kvinnodräkt med delvis gamla plagg från Skogs socken i sydligaste Hälsingland där huvudvägen, egentligen den enda vägen, mellan Norrland och Mellansverige drog förbi. Dräkten består av smalrandig kjol, livstycke av randigt ylle med damastmönster och häktor, förkläde av bomull i grönt och svart, överdel av fint linne med rund halsringning och uppstående kantremsa, svart sidenhalskläde och mörkblå bindmössa med stycke samt kjolväska med applikation i

färger. Livstycket är av en äldre typ än den smalrandiga kjolen och förklädet är till typen betydligt yngre.

Ljusdal

Mannen har en dräkt av mörkblått kläde med knäbyxor och kort dubbelknäppt jacka. Blanka knappar både i byxor och

jacka. Även den randiga västen är dubbelknäppt med blanka knappar. Olika västrandningar förekommer. Halsduk av svart siden med broderi, mönsterstickade strumpor och luva av rött kläde.

Flickan bär en dräkt med svart rynkad kjol, skörtlivstycke av randigt ylle med häktor, överdel av linne, hätta av bomullstyg med tryckt mönster, förkläde av smalrandigt ylle, halskläde av siden och röda strumpor.

Ljusdals socken ligger inom det gamla dräktområdet i Hälsingland. Här bars särpräglade dräkter ännu efter 1800-talets mitt och ett rikt material av dräktplagg, avbildningar och uppgifter finns bevarat, som belyser socknens dräktskick i helg och söcken. Den dräktvariant som flickan bär är den i dag vanligaste, varierad med olika förkläden, halskläden och mössor. Den brukar benämnas "lekstugudräkt" och var alltså framför allt en dansdräkt för ungdom. I den första upplagan av Nyléns *Folk-*

dräkter avbildas en något annorlunda dräkt från Ljusdal med bland annat blå kjol, grönt livstycke och överdel med raka ärmar.

Färila

"Ungmorsdräkt" med blå kjol skodd med rött band, randigt förkläde med röd botten och randigt livstycke med häktor. Kjolväska med applikation i färger och bygel med krona. Gammalt halskläde av brokigt siden. Överdel med öppna ärmar. På huvudet "finka" av tryckt bomullstyg knuten med band under hakan. Det vita strykbandet skymtar under mössan. I handen håller hon den blå

tröjan med ljusblå kantband och invändig röd kantskoning. Variationer till dräkten finns, bland annat överdel med ärmlinningar och svart kjol till högtid. "Finkan" används som ungmorsmössa men är framför allt de ogifta kvinnornas huvudbonad. De gifta kvinnorna har bindmössa med stycke.

Mannen har mörkblå byxor och röd enkelknäppt väst. Skjortan är av linne med broderier, halsduken av siden. Jackan, som han håller i handen, är mörkblå med två rader blanka knappar. Strumporna är vita.

Järvsö

Några dräkter från Järvsö socken. Kvinnan till vänster är klädd i en relativt ålderdomlig dräktvariant med svart goffrerad kjol med röd klädesskoning och långt livstycke av svart kläde med hyskor och hakar. Halsringningen är kantad med grönt sidenband. Ryggskärningen är densamma som på mansvästen till vänster. Livstycket är sytt efter original på Nordiska museet och har burits till "söndagseftermiddagsdräkten". Under dessa plagg bärs en hel särk med raka ärmar. Halsklädet är av svart siden. Förklädet av ylle är ett högtidsförkläde för vinterbruk. Även förkläden av blå- och vitrandigt linne och av mörkbottnad kattun används i Järvsö. På huvudet den typiska "Järvsöluvan" i svart med blå kant.

De båda andra kvinnodräkterna består av goffrerad livkjol, grå respektive svart, med röd kant nertill och häktor i livstycket. Till den grå dräkten bärs randigt förkläde, kjolväska med applikation och bygel, överdel av linne med fint "stripade" rynkor vid ärmlinningarna, halskläde av brokigt siden och den gifta kvinnans svarta mössa med blå kant. Flickan till höger har samma tillbehör till sin dräkt men bär blommig "Järvsöluva", vilket är de ogifta kvinnornas huvudbonad.

Mansdräkten till vänster består av lång, svart väst av ålderdomligt snitt. Lägg märke till de i ryggen djupt skurna ärmringningarna och den höga midjan. Västar av den här typen knäpps i allmänhet med hyskor och hakar. Mörkblå strumpor och byxor av sämskskinn med knäremmar. Halsrosett av siden med hängande ändar, enligt uppgift en fästmanshalsduk. Se även bild s. 181.

Den andre mannen bär den i dag vanligaste varianten av Järvsödräkten. Den består av mörkblå jacka med två rader blanka prydnadsknappar. Jackan knäpps med häktor. Brun skinnkaskett. Varierande västrandningar förekommer.

Ovanåker

Mansdräkt med mörkblå knäbyxor och mörkblå jacka med två rader blanka prydnadsknappar. Dubbelknäppt randig väst av samma tyg som kvinnodräktens livstycke. Svarta strumpor och skor med spännen samt läderkaskett. Dräkten är sydd av en skräddare i Arbrå i slutet av 1960-talet i överensstämmelse med hur dräkten nu bärs i socknen.

Kvinnodräkten består av goffrerad svart kjol, livstycke med skört och häktor, sytt av samma tyg som mansvästen, förkläde av bomullstyg med tryckt mönster, kjolväska med bygel, halskläde av siden, svarta strumpor och skor med spännen. Bindmössan är av brun sammet med stycke. Ofta används i stället bindmössa av blommigt siden. I Ovanåker bärs också mönsterstickade tröjor till dräkten, antingen i grönt och svart eller i rött och svart.

Dräkterna är delvis dokumenterade genom bevarade plagg på hembygdsmuseet i det närbelägna Edsbyn. Ovanåker är en skogrik socken med en tätbefolkad jordbruksbygd i Voxnans dalgång. Socknen blev på 1600-talet utbruten ur Alfta och de båda socknarna har av allt att döma haft ett likartat dräktskick.

Arbrå

Kvinnodräkt med livkjol av ylle med smala ränder och flamgarnsränder på mörkblå botten. Överdel med uppstående kantslå och vida ärmar med fint rynkparti vid ärmlinningen. Förkläde av bomull, vitt med smala röda ränder och svart inplock, brokigt halskläde av ylle samt svarta strumpor. På huvudet vitt strykband och "finka" av bomullstyg, knuten under hakan med svart band. Kjolväskan med applikationer och tenntrådsbroderier syns ej på bilden. Över armen bärs tröjan av svart kläde.

Mannen är högtidsklädd i knäbyxor och långrock av svart kläde. Rocken har ärmuppslag och ståndkrage och häktas ihop framtill. Enkelknäppt väst med ståndkrage sydd av smalrandigt tyg med flamgarnsränder. Han har skjorta, nattkappa, d.v.s. lös krage med bröststycke, samt halsduk av siden. Röd filtad luva och svarta strumpor.

I Arbrå socken finns ett varierat dräktmaterial bevarat. Ingrid Dahlin, som skrivit om flera socknar i dessa trakter har sammanställt uppgifter för Arbrå, lämnade av en kvinna som var född 1835. Hon talar bland annat om variationen på randförklädena och om de gifta kvinnornas svarta och de ogiftas olikfärgade bindmössor. Om livkjolarna sägs att man skulle ha en ny varje år och "varje år varierades randningen något, inte randa' man lika som förra året". Det är en beaktansvärd uppgift.

Omkring 1870 började man i Arbrå lägga bort den gamla dräkten.

Alfta

Högtidsdräkt med goffrerad kjol och grönt brokadlivstycke med häktor och i ryggen utstående skört. Överdel med uppstående halsslå, halskläde av siden och förkläde av bomull med tryckt mönster samt röda strumpor. Kjolväska med applikation i grönt och mässings-hake. Huvudbonaden är en mjuk mössa med mittsöm av mycket ålderdomlig typ. Den brukar kallas "kammamössa" eller "krokmössa" och är till typen en föregångare till bindmössan. I Alfta socken finns flera olika mössformer be-varade, utom "kammamössan" även "finkan" (jfr Arbrå), bindmössan och den vita hatten. De gifta kvinnornas mössor var här som på många andra håll svarta.

Såväl den röda kjolen som materialen i livstycke och förkläde samt den röda mössan gör denna dräkt till en verklig högtidsdräkt. Den är delvis sydd efter originalplagg på Nordiska museet.

Medelpad

Medelpad ligger vid Ljungans och Indalsälvens nedre lopp och älvarna har präglat landskapets kulturella utveckling. De många kyrkorna i kustbygden erinrar om att denna trakt tidigt hade en central ställning, framför allt beroende på det gynnsamma handelsläget. Här mynnade handelsvägar från Norge och mötte de handelsstråk som följde kusten och förenade de glest befolkade norrländska bygderna med de centrala delarna av landet. Då som nu låg Medelpads huvudbygd i kustområdet.

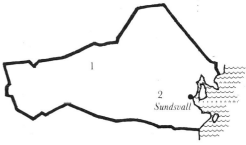

1 Borgsjö
2 Stöde

På 1600- och 1700-talen anlades flera järnbruk, men det var skogsindustrin som skulle bli den viktigaste ekonomiska faktorn i utvecklingen. Skogsbruket var tiderna igenom en betydelsefull binäring för den jordbrukande befolkningen. När den nya tiden kom mot 1800-talets mitt med ångsågar och förbättrade kommunikationer växte en skogsindustri av verklig betydelse fram i dessa trakter.

Flera faktorer, främst kanske tillströmningen av främmande arbetskraft, samverkade till att något lokalpräglat dräktskick av allt att döma inte utvecklades här. Långt före 1700-talets slut var smaken för nyheter ett påfallande drag i landskapet och tendensen blev under 1800-talet allt starkare. Den avspeglades i moderna jordbruksredskap liksom i bostäder, i inredningar och i dräktskick. Upp efter den norrländska kusten kan man iaktta samma utveckling. I Medelpad tycks prästerna och officerarna i större utsträckning än på andra håll ha varit förmedlare av nyheterna och därigenom påverkat kulturutvecklingen.

Medelpads folkliga kultur är relativt lite undersökt. Inte heller dräktskicket har varit föremål för ingående studier. Redan 1909 sammanställdes dock en kvinnlig landskapsdräkt på initiativ av föreståndarinnan för Medelpads hemslöjd. En randig kjol och ett rosarutigt livstycke från Torps socken blev stommen i den rekonstruerade dräkten som blev "prisbelönt och antagen till Medelpads nationaldräkt" (se s. 192). Mansdräkten är en senare rekonstruktion, medan Borgsjö- och Stödedräkterna är resultat av dräktarbete under de allra senaste åren.

Medelpadsdräkten

Kvinnodräkten har sin huvudförankring i Torps socken. Den består av bredrandig kjol och rutigt livstycke i rosa och vitt med snörning fram samt blå bindmössa med stycke. Här är dräkten kompletterad med vitt förkläde och svart storschal. Kjolen och livstycket går tillbaka på originalplagg i Torps hembygdsmuseum. De har ursprungligen tillhört samma person och kan dateras till 1700-talet. Redan 1909 blev dessa båda plagg underlag för den då rekonstruerade Medelpadsdräkten.

Mansdräkten består av gula knäbyxor, tvärrandig enkelknäppt väst av bomull i blått, rött och vitt, blå strumpor samt mörkblå dubbelknäppt jacka. Den manliga Medelpadsdräkten är sammanställd av spridda dräktplagg från landskapet. Skjortan och halsduken är rekonstruerade.

Medelpadsdräkten

Kvinnan bär en vanlig variant av den kvinnliga Medelpadsdräkten. Hon har bredrandig kjol och blå bindmössa, livstycket med skörtflikar och snörning

är liksom kjolväskan av sämskat skinn. Dräkten bärs här utan förkläde. Det har varit vanligt alltsedan dräkten togs upp som landskapsdräkt, eftersom man inte kunde återfinna något bevarat förkläde att kopiera. På de senaste åren har man dock arbetat fram några förklädesvarianter eftersom det måste betraktas som historiskt oriktigt att en kvinnodräkt av den här typen saknar förkläde.

Mansdräkten med knäbyxor, tvärrandig väst och blå strumpor är den vanliga manliga Medelpadsdräkten.

Borgsjö

Mansdräkt med knäbyxor av älghud, enkelknäppt randig bomullsväst, svart dubbelknäppt långrock med ståndkrage, halsduk med tryckt mönster, mörkblå strumpor, vävda strumpeband och hög hatt. Väst och rock är sydda efter originalplagg på Borgsjö hembygdsmuseum. Även den höga hatten finns belagd där.

Stöde

Mansdräkt bestående av älghudsbyxor, smalrandig dubbelknäppt väst av halvylle med ståndkrage, mörkblå jacka med nerliggande krage och slag samt dubbla rader med små mässingsknappar, blå strumpor och röd toppmössa.

Dräkten är rekonstruerad 1974 efter
plagg på Nordiska museet (västen) och
på Stöde hembygdsmuseum (jackan).
Byxorna går tillbaka på originalplagg
från Sättna socken, nu i Medelpads forn-
hem på Norra Stadsberget i Sundsvall.
Samma förlaga används till byxorna till
samtliga mansdräkter i Medelpad.

193 *Medelpad*

Ångermanland

Ångermanlands huvudbygd ligger utefter Bottenhavet men i väster når landskapet djupt in i landet. Den nordvästra spetsen ligger knappt sex mil från norska gränsen. Bebyggelsen är av gammalt koncentrerad till kustbygden och till dalgångarna, framför allt till Ådalen vid Ångermanälvens nedre lopp. Härnösand i landskapets sydligaste hörn var fram till 1800-talets slut den enda staden.

Som komplement till jordbruk och boskapsskötsel var binäringarna av stor vikt i Ångermanland. Odling av spånadslin var ett karakteristiskt inslag i kustbygden, där försäljningen av lärft utgjorde en viktig inkomstkälla. Skogsbruket gav redan tidigt på många håll tillfällen till de nödvändiga extraförtjänsterna. Laxfisket var också vinstgivande.

Ångermanlands största ekonomiska tillgång blev emellertid de vidsträckta skogarna som täcker närmare 80 % av den totala ytan. Försäljningen av bjälkar och sågat virke var betydande redan vid 1700-talets början. Detta gav befolkningen kontanta pengar, vilket i sin tur förde med sig en förborgerligad och modemedveten livsstil. På 1840-talet kom det verkliga genombrottet för skogsindustrin, då de ångermanländska trävarorna fördes ut på världsmarknaden genom de göteborgska handelshusen. Den blomstrande skogsindustrin blev under 1800-talets senare del underlag för en oerhörd befolkningsökning i landskapet. Den omfattande skogsdrivningen betydde ökade arbetstillfällen och arbetssökande kom hit i stora skaror för att hjälpa till med drivningen. Befolkningen i Ångermanland ökade under den perioden med 110 % mot 41 % i landet i övrigt.

Den folkliga kulturen efter Norrlandskusten har påfallande borgerliga drag, trots att här finns få större städer och nästan inga herrgårdar och bruksgårdar. I *Bygd och yttervärld* har Sigfrid Svensson tagit upp till behandling dräktlyxen i Ångermanland. Han sätter den i direkt samband med den omfattning som timmerförsäljningen fick här uppe redan på 1700-talet. Från 1800-talets mitt har vi många uppgifter som talar om "lyx och fåfänga i klädedräkten" och om "den alla pekuniära

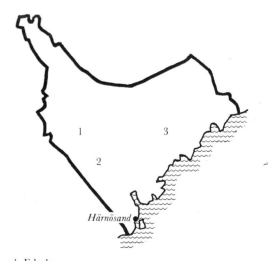

1 Edsele
2 Långsele
3 Anundsjö

Några av de sockenbundna randningarna som förekommer i de ångermanländska bygdedräkterna (uppifrån och ned): Norra Ångermanland: Arnäs, Själevad, Nätra, Sidensjö, Nordingrå, Anundsjö, Södra Ångermanland: Resele, Gudmundrå, Långsele, Junsele, Fjällsjö, Bjärtrå och Stigsjö.

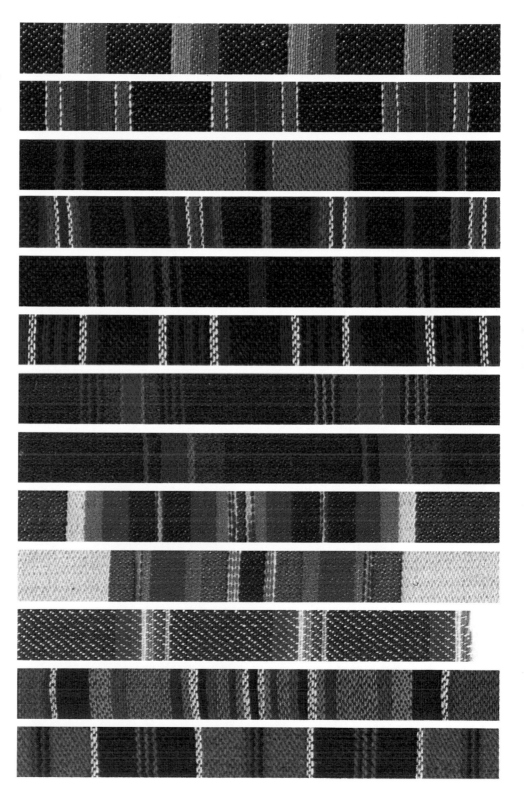

besparingar uppslukande lyxen''. Jämförelser med äldre material visar att den smak för överflöd som karakteriserar det ångermanländska dräktskicket i många socknar går långt tillbaka i tiden, kanske ända till 1600-talet.

Att döma av det bevarade materialet saknade de folkliga dräkterna i landskapet nästan helt karakteristiska och ålderdomliga drag. En mansdräkt av blå vadmal från Junsele socken är en av de ytterst få bevarade hela dräkterna av folklig karaktär i landskapet. Den finns nu på Nordiska museet.

När intresset för att bära folkdräkt fick ökad aktualitet på 1920-talet, sammanställdes också i Ångermanland en rad sockendräkter. Man valde att utforma två huvudtyper av kvinnodräkter med olika randningar för de olika socknarna. I de norra socknarna bärs en livkjol med mörka färger och smala ränder. Söderut består dräkten av grönt livstycke samt kjol med bredare ränder och ljusare färger. Här talar man i detta fall ibland om ''regnbågskjolar''. I enstaka socknar finns variationer av dessa två huvudtyper. I Ramsele har man t.ex. rött livstycke och i Näsåker i Ådalslidens socken är livkjolen enfärgad grön. Mansdräkten sys med gula eller blå knäbyxor och med väst av kvinnodräktens randiga tyg. Dubbelknäppt jacka av blå vadmal hör till.

Rutigt dräkttyg från Ramsele.

Södra Ångermanland

Kvinnodräkterna i södra Ångermanland består av randig kjol, grönt livstycke med skört, snörning och röd kantning samt rutigt halskläde, vitt förkläde och bindmössa med stycke. Till kjolarna använder de olika socknarna sina olika randningar. Den här dräkten är från *Edsele socken*.

Kvinnodräkt av den sydångermanländska typen med kjol med *Långsele*-randning.

Mansdräkten består av byxor och dubbelknäppt jacka av blå vadmal samt väst av samma tyg som kjolen. Dräkten överensstämmer ganska nära med den avbildning av en mansdräkt från Junsele socken som Anna-Maja Nylén publicerade i *Folkdräkter* 1949 (se även den inledande texten ovan).

Norra Ångermanland

Kvinnodräkter av den här typen bärs som sockendräkter i hela norra Ångermanland. Dräkten består av en mestadels randig livkjol med dold knäppning fram, överdel med armbågslånga ärmar, rutigt halskläde och bindmössa med stycke. Förkläde saknas. Varje socken har sin sockenrandning och färgen på bindmössorna varierar. Dräkten på bilden är från *Anundsjö* socken (se även den inledande texten ovan).

I norra Ångermanland bärs samma mansdräkt som i landskapets södra delar med sockenrandig väst, gula eller blå knäbyxor och blå jacka.

Mannen har älghudsbyxor och dubbelknäppt väst av kjolens randiga tyg. Ryggstycket är av linne. På huvudet kan bäras kilmössa eller rundkullig hatt, som framför allt är de gifta männens huvudbonad.

Norra Norrland

De tre nordligaste landskapen *Västerbotten*, *Norrbotten* och *Lappland* uppvisar ur många synpunkter en så enhetlig bild att det faller sig naturligt att här behandla dem i ett sammanhang. Fram till 1810 var hela detta område ett enda län, Västerbottens län (jämför Österbotten på finska sidan av Bottniska viken).

När det gäller Lappland bör det betonas att samedräkterna inte här tas upp till behandling. I samernas dräkter återfinns de ålderdomligaste och primitivaste dragen i hela vårt dräktmaterial. De har samtidigt en karaktär och en egenart som gör det svårt att på ett nöjaktigt sätt inlemma dem i en översiktlig redovisning av bygdedräkterna i dagens samhälle. Motiven för denna inskränkning har anförts redan i bokens inledning.

Genom de båda kustlandskapen rinner sex stora älvar som alla har sina källflöden i de lappländska fjällen och som mynnar ut i Bottenviken. Kustområdet är relativt flackt och bebyggelsen är koncentrerad till större orter vid älvmynningarna. Inåt landet övergår naturen snart i ett glest befolkat skogsområde som sträcker sig in i Lappland, där ett bälte med skog, myrmarker och grunda sjöar så småningom höjer sig mot bergssträckningar med låga fjäll och bakom dessa en region med högfjäll. Hela detta väldiga landområde, som upptar ungefär en tredjedel av Sveriges yta, har varit och är fortfarande mycket glest befolkat.

I Lappland levde vid 1800-talets början ungefär 10 000 personer, de flesta nomadiserande samer. Den fastboende befolkningen i landskapet bodde i dalgångar och vid sjöar och livnärde sig på jakt och fiske och på ett jordbruk där boskapsskötseln bildade grundvalen. Det är naturligt att en så gles befolkning inte utvecklade lokalpräglade dräkter. I södra Lappland, alltså i nuvarande Västerbottens län, har man dock under senare år sammanställt ett antal bygdedräkter, knutna till de större orterna. Dräkterna för Vilhelmina och Åsele var färdiga på 1940-talet. De är delvis utarbetade med ledning av äldre plagg

och muntliga uppgifter. På 1950- och 60-talen skapades bygdedräkter för Lycksele (1951), Åskilje, en by i Stensele socken (1955), Sorsele (1957), Örträsk (1962) och Dorotea (1965, mansdräkten 1973). Alla är relativt fritt komponerade. I början av 70-talet fick också Fredrika sin dräkt, till vilken bärs en samedräktsinspirerad mössa.

I kustbygderna i Västerbotten och Norrbotten låg rikare och tätare befolkade trakter. Här fanns stora byar med talrika gårdar och besuttna bönder. Gårdarna var ofta påfallande väl bebyggda och välståndct manifesterades samtidigt i borgerliga heminredningsideal och modemedvetna dräkter. Ett talande exempel på hur öppen man var för ny-

Folkliv på en vintermarknad i lappmarken. På återkommande marknader möttes samer, svenska nybyggare och städernas köpmän. I det brokiga marknadsvimlet var samerna det dominerande inslaget. De var också ett exotiskt element som fascinerade resande främlingar. Litografi ur Daniel von Hogguér *Reise nach Lappland und dem nördlichen Schweden* 1841.

modigheter är att Gustav III:s s.k. svenska dräkt (jfr s. 39) mycket tidigt anammades av bönderna vid Norrlandskusten och detta trots att den egentligen inte var avsedd för bondeståndet.

Aptiten på nymodigheter förenades i dessa norrländska jordbrukarbygder på ett anmärkningsvärt sätt med traditionsbundna element i arbetsmetoder och redskap, i folkdiktning och folktro. Den karakteristiska blandningen av gammalt och nytt har gamla anor i den norrländska kustbygden och fortfor att vara en realitet långt fram i tiden.

Den borgerligt färgade livsstilen hade naturligtvis ekonomiska orsaker. Redan på 1600-talet gav utförseln av tjära betydande förtjänster och på 1800-talet blev skogsbruket huvudnäring för hela detta område. Tidvis var det ekonomiskt mycket givande. Befolkningen hade också av gammalt omfattande affärsförbindelser söderut och de vidsträckta handelsresorna gav inte bara ekonomiskt utbyte utan också kulturella impulser. Även kontakterna med befolkningen på den finska sidan av Bottenviken var viktiga och kan spåras bland annat i vissa gemensamma redskapsformer liksom i fråga om byggnadsskicket, t.ex. i höladorna med de kraftigt utåtlutande väggarna.

I Västerbotten och Norrbotten saknas egentliga folkdräkter. Betydelsefullt var att man i inlandssocknarna ej hade tillgång till lin och linne. Detta innebar att man helt klädde sig i ylleplagg. Det dröjde länge innan man fick råd med lyxen av köpta bomulls- och linnetyger. De grå eller färgade yllebussarongerna är därför ett karakteristiskt inslag i mansdräkten i stora delar av det inre Norrland. De var i bruk till vardag och fest långt in på 1900-talet. Sina rötter har de i 1500-talets röda ylleskjortor, som vid den tiden ingick även i herremannens garderob. Ett dräktelement med omisskännlig lokalprägel är också näbbskorna av skinn. Även bindmössan fick i övre Norrland en karakteristisk utformning och bars ännu långt efter 1800-talets mitt.

Norrbotten fick sin första bygdedräkt 1912. Västerbottendräkten är ungefär tio år yngre. Flertalet bygdedräkter i Västerbotten har tillkommit under de senaste 30 åren med en kulmen på 60-talet. I Norrbotten bedrivs i våra dagar ett insiktsfullt dräktarbete, som resulterat i bl.a. dräkterna för Överkalix och Nederluleå. När det gäller Västerbottens län har länsmuseet i Umeå i samarbete med hemslöjden lagt ner ett omfattande arbete på att sammanställa uppgifter om 1900-talets dräktarbete i länet. Det insamlade materialet finns tillgängligt för studium både på museet och på Hemslöjden i Umeå.

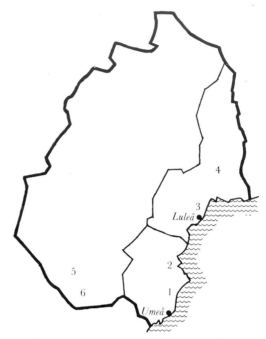

Västerbotten	Norrbotten	Lappland
1 Lövånger	3 Nederluleå	5 Vilhelmina
2 Skellefteå	4 Överkalix	6 Åsele

Lövånger (Västerbotten)

Kvinnodräkt med kjol av grön vadmal och med rött livstycke, som häktas omlott med hyskor och hakar. Livstycket är här dolt under tröjan, som är av blått ylle med ränder i svart, vitt, rött och gult. Även tröjan häktas ihop. Vitt halskläde, vitt förkläde och ljusblå bindmössa broderad med metalltråd och paljetter. Som huvudbonad används också en rutig bomullshalsduk.

I *Folkdräkter* 1949 avbildade Anna-Maja Nylén en dräkt från Lövånger. Det är denna dräkt som på 1960-talet togs upp som bygdedräkt. Rekonstruktionen bygger på bevarade plagg och uppgifter i bouppteckningar.

Mansdräkten består av blå yllebussarong, mörkblå långbyxor och mjuk filthatt. På fötterna bärs näbbskor av brunt skinn med skaften instoppade under byxbenen, som hålls till med

mönstervävda skoband. Dräkten är rekonstruerad med utgångspunkt från en bussarong från Lövångers socken i Nordiska museets samlingar. Museets dräktrekonstruktion återges i andra upplagan av *Folkdräkter*.

Västerbottensdräkten

Kvinnodräkten består av svart, veckad kjol med randigt livstycke som knäpps framtill med häktor. Förkläde av randigt halvylle, överdel av linne med hålsömmar, broderad bindmössa med stycke

samt svarta strumpor. Halskläde av glansigt bomullsgarn med blå eller som variation röd botten. Bindmössan kan vara vinröd eller blå.

Till mansdräkten hör långbyxor av svart kläde, enkelknäppt väst med framstycken av tvärrandigt bomullstyg och ryggstycke av linne, korta läderstövlar med röd kant samt virkad mössa i grönt och svart med kraftig tofs. Svart dubbelknäppt jacka med ståndkrage och stora slag hör till. Dräkten är sammanställd av spridda plagg från landskapet.

Enligt uppgift har den sin huvudförankring i Vindeln i Degerfors socken.

Den första versionen av kvinnlig Västerbottensdräkt var färdig 1923. Den hade svart kjol men saknade såväl förkläde som livstycke. En blårandig tröja syddes upp till dräkten efter den tröja från Lövångers socken som ingår i Nordiska museets samlingar. Till dräkten bars också ett långt skärp av kjolens tyg med hängande ändar som bildade "liksom ett förkläde". 1940 hade dräkten fått sitt nuvarande utseende. Den blårandiga tröjan hade blivit ett livstycke, skärpet hade försvunnit och ett mörkrandigt förkläde hade tillkommit.

Skellefteå (Västerbotten)

Kvinnodräkt med svart kjol med smala röda ränder, rött livstycke knäppt med tryckknappar, blått förkläde av bomull

med tvärränder, rutigt bomullshalskläde och broderad svart bindmössa med stycke.

Dräkten sammanställdes på 1940-talet med ledning av enstaka dräktplagg, prover och muntliga uppgifter lämnade av äldre personer. Inga variationer förekommer.

Vilhelmina (Lappland)

Kvinnodräkt med kjol av grönt halvylle, rödbrunt livstycke med skört, häktor och svart kantskoning, tvärrandigt förkläde av halvylle i grönt, rött och vitt, broderad kjolväska av livstyckets tyg samt grönt halskläde med bred röd bård och

grön bindmössa med tyllstycke. En silverbrosch i form av en liten sked skall hålla ihop halsklädet.

Dräkten invigdes 1944. Den är sammanställd med ledning av muntliga uppgifter och enstaka bevarade plagg. En mansdräkt för Vilhelmina gjordes också. Den har svarta knäbyxor med röda band med tofsar vid knäna, skjorta med röda kedjesömsbroderier på ärmarna upp mot axeln, dubbelknäppt väst i samma färger som kvinnodräktens förkläde med längsgående ränder där munkabältesbårder ger en livlig mönstereffekt, stor halsrosett av blått siden samt jacka av rött ylle.

Åsele (Lappland)

Kvinnan bär svart- och vitrandig kjol, rött livstycke med skört och häktor, rött förkläde av halvylle med tvärränder och mönster i munkabälte, rutigt bomullshalskläde och blå bindmössa med tyll-

stycke samt näbbskor av brunt skinn utan skoband. Dräkten är sammanställd på 1940-talet efter bevarade plagg och muntliga uppgifter.

Mansdräkten består av svarta långbyxor, röd yllebussarong och livband i grönt och svart. Som huvudbonad bärs en grön-svart yllemössa med tofs av ungefär samma typ som mössan till Västerbottensdräkten. Den manliga Åseledräkten tillkom på 1960-talet. Byxorna är sydda efter Västerbottensdräktens byxor, den röda bussarongen är belagd i den muntliga traditionen.

Norrbottensdräkt

Kvinnodräkt med grönrandig kjol, grönt livstycke med röd bandkant och snörning fram, grönt förkläde med broderade blommor, blommigt halskläde samt grön, broderad mjuk mössa med stor rosett.

Redan 1912 komponerades en Norrbottensdräkt med ungefär detta utseende. Den kallas idag *1912 års dräkt*. Den var tänkt som en gemensam Norrbottensdräkt med olika kjolrandningar för de olika älvdalarna, grön bottenfärg för Torne- och Kalix älvdalar, gråbrun för Lule och blå för Pite älvdal. Dräkten var

starkt dalainspirerad. Den tillhörande mansdräkten bestod av blå byxor, grön broderad långväst och röd skjorta. År 1956 tillsatte Hushållningssällskapets slöjdnämnd en dräktkommitté, som omarbetade dräkten. Kvalitén förbättrades och den fick en mer lokalpräglad karaktär. De olika älvdalarnas kjolrandningar bibehölls men livstycksskärningen gjordes om, det broderade förklädet ersattes av ett vitt och det blommiga halsklädet slopades och i dess ställe används nu ett broderat eller tryckt halskläde.

Norrbottensdräkt

Den kvinnliga Norrbottensdräkten sådan
den tar sig ut efter bearbetningen av
dräkten i slutet av 50-talet (jfr ovan).
Kjolen, som är randig med grön botten,
knyter den här dräkten till Kalix eller
Torne älvdal. Livstycket är rött med
gröna kantband av ylle, och är fastsytt
vid kjolen och häktas ihop fram. Vitt
mönstervävt förkläde och halskläde av
linne med rött tryckt bladmönster.

Överdel av linne med raka trekvarts-
långa ärmar. Broderad svart bindmössa
med stycke. – Några variationer till
dräkten förekommer. Livstycket kan
vara grönt med röd kant, halsklädet kan
ha blått mönster eller vara vitt med bro-
derier. Man kan också bära helsiden-
schal till dräkten. Även färgen på bind-
mössan kan variera.

Nederluleå (Norrbotten)

Båda flickorna har likadana randiga kjo-
lar, likadana röda livstycken med skört,
kantband och häktor och likadana över-
delar med raka ärmar. Flickan till vän-
ster är helgdagsklädd med vita strumpor,

förkläde av bomull med tryckt mönster
på krämfärgad botten, broderad svart
bindmössa med stycke och halskläde av
linne med rött tryck. Flickan till höger är
klädd till enklare helgdag med randigt
förkläde och rutig huvudduk. Hon har
också näbbskor och tvärrandiga strum-
por i grått och rött (se detalj). Kjolarna
är utförda efter originalplagg från Sun-
dom och livstyckena går tillbaka på ett
livstycke från Gäddvik.

Mansdräkten består av röd yllebussa-
rong med knappar på vänster axel, lä-
derbälte, svarta långbyxor, näbbskor
och skoband. På huvudet vegamössa.

Överkalix (Norrbotten)

Kvinnodräkten består av röd- och svart-
randig fotsid kjol, rött livstycke med rö-
da kantband och häktor fram, förkläde
av bomull med tryckt mönster samt hu-
vudduk av rutigt bomullstyg. Överdel
med raka ärmar av oblekt bomull. På
fötterna näbbskor av brunt läder och
grå- och rödrandiga strumpor. Som yt-
terplagg bärs en tröja av svart kläde med
ganser i blått och rött sydd efter förebild
på Nordiska museet. Museets Över-
kalixtröja finns avbildad i andra upp-
lagan av *Folkdräkter*. Dräkten är utarbe-
tad efter dokumenterade förebilder av
relativt sen typ. I dräktområdet finns
också skotskrutiga livstycken bevarade
liksom bindmössor.

Den dansande mannen bär mörkblå
långbyxor av vadmal, röd yllebussarong
som knäpps över vänster axel, mäs-
singsbeslaget bälte med slidkniv, stickad
mössa i rött och svart samt näbbskor och
skoband. De spelande pojkarna har de
virkade, kalottliknande mössor som varit
vanliga i dessa trakter.

3

Att bära folkdräkt

Det är en hederssak att bära sin bygdedräkt på rätt sätt. Dräkten representerar, både när den återgår direkt på bevarade plagg och när den är mer eller mindre rekonstruerad, traditioner och dyrbart arvegods från äldre generationer. Alla som bär en bygdedräkt bör veta något om dess historia och ha kunskap om den bygd, där dräkten hör hemma. När man bär dräkten, gör man sig till representant för denna bygd och bör respektera den genom att bära dess dräkt på ett riktigt sätt. Även en nykomponerad dräkt bör bäras så som man en gång kommit överens om.

Eftersom det från början var festdräkterna som uppmärksammades och det dessutom i stor utsträckning är de dyrbaraste plaggen som blivit bevarade har följden blivit, att den stora mängden kopierade och rekonstruerade dräkter som används i dag främst speglar äldre tiders dräktskick i högtidliga sammanhang. Eftersom dräkten nu för tiden framför allt används som festdräkt, är väl detta många gånger naturligt och riktigt. Men man bör komma ihåg att ursprungligen var den finaste dräkten förbehållen kyrkobesök vid de stora högtiderna. Därutöver användes den egentligen bara vid bröllop.

När man kom hem från kyrkan klädde man om sig och kyrkkläderna byttes ut mot söndagseftermiddagskläder. Det var denna variant som bars till dans och samkväm. Arbetskläderna å andra sidan skulle tåla det dagliga hårda arbetet i jordbruk och ladugård, men i undantagsfall kunde de också användas vid gemensamma samkväm. Hit hörde sålunda de fina linnekläder som, helst nytillverkade, skulle sättas på vid byns gemensamhetsslåtter, då ungdomen samlades till arbete och festlig samvaro. De fina skånska skördesärkarna finns bevarade i goda exemplar till vår tid, men de blå linnekläder och skjortor som kom till användning i liknande sammanhang i andra trakter av vårt land har slitits ut och blivit kasserade.

För att kunna variera sin dräkt måste man ha kunskap både om den egna dräkten, om olika slags material och om äldre tiders dräktskick överhuvudtaget, så att man inte samtidigt bär plagg som till material och tidstyp är oförenliga. Man kan skaffa sig enklare och finare halskläden och förkläden, skjortor och överdelar, kanske också olika västar och livstycken. Dräktplagg och dräkter för stora högtider bör användas sparsamt. Det är också ur praktisk synpunkt väl motiverat att skona sina sidenlivstycken och raskförkläden, för att nu bara nämna några exempel.

Det finns ju mycket gammalt dräktmaterial bevarat, som kan vara lämpligt att kopiera, men det är en vansklig uppgift att välja rätt förebild och det är svårt att göra en kopia. Museerna , hemslöjdsföreningarna och Svenska Ungdomsringens dräktkunniga representanter, som finns spridda över hela landet, kan vara till stor hjälp, när det gäller att hitta rätt i det svåröverskådliga materialet. Är man inte själv verkligt dräktkunnig, klarar man sig inte utan sakkunnig hjälp och man bör inte försöka göra det. Att skaffa en dräkt är arbetskrävande och dessutom ofta kostsamt och resultatet bör därför bli sådant att man kan glädjas åt det under många år.

Man måste också lära sig att *bära* dräktplaggen på rätt sätt. Det är viktigt hur livstycket snörs, hur förklädesbandet knyts, hur kjolväskan fästs o s v. På vissa håll är bruken så noggrant reglerade, att man exakt vet hur man ska gå tillväga. Där regler finns ska man följa dem. På andra håll saknas helt eller delvis sådan kunskap och då blir naturligtvis bruket mera svävande. Några allmänna råd och grundregler kan kanske vara till ledning.

Något om mansdräkten

Någon form av huvudbonad bör alltid bäras. Användbar är den gamla *kilmössan*, som också kallas kilhätta eller trindmössa. Det är en liten rund mössa sydd av kilformade stycken (se t ex bild s 135). Den s k *norska toppmössan* av ylle har också varit mycket vanlig. Den var oftast röd. Ibland hade den ett bräm, som kunde vara rött, svart, vitt, blått eller kanske brokigt. Varje socken följde samvetsgrant sin egen typ och köpte endast sådana i bestämd form och färg. *Luvor* fanns också av den breda typen som saknade spets (se t ex bild s 189). *Kasketter* och *klädesmössor* av olika slag tillkom under 1800-talet och ingår sedan dess i åtskilliga bygders dräkter. Mössan i dess olika former var gängse plagg för alla manliga individer, även för små pojkar, och den satt kvar på huvudet både ute och inne.

Hatten hörde i stort sett till den vuxne mannens attribut. Den försågs ofta med olika typer av hattband och snodder, som kunde markera gift och ogift stånd (se t ex bild s 148), men också visa om en brudgum var änkeman. Till sorgdräkt användes svart hattband. En mängd olika specialtraditioner har i detta sammanhang utvecklat sig på olika håll. Den förmögne kunde bära silverspänne i hatten, de hemvändande soldaterna som slutat excersisen prydde hatten med blommor etc. På 1700-talet utdelade Kungl Patriotiska Sällskapet hattkedjor av silver som belöning till drängar för lång och trogen tjänst.

Manshalsdukar har funnits av många skilda typer. Den äldsta formen är den långa linnehalsduken, som ibland har broderade tvärbärder. Den läggs dubbel omkring halsen och knyts med ett slag fram och långa hängande ändar. Denna *långhalsduk* har levat kvar i vissa trakter med exakt samma mått som den hade i borgerliga kretsar på 1600-talet. Av vit lärft syddes en manshalsduk med ett kraftigt rynkat rakt stycke med små ändstycken att fästa ihop i nacken med spänne eller knäppning. Det är en 1700-talsform som liksom sin föregångare fästes utanpå skjortkragen.

Därtill kommer alla halsdukar av *tresnibbar*, hopvikta till en slå och lagda två varv om halsen med ändarna knutna i halsgropen, antingen med en minimal liten hårdknut eller med större snibbar. Dessa halsdukar kunde vara av rutiga bomullstyger, tryckta kattuner eller finaste siden och alla ligger de utanpå skjortkragen. På sina håll användes halsdukarna efter en bestämd ritual: svart eller vitt till sorg, siden till storhelg o s v, varvid både färg och material kunde variera. De virkade eller stickade smala halsdukarna med knytband i nacken och ofta inlagd styvnad är en 1800-talsföreteelse som emellertid haft en äldre form av vadmal, ibland med mönsterstickningar, till förebild.

Som vinterhalsdukar har långsmala *yllehalsdukar* i olika färger också förekommit. Det smala mönstervävda bandet, som nu ofta tjänstgör som en sorts halsrosett, är däremot en 1900-talsuppfinning som inte förekommit i den gamla folkdräkten. Visserligen klagade en kyrkoherde i Jämtland 1694 över att några drängar haft strumpeband om halsen vid gästabud, men det gällde då bredare band och denna sedvänja tycks aldrig ha fått någon verklig spridning. Halsduken har använts till helg och kyrkbruk och för värmens skull, men man kunde vara fullt klädd även utan halsduk.

Skjortan hölls ihop med band eller snodd i linningarna eller med länkknappar av olika material. Ägde man inte knappar eller lämpliga band kunde man alltid sy ihop linningen, så var det problemet borta till nästa söndagmorgon då man tog på en ren skjorta.

Hemstickade *strumpor* av yllegarn är knappast längre i bruk, men man bör ge akt på de rätta strumpfärgerna och inte ha för tunna, för korta eller modernt mönstrade strumpor till folkdräkt. De gamla strumporna var visserligen inte riktigt långa men gick dock upp på knäet och fästes med strumpeband under knäskålen. På många håll har förstärkningslappen, hällappen av färgad vadmal eller skinn, också varit en ren dekoration på de fina strumporna och den kan man gärna fortsätta att använda (se bild s 131). Karlarna skulle tänka på att "benranden", d v s den mönsterstickade randen på strumpans ryggsida, satt alldeles rak.

Knäremmar och *strumpeband* har olika utformning till olika dräkter och även här bör man vara uppmärksam på de lokala variationerna.

Plagg och tillbehör till kvinnodräkten

När det gäller kvinnorna är bruket av huvudbonad rikt och komplicerat, vilket framgår redan av bildmaterialet i denna bok.

De unga flickorna kunde gå med bart hår, mera sällan fritt hängande som i Delsbo i Hälsingland. Oftast delades håret i två länkar som lindades med *röda band* (se t ex bild s 74) för de ogifta och *vita band* för de gifta. Flickan kunde ha *hårnäver* som i Värmland (se t ex bild s 135) eller olika huvudbonader som *hilkor* (se bild s 175), *timpar* (se bild s 143) m fl.

De gifta kvinnorna visade sig aldrig någonsin utan huvudbonad. För dem finns följaktligen ännu fler typer: *vita linnehattar*, *hårda* och *mjuka mössor*, *huvuddukar* av alla de slag. Vardag och fest, glädje och sorg markerades på de flesta håll med olika huvudbonader. Vilken form än huvudbonaden hade, skulle håret strykas bort och döljas under huvudplagget. De gifta kvinnorna använde ibland ett vitt band som höll till håret under mössan, en s k *hårstrykare* (se bild s 142).

Bindmössan är väl i dag den vanligaste mössan i folkdräktsammanhang. Den var i sin äldsta form mjuk med dragsko i nacken (se bild s 93), sedan fick den en hård klistrad stomme. Den större formen är den äldsta, efter hand blev mössan allt mindre. De typiska tambursöms-

Delsboflicka med långt hår. Mössan hon bär är en "svartmössa", en kyrkmössa med vaxade spetsar. Vissa uppgifter tyder på att man i gammal tid satte upp håret under just denna mössa, medan det annars fick hänga fritt, ett bruk som varit typiskt för Delsbo. Jfr. s. 183.

broderierna på bindmössan kom i bruk vid 1700-talets slut. Det var i allmänhet särskilda mösstillverkerskor som levde på denna hantering. Till bindmössan bärs ofta ett *stycke*, som utgör resterna av en hel vit mössa. Detta stycke är helvitt till sorg men pryds annars alltid av spetsar i kanten. Spetsarna bör aldrig fästas direkt i bindmössan, ty stycket har även funktionen att dölja håret och skall sättas på före bindmössan. Stycket har aldrig rynkats och stått som ett rysch, men ibland varit fint veckat eller plisserat. Bindmössan har en bandrosett i nacken (se bild s 122) och ibland löper detta band runt mössan innan det knyts i rosett bak. Man kan ha flera olika rosetter och band till samma mössa.

Huvudduken är en användbar och praktisk form av huvudbonad. Att vika den i tresnibb och knyta den under hakan med fint lagda veck i sidorna och att knyta i nacken under eller över snibben är väl de enklaste och mest spridda sätten att arrangera en huvudduk, men variationerna är många. Även de enklaste sätten krävde noggrannhet och kunde ge olika resultat beroende på underliggande hårvalkar och mössor. Duken kunde sitta långt fram och skugga ansiktet, kanske låg ett styvnadspapper eller en bit näver inne i vikningen. Huvudduken kunde också utveckla sig till en så konstrik huvudbonad, att man, som på många håll i Skåne när det gällde högtidsdräkten, inte kunde klara sig själv utan måste anlita speciella klutbinderskor.

Halsklädet eller *halsduken* skall, om det är en kvadratisk duk, läggas i tresnibb, så att den undre snibben inte syns. Går man med den undre snibben synlig blir man inte gift, sade man förr på sina håll. För att halsduken skall ligga väl, görs först en invikning mot halsen och därefter görs två eller tre ytterligare veck i nacken och så drar man stadigt fram snibbarna och fäster ihop dem med en nål fram på bröstet. Under en grann sidenduk använde man en vit duk som skydd mot halsen. Den bidrog samtidigt till att sidenduken låg i bättre veck. Bland annat i Sorunda i Södermanland används fortfarande ett vitt bomullskläde, kallat svetteduk, under sidenschalarna.

Förklädet får inte vara för kort. I allmänhet inte mer än 5 centimeter kortare än kjolen. Förklädesbanden ska knytas antingen i höger eller vänster sida med en eller två öglor eller mitt fram med rosett. Här skiftar bruken från plats till plats och från tid till tid. Att knyta banden i ryggen är dock en så sen företeelse att den i allmänhet inte tagits upp i de egentliga folkdräkterna.

Bindmössor från Sorunda i Sörmland, ett urval av de över 70 bindmössor som Nordiska museet har från denna socken. Bilden visar hur varierat materialet från ett begränsat område kan vara. De flesta är av siden med broderier i kedjesöm men en del är av mönstrat siden eller av tryckt bomullstyg.

Den hårda klistrade bindmössan utvecklades på 1700-talet ur en mjuk mössa med söm över hjässan. Redan vid 1700-talets slut var den bortlagd i borgerliga sammanhang men hos allmogen bars den långt in på 1800-talet, på sina håll in emot 1800-talets slut. Mössorna gjordes av köpt material, vilket gav stora möjligheter till variationer. Till bindmössan hörde i allmänhet en nackrosett som nålades fast och som kunde bytas ut för olika tillfällen. I vissa delar av norra Sverige användes också ett band som fästes runt mössan. Även detta kunde lätt varieras.

Kjollängden är viktig! Där inga särskilda uppgifter finns ska kjolen absolut inte vara kortare än högst 20 centimeter från golvet.

Kjolväskan ska alltid placeras i sidan, i allmänhet till höger. Ofta sitter den till hälften dold under förklädet, som inte ska nötas av väskan. I det gamla materialet hittar man ofta kjolväskor som är broderade och utsydda bara på den ena halvan, d v s den halva som skulle synas utanför förklädets kant.

Livstycket ska ha god passform och axelbanden ska sitta åt. Ibland kan sömmen som förenar axelbandet och framstycket sitta ett stycke ner på bröstet. Detta är viktigt ur snittets synpunkt, men det hade också en praktisk funktion eftersom den gifta kvinnan här satte hyska och hake och då lätt kunde amma sitt barn. På Rättviks-dräktens livstycke har man kvar en dekorativ bandrosett på denna

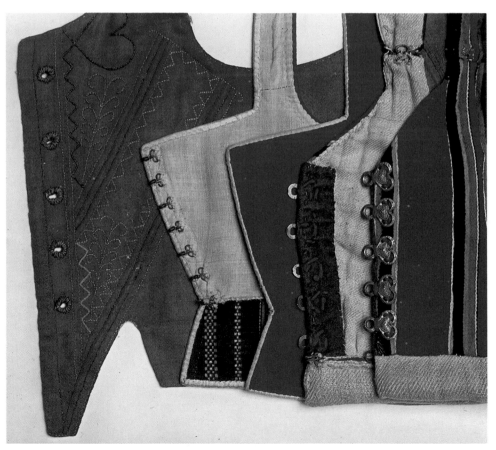

plats. Allmänt kan sägas att livstycket ska sitta stramt om kroppen. Endast i Norrland hittar vi livstycken som är i det närmaste raka och sitter löst och ledigt. Dessa representerar också en senare utveckling.

På livkjolen bar livstycket upp kjolen, sedan kom lösa livstycken som kunde ha en stoppad valk för kjolen att vila på. När livstycken med skört blev moderna sattes de ibland utanpå det livstycke som hade funktionen att bära upp kjolen. Både livstycken med snörmaljor och hyskor och framför allt de med tränsade snörhål kräver en förstärkningsslå av vadmal eller skinn på undersidan. Då blir snörningen vackrare och plagget håller längre.

Någonting bör kanske sägas om underkläderna till de kvinnliga folkdräkterna. Det viktigaste underplagget är *särken*. Äldst och enklast är *hängslesärken*, som saknar ärmar. Den har en grov nederdel samt

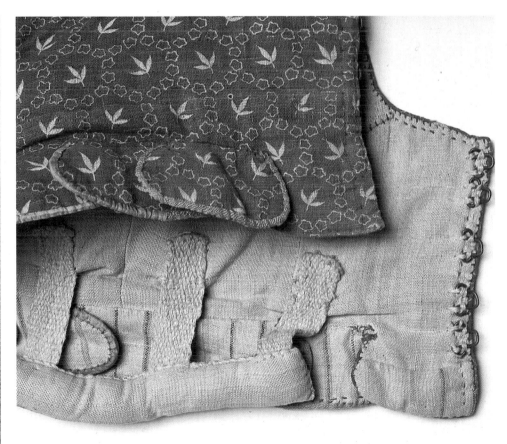

Bilden längst till vänster:
Livstycken med snörhål, häktor och maljor för snörning, alla sydda med förstärkning på baksidan. Lägg märke till att maljorna är fästa med tråd i avvikande färg, som ger en dekorativ effekt. Livstyckena, som tillhör Nordiska museet, är från Askum i Bohuslän, från Ljusdal i Hälsingland och från Leksand i Dalarna.

Leksandslivstycket är längs nederkanten försett med en bult på vilken kjolen vilar. Jämför med det bultförsedda livstycket på denna sida, som är av annan typ.

Bilden i mitten:
Detalj som visar en goffrerad livkjol och en mot linningen veckad midjekjol, båda från östra Skåne. De goffrerade kjolarna med sina fina täta veck förvarades hopbundna med band till en hård rulle för att vecken skulle sitta i. Midjekjolen har relativt djupa veck som möts i ett motveck mitt bak. Tillhör Nordiska museet.

Högra bilden:
Livstycke med bult fäst i band. Bulten bär upp kjolen och livstycksskörten faller ner över kjollinningen. Bilden visar även det omsorgsfulla underarbetet på ett sådant plagg. Lägg också märke till de stora, handgjorda hyskorna. Livstycket tillhör Nordiska museet och kommer från Västerfärnebo i Västmanland.

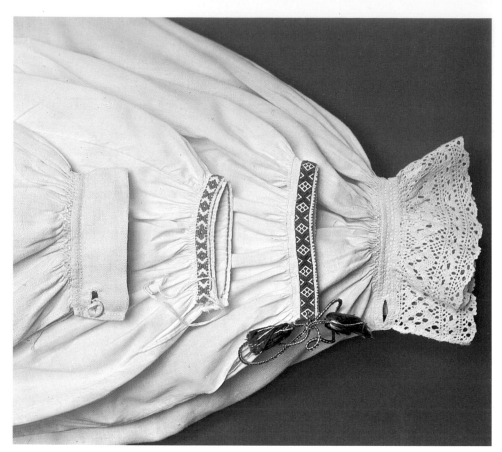

Några olika typer av ärmlinningar. Till vänster en slät linning med knapphål och sydd knapp. De smala linningarna med mönstrade band är båda från Dalarna, det röda med vit knytsnodd är från Älvdalen, det blå med små sydda "nuggor" i kanten och smalt knytband med tofsar är från Orsa. Ärmen till höger avslutas med en bred spets och ärmsprundet har två knapphål för stolpknapp eller länkknapp. Båda dessa består av två knappar men stolpknappen, som är den äldsta formen, har ett fast "ben" mellan knapparna av vilka den ena är rikare ornerad. Länkknappen består av två knappar förenade med en länk eller ögla. De yttersta ärmlinningarna hör båda hemma i den skånska dräkten. Nordiska museet.

fram- och bakstycke förenade med axelband. *Ärmsärkarna* kan antingen vara helskurna eller ha en söm i midjan. De sys vanligen med en nederdel av grövre material och en överdel av finare linne ellér bomull. Ärmarna är i allmänhet hellånga. Den lösa *överdelen* bars i gammal tid ovanpå särken. I dag används den ofta som enda linneplagg.

På de allra senaste åren har mamelucker börjat användas till en del bygdedräkter. Detta är dock ett plagg som aldrig någonsin burits till folkdräkter i deras ursprungliga miljö. Mameluckerna, som ju är en byxa med förlängda ben, bars under 1800-talets förra del till *ren* modedräkt, först av småflickor senare också av något äldre flickor. Underbyxor blev först mycket sent ett allmänt spritt plagg. I många trakter slog de inte igenom förrän vid sekelskiftet 1900.

Vad beträffar *strumporna* gäller samma regler som för mansdräkten. Använd rätt färg och inte tunna eller modernt mönstrade strumpor.

Slutligen några ord om *dräktsmycken*. Till många folkdräkter hör självklart snörmaljor, spännen, knappar, beslag och kanske andra nödvändiga smyckedetaljer. Övriga smycken bör användas med stor sparsamhet till alla folkdräkter. Undvik moderna smycken, både sådana av ädlare metaller och sekelskiftets hamrade kopparbroscher liksom 60-talets rotflätade broscher. Till alla dräkter kan man använda den enkla runda söljan. Den hjärtformade kronsöljan har funnits på de flesta håll, både med och utan hängen. Det går också utmärkt att fästa ihop halsklädet med en stor nål, det gjorde man förr. Har man hål i öronen är det lämpligt att använda släta örringar men inte gärna andra örhängen. Inte heller armband hör hemma i det folkliga dräktskicket. I *Gammalt dräktsilver* har Sigfrid Svensson gjort en utmärkt sammanställning över dräktsilvrets roll i den gamla folkdräkten.

Dräktens tillverkning

Gamla dagars sockenskräddare

Innan näringsfriheten genomfördes vid mitten av 1800-talet var yrkesmässigt bedrivet hantverk tillåtet i stort sett endast i köpstäderna. För att landsbygdens behov skulle kunna tillfredsställas gjordes dock undantag för vissa livsviktiga yrken, bland dem skräddare och skomakare. Vid häradsrätten bestämdes antalet sådana som fick finnas i varje socken och sedan utsågs dessa befattningshavare vid sockenstämma. De hade inte några egna verkstäder utan gick tillsammans med en gesäll eller lärpojke efter beställning mellan gårdarna, där de under några dagar inhystes i en kammare för att tillverka årets behov av dräktplagg. På förhand skulle då allt material vara färdigställt: vävar och tråd, läder, skinn och skopligg. Verktygen medförde däremot dessa vandrande gärningsmän själva.

Inte sällan hade sockenskräddarna varit gesäller hos en skräddarmästare i en stad, men de kunde också ha lärts upp av sin företrädare eller någon hans like. Ibland rekryterades de från adelns gods och gårdar, där man hade rätt att ha egna hantverkare. Det kunde också röra sig om soldater som gjort sin militärtjänst som skräddare. Men för alla gällde att de besatt en inövad yrkesskicklighet.

Det är viktigt att ha detta i minnet även i våra dagar, när det gäller tillverkning av folkdräkter. Vandringsskräddaren eller sockenskräddaren tillverkade inte bara männens rockar och byxor utan även livstycken och tröjor till kvinnorna. Linnekläderna sydde man själv och vissa plagg såsom pälsarna kunde endast förfärdigas av specialiserade hantverkare. Också sedan skräddare och skomakare under 1800-talets andra hälft etablerat sig med egna verkstäder, där ofta flera gesäller var sysselsatta, sydde den övervägande delen av befolkningen huvudplaggen hos dem.

Dessa förhållanden gav åt plaggen en helt annan stil och passform än vad man själv hade kunnat åstadkomma. Kunskapen om dräktens utseende i detalj enligt i bygden gängse traditioner var knappast var mans egendom. Man litade på yrkesmannen och det var också han som förmedlade de nyheter som i snabbare eller långsammare takt omformade de gamla dräkterna.

Några råd vid nytillverkning

Vid egen tillverkning av folkdräkter i gammal stil, något som givetvis inte är någon omöjlighet för en händig människa, är det angeläget att följa de gamla beprövade tillverkningsmetoderna. Man kan emellertid inte direkt kopiera ett plagg genom att lägga det på ett papper och rita av formen. Den som är utbildad i tillskärning av plagg vet att mönstret ska ta hänsyn till trådarnas riktning och till om man sträckt ett parti och pressat ihop tyget på en annan del av plagget. Mönstret bör förfärdigas av en yrkesman. Man skall akta sig för att sy efter en dräktkopia. Resultatet kan bli små felaktigheter som växer ut till stora misstag. Dessutom skall ett mönster göras i olika storlekar, så att plagget verkligen passar ägaren. Att kopiera ett litet originalplagg till en kraftig person kan ge helt felaktiga proportioner, om man inte vet hur plagget en gång burits. Det kan gälla att bedöma längden på rock och väst, på kjol och förkläde.

Äldre plagg var inte fodrade utan man tog på sig flera plagg utanpå varandra för värmens skull, men också för att markera status och förmögenhet, dubbla tröjor, fyra-fem kjolar, flera förkläden etc. Den yttersta kjolen veks stundom upp för att skydda de andra kläderna och då skulle det sitta ett förkläde även på nästa kjol. Sömmar och uppvikningar var ofta synliga och krävde en funktionell utformning. Man sydde med oblekt lingarn till alla färger och med ränder av efterstygn.

Kjolen hade enkel uppvikning med en eller flera rader grov tråd pålagda och nedsydda, ibland med en avvikande färg. Det blev både en dekoration och en förstärkning av kanten. Med en kraftig snodd kunde kjolkanten skyddas och man fick en rand i avvikande färg. Ännu kraftigare effekt åstadkoms med en klädeslist eller ett mönstrat kantband på kjolens över- eller undersida. Senare fick kjolen en skoning av linne- eller bomullstyg, men yllekjolen har aldrig haft en riktig fåll, det skulle ha gett kjolkanten ett mindre önskvärt fall.

Uppvikningar på jackor och långrockar har sytts på samma vis,

Detalj av fyra kjolar med olika slags kantning. Överst en svart goffrerad vadmalskjol med mot avigan smal uppvikt kant och två pålagda lingarnstrådar nedsydda med lingarn. Den smalrandiga röda kjolen har kantsnodd av rött ylle. Bilden visar både rät- och avigsidan. Den enfärgade röda kjolen är på avigsidan skodd med ett mönstrat kantband. Längst ner en svart kjol med kantband och bred skoning av rutig linnelärft.

Kjolarna är från Ingelstads härad i Skåne, från Häverö socken i Uppland, från Österåkers socken i Sörmland och från Kverrestad i Ingelstads härad i Skåne. Tillhör Nordiska museet.

ibland med en tygremsa i avvikande färg över vikningen. Längs plaggets framkant placerades gärna en förstärkningsslå på baksidan. Den gav stadga åt kanten där hyskor och hakar skulle fästas eller knapphål sys. Att lägga in avvikande färglister i sömmarna är ett modedrag från tidigt 1600-tal som levat kvar i olika dräktplagg på flera håll i landet.

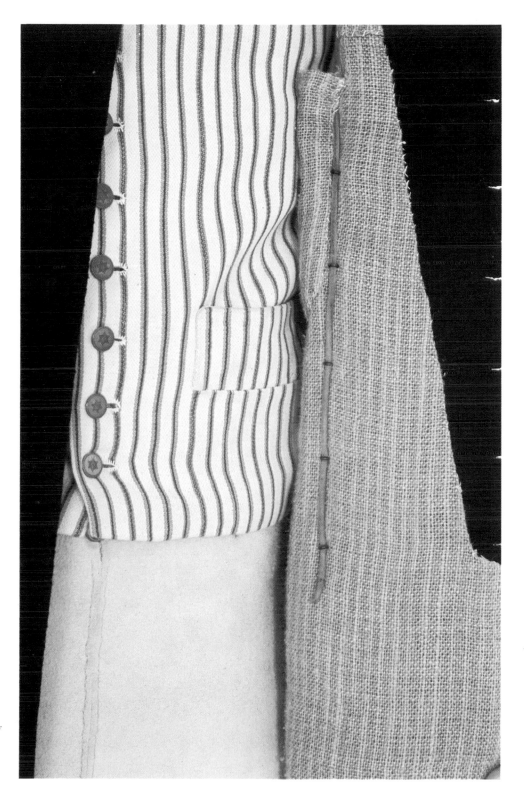

Detalj av långrock med knapphål. Bil-
den visar också hur man fäster knappar
på plagg av vadmal och skinn. Knap-
parna har öglor som är trädda genom
tyget och fästa med en genomträdd lä-
derrem på undersidan. Remmen sys
fast. Plagget på bilden är en långrock av
mörkblå vadmal från Borgsjö socken i .
Medelpad. Den är kopierad efter ett
gammalt plagg (jfr bild på s 192).

En viktig detalj är rynkningen eller veckningen på kjolen och förklädet. Rynkningen kan vara enkel, d v s en rad mot linningen eller med flera rader rynktrådar och "knäppta", fastsydda, rynkor på undersidan. Som regel gäller att veckningen börjar efter ett slätt parti under förklädet och läggs så att vecken möts vid ett avigt motveck mitt bak (se bild s 214). Bredden på vecken är beroende av kjolens vidd, men kjolen får under inga förhållanden vara snäv. Den får inte heller ha sneddade våder.

Förklädet har ibland ett brett grunt motveck fram och smala veck eller rynkpartier vid sidorna. Förklädet avslutas nedtill med band eller slå. När man ville undvika att det rullade upp sig i hörnen stack man en liten trästicka in i kantsömmen.

Detalj av "knäppta" rynkor, vilket innebär att rynkorna på baksidan, den sida bilden visar, är tillsydda med lingarn. Metoden har använts på både rynkade och goffrerade plagg. På den här bilden är det ett förkläde från Delsbo socken i Hälsingland. Tillhör Nordiska museet.

Tre förkläden som illustrerar olika sätt att rynka och vecka mot en midjelinning. Det övre förklädet är från Orsa och har täta veck som möts i ett motveck på mitten. Det mörka Delsboförklädet med blå-vita flamgarnsränder är rynkat och rynkorna är på baksidan "knäppta" med lingarn (jfr bilden s. 222). Förklädet är 47 cm brett och endast till hälften med på bilden. Det nedre förklädet, från Dalby i Värmland, har få och breda veck. Det är endast 22 cm brett vid midjan och har midjelinning av förklädets tyg. Tillhör Nordiska museet.

Dräktens vård

Några uppgifter om äldre tiders dräktvård kan ha sitt intresse. Ett och annat kanske är användbart också i dag. För att vara välklädd skulle man ha rena linnekläder, kanske stärkta med mjölk eller mjöl och väl gnidna med gnidsten eller manglade på kavle med mangelbrädet. Mässingsknapparna skulle gnidas blanka med hjälp av en knapp- sticka, d v s en trästicka med en ränna i mitten som man kunde sticka in under knappen för att skydda tyget under putsningen. De vita strumporna, skulle kritas vita med kritbiten, som inte fick saknas i någon gård. Man gnuggade ullstrumpan mjuk — den behövde aldrig tvättas — och kritade på den lite extra till söndagen. Även skinntrö- jan och skinnkjolen behövde ibland bättras på med kritan. Så aktade man sig också noga att stöta emot en nykritad päls, om man själv bar en svart vadmalsrock. Knäbyxan kanske behövde bättras på med kyllerfärg, framställd av en gul jordart som användes både till uni- formsbyxorna och till de sämskade knäbyxorna. Det skulle vara en kraftig gul färg. Om man hade skinnlappar på vadmalsbyxan skulle de behandlas med skosmörja och vara blanka och fina.

Och naturligtvis skulle alla skor hållas putsade med en smörja som man tillverkade av talg och kimrök. Denna behandling bidrog samti- digt till att göra plaggen hållbara och smidiga. Om man hade näversu- la skulle man på sina håll skrapa med en kniv på sulkanten för att få fram den vita randen. Skorna skulle i gamla dagar skyddas mot nöt- ning genom skospik och klack- och tåbeslag. Det var bara bruden som var utan skospik på bröllopsdagen men sedan sattes de naturligtvis på.

I klädstugan hängde de veckade kjolarna på ett tunnband, och de goffrerade lindades med band till en hård rulle. Förklädet veks ihop innan det hängdes över en stång i klädkammaren. Därför ska det ibland ha tre eller fyra hårda, synliga, längsgående veck. På gamla bilder kan man se hur vikningen ibland bildar kvadrater, eftersom förklädet förvarats hopviket. Överdelen har ibland haft pressade veck som en extra garnering på ärmarna. För att skydda de vita linneärmarna när man drog på sig yttertröjan vek man ett djupt veck från axeln ner mot handen. Kvinnorna har t o m medfört ett löst band som lindades om armen efter denna vikning och som, när tröjan satt på plats, kunde dras ut vid handleden.

Andra dräktplagg förvarades i hemmet i kistor och skrin och särskilda mössaskar kunde medföras, så att inte en ömtålig huvudbonad for illa på färdvägen. Se t ex de jämtländska kyrkaskarna.

Långbyxan fick sina pressveck först på 1890-talet i modedräkten och därför skall man undvika pressvecken, som aldrig förekommit på folkdräktens långbyxor.

Kläderna representerade stora värden i gångna tider och därför vårdade man dem väl så att de inte bara skulle räcka i ägarens livstid utan också med heder kunna ärvas.

Klädstuga från Matsgården, Häradsarvet, Sollerön. Här hänger halsdukar, överdelar och förkläden på sina olika stänger i taket. På träknaggar på väggen har livkjolarna sin plats och på golvet står korgar och skrin för de mindre plaggen. Foto Nordiska museet.

LITTERATURFÖRTECKNING

I denna förteckning upptas endast den viktigaste litteraturen om allmogedräkter. I de större arbetena finns litteraturanvisningar för ytterligare studier. Nya upplagor kan ha tillkommit. Reseskildringar och topografisk litteratur har ofta korta men givande dräktbeskrivningar från olika delar av landet. Vissa tidskriftsartiklar och liknande upptas i en av Svenska Ungdomsringen för bygdekultur utgiven Förteckning över folkdräktslitteratur (stencil 1968).

Allmänt

Bringéus, Nils-Arvid: Prästkappan som brudgumsplagg hos norrländsk allmoge. *Kulturspeglingar (Studier tillägnade Sam Owen Jansson).* 1966.

Cederblom, Gerda: *Pehr Hilleström som kulturskildrare 1–2.* 1927–29.

—: *Svenska allmogedräkter.* 1921.

—: *Svenska folklivsbilder.* 1923.

Dahlström, C A: *Svenska folkets seder, bruk och klädedrägter.* 1863.

Ek, Sven B: Dräktförordningarnas samhälleliga bakgrund. *Rig* 1959.

Ekman, R W: *Svenska nationaldrägter.* 1845–49.

Forssell, C: *Ett år i Sverige.* (med J G Sandbergs dräktbilder). 1827–35.

Forsslund, Karl-Erik: *Med Dalälven från källorna till havet.* (Dräktkapitel ingår i de olika sockenbeskrivningarna). 1921–39.

Kalm, Pehr: *Westgötha och Bahusländska resa förrättad 1742.* 1746.

Nylén, Anna-Maja: Dräktskicket. *Svensk bygd och folkkultur 2.* 1947.

—: *Folkdräkter.* 1949.

—: *Folkdräkter ur Nordiska museets samlingar.* 1971.

—: Förskinnet som bondeplagg. *Rig* 1951.

Svensson, Sigfrid: *Bygd och yttervärld.* 1942.

—: *Folkdräkter* — Nordiska museets och Skansens bilderböcker. — från södra Sverige nr 4. 1931
— från mellersta Sverige nr 6. 1934.
— från Dalarna och norra Sverige nr 8. 1936.

—: *Folkdräkter. Folket i fest.* 1946.

—: (utg) *Folklig dräkt.* 1974.

—: Från folkdräkt till konfektionskostym. *Fataburen* 1931.

—: Förhistoriska och medeltida traditioner i nordisk bondedräkt. *Nordisk Kultur 15 B Dräkt.* 1941.

—: *Gammalt dräktsilver.* 1964.

—: Hur en bygd fått sin folkdräkt. *Vår Hembygd, dess historia och hur den utforskas.* 1935.

—: Klädedräkt. *G Berg & S Svensson, Svensk bondekultur.* 1934.

—: Klädedräktens förändringar genom tiderna. *A Hagnell (red) Förr och nu.* 1950.

—: Modelejon i bondedräkt. *Svenska kulturbilder 2.* 1930.

—: Sockenstämmor om klädedräkt 1778. *Rig* 1934.

—: Svenska dräkten som bondeplagg. *Gustavianskt. (Studier tillägnade Sigurd Wallin)* 1932.

—: Till folkdräkternas historia. Överdrifternas betydelse i det folkliga dräktskicket. *Fataburen* 1935.

—: "Utan tror sig vara junkrar." *Kulturen* 1974.

Sydow, C W von: Folkdräkter och folktradition. *Folkminnen och folktankar* 1923.

Wallander, J W & Wetterbergh, C A: *Svenska folket sådant det ännu lever vid elfvom, på berg och i dalom.* 1864.

Wikman, K R V: Byxorna, kjolen och förklädet. *Hembygden.* Helsingfors 1915.

Wistrand, P G: *Svenska folkdräkter.* 1907.

Blekinge

Dahlin, Ingrid: Blekingedräkten. *Blekingeboken* 1937.

Öller, J J: *Beskrifning öfver Jemshögs sochn i Blekinge.* 1800.

Bohuslän

Centergran, Ulla: Folkdräktsrörelsen i Bohuslän och Göteborg. *Lunds unv.: Etnologiska Inst. Sem.uppsats H* 1973.

Kleberg, Bertha: Bohusdräkten. *Bohuslänningen nr 102–103* 1913 och *Folkdansringen nr 7–8* 1921.

Kleberg, John: Om Bohusdräkten. *Hembygden.* 1923.

Wistrand, P G: Bohuslänska folkdräkter. *Fataburen* 1908.

Dalarna

Alm, Albert: Dräktalmanacka för Floda socken i Dalarna under 1800-talets senare hälft. *Fataburen* 1930.

—: *Dräktalmanacka för Leksands socken* 1923.

Arosenius, F R: *Beskrifning öfver provinsen Dalarne* 1862—68.

Bannbers, Ola: Sneddförkläde och kråka i Floda. *Dalarnas hembygdsbok* 1954.

Bergman, Ingrid: *Kring dräktskicket i Åhl* 1969.

Boëthius, Gerda: Sockendräkten. *Orsa. En sockenbeskrivning. 3.* 1957.

Braunerhielm, Carl & Karlsson, Gösta: Tunadräkten. *Tunum* 1961 och 1963.

Crælius, F D: *Beskrifning öfver Nås socken i Westerdals fögderi af Stora Kopparbergs län.* 1837.

Dahlander, Magnus: Den ursprungliga Säterdräkten uppdagad. *Hembygden* 1938.

Duhne, Christian: Norrbärkes sockendräkt. *Dalarnas hembygdsbok.* 1950.

Ekstam, Lina: Något om den gamla sockendräkten i Bjursås. *Dalarnas hembygdsförbunds tidskrift* 1928.

Ekström, Gunnar: Sockendräkten i Mockfjärd. *Dalarnas hembygdsförbunds tidskrift* 1925.

—: Sockendräkten i Rättvik. *Dalarnas hembygdsbok* 1935.

Ericstam, Agaton: *Grytnäs socken 1—2.* 1941—53.

Gamla Älfdalsdräkten. *Skansvakten* 1917.

Hazelius-Berg, Gunnel: Brudklädsel i Leksand. *Dalarnas hembygdsbok* 1950.

—: Dräkttradition och modenyheter. *Gruddbo på Sollerön.* 1938.

Henriksson, Torris Anna: Sockendräkten. *Malung. Ur en sockenhistoria 2.* 1973.

Hülphers, Abraham: *Dagbok öfwer en resa igenom de under Stora Kopparbergs höfdingedöme lydande lähn och Dalarne åhr 1757.* 1762—63.

Jerhagen, Anne-Marie: Järnadräkten. *Dalarnas hembygdsbok* 1943.

Kjellin, Daniel: Åhls socken 1859. *J. P. Åhlén. En minnesskrift.* 1929.

Larsson i By, Carl: *En dalasockens historia. Kulturhistorisk beskrivning av By i Folkare härad 1—2.* 1920—39.

Larsson, Johan: Garpenbergs sockendräkt. *Hembygden* 1934.

Mattson-Djos, Elsa: Moradräkten. *Moraboken 5* 1971.

Målar Brita Andersdotter: Allmogeliv i Leksands socken före 1870-talet. *Dalarnas hembygdsförbunds tidskrift* 1924.

Näsnissa Olof Samuelsson: Dräktalmanacka för Orsa socken under senare hälften av 1800-talet. *Dalarnas hembygdsbok* 1934.

Näsström, Gustaf: *Dalarna som svenskt ideal.* 1937.

Odstedt, Ella: *Övre Dalarnes bondekultur 4.* 1953.

—: Rättviksdräkten och dess särdrag. *Rättvik 3* 1959.

Svensson, Sigfrid: Dalarnas folkdräkter. En början till en historisk beskrivning. *Årsbok för hembygdsvård* 1932.

—: Dräktskicket i Svärdsjö. *Karl Linge, Svärdsjö socken med Enviks kapell* 1929.

—: Hur Rättviksdräkten fått sin strutmössa. *Dalarnas hembygdsbok* 1941.

Söderbaum, Wilhelm: *Leksandsdräktens utveckling under tvåhundra år. 1750—1950.* 1967.

Trotzig, Karl: Den gamla sockendräkten i Gustafs. *Dalarnas hembygdsförbunds tidskrift* 1925.

—: Grytnäs sockendräkt. *Agaton Ericstam, Grytnäs socken.* 1941.

—: Husby sockendräkt. *Dalarnas hembygdsbok* 1931.

—: Sockendräkter i södra Dalarna. En översikt. *Dalarnas hembygdsbok* 1938.

—: Stora Skedvi gamla sockendräkt. *Dalarnas hembygdsförbunds tidskrift* 1924.

—: Söderbärkes sockendräkt. *Dalarnas hembygdsbok* 1930.

Dalsland

Bördh, A G: Dalsländskt dräktskick. *Hembygden. Dalslands fornminnes- och hembygdsförbunds årsbok* 1958.

Larsson, M.: En ny Dalslandsdräkt. *Hembygden. Dalslands fornminnes- och hembygdsförbunds årsbok* 1940.

Gotland

Gadd, David: Har Gotland haft någon folkdräkt? *Gotlands Allehanda* 1950.

Linné, Carl von: *Öländska och Gothländska resa förrättad åhr 1741.* 1745.

Svensson, Sigfrid: Dräktlyx hos gotländsk allmoge år 1793. *Ymer* 1933.

Säve, P A: Samfärdseln på Gotland i gamla tider. *Land och folk* 1873.

Gästrikland

Hedlund, Greta: Dräkt och kvinnlig slöjd i Ovansjö socken. 1750—1850. 1951.

—: Något om Ovansjö sockens gamla dräkter 1—2. *Från Gästrikebygder 1924—1925.*

Dybeck, Richard: Vallflickors Klädedrägt (Ovansjö sn) *Runa* 1849.

Halland

Bexell, Sven Pehr: *Hallands historia och beskrifning 1—3.* 1817—19

Bild och beskrivning av Fågelsjö bygdedräkt. *Hembygden* 1955.

Sandklef, Albert Andersson: Om halländska folkdräkter. Kvinnodräkten. *Vår bygd* 1935.

—: Om halländska folkdräkter. Mansdräkten (tills. med R G Bexell) *Vår bygd* 1935.

—: Våra folkdräkter. *Vår bygd* 1921.

Svensson, Sigfrid: Modespridning över Hallandsås. *Varbergs museums årsbok* 1963.

Hälsingland

Dahlin, Ingrid: Folkligt dräktskick i Arbrå. *Hälsingerunor* 1934.

—: Några anteckningar om den gamla kvinnodräkten i Ljusdal. *Hälsingerunor* 1935—1937.

Hillgren, Bror: *Delsbodräkten.* 1922.

Härjedalen

Björkqvist, Lennart: Dräktforskning i Jämtland och Härjedalen. *Årsbok för hembygdsvård* 1936.

—: Äldre folkligt dräktskick i Jämtland och Härjedalen. *Jämten* 1934.

Jämtland

Artiklar om dräkt. *Jämten 1928, 1934, 1935, 1936, 1938, 1939.*

Björkqvist, Lennart: Dräktforskning i Jämtland och Härjedalen. *Årsbok för hembygdsvård* 1936.

—: *Jämtlands folkliga kvinnodräkter.* 1941.

—: Äldre folkligt dräktskick i Jämtland och Härjedalen. *Jämten* 1934.

Karlholm, Göran: Dräktstudier i Jämtland. *Hembygden* 1958.

Ullberg, Gösta: *En bok om Kall.* 1969.

Norrbotten

Fjellström, Ph: Samernas kolt och dräktsilver. *Kulturen* 1963.

Ingvarsson, I: Norrbottensdräkten. *Hembygden* 1934. Bemötande av artikeln om Norrbottensdräkten. *Hembygden* 1934.

Närke

Dybeck, Richard: Några ord om allmogedräkten i St Mellösa socken, Närke. *Runa* 1844.

Hagström, K G: Den gamla Sköllerstadräkten. *Läsning för folket* 1889.

Saxon, Johan: Gällerstadräkten. *Gällersta. En sockenbeskrivning.* 1915.

Thorman, Elisabeth: Något om folkdräkt i Närke. *Hembygden* 1923.

Waldén, Bertil: *Stora Mellösa* 1952.

Skåne

Forsberg, Signe: *Det gamla dräktskicket i Bara härad 1—3.* 1934—1948.

—: *Skånska allmogedräkter och deras tillkomst.* 1926.

Linné, Carl von: *Skånska resa åhr 1749.* 1751.

Svensson, Sigfrid: Dräktlyx i Oxie härad. *Hyllie 19.* 1965.

—: Folkdräkterna *En bok om Skåne 1* 1936.

—: *Skånes folkdräkter.* 1935.

—: En skånsk riksdagsmannafamilj och dess kläder. *Kulturen* 1971.

Småland

Alm, Albert: Den gamla folkdräkten i ett par Smålandssocknar. *Folkminnen och folktankar* 1936.

Bringéus, Nils-Arvid: *Unnarydsborna.* 1967.

Craelius, M G: *Tunaläns, Sefvedes och Aspelands härader.* 1774.

Gaslander, Johan: *Beskrivning om svenska allmogens i Wästbo sinnelag, seder m m* 1774.

Grenander-Nyberg, Gertrud: Klädedräkten under 1800-talet. *Högsbyboken I* 1969.

Hofrén, Manne: *Ålems socken* 1949.

—: *Sockendräkt och häradsdräkt. Några ant. om allmogens dräktskick i Kalmar län.* 1927.

Hyltén-Cavallius, G O: *Wärend och wirdarne. 2.* 1868.

Linné, Carl von: *Skånska resa åhr 1749.* 1751.

Nylén, Anna-Maja: Folkligt dräktskick i Småland. *Småländska kulturbilder 1953.*

—: Värendsdräkten och dräktskicket i Värend. *Kronobergsboken* 1950.

Wistrand, P G: En småländsk folkdräkt från 1830-talet (Östra hd) *Meddelanden från Nordiska museet* 1901.

Södermanland

Cederblom, Gerda: Södermanlands folkdräkter. *Södermanland i Nordiska museet.* 1924.

Dahlin, Ingrid: Högtidsförkläden i Österåker och Vingåker. *Fataburen* 1930.

—: Österåkers sockens klädedräkter, seder och bruk m m. *Sörmlandsbygden* 1934.

Dybeck, Richard: *Mälarens öar.* 1861.

Ekström, C U: *Beskrifning öfver Mörkö socken.* 1828.

Helsing, Ulla von: Rekarnedräkten. *Hembygden* 1937.

Hultman, Margit: Sorundadräkten. *Hembygden* 1952.

Håkansson, E: Sidenhalsdukens bruk och tillverkning. *Sörmlandsbygden* 1933.

Nordin-Grip, Ingrid: Något om Sorunda sockens kvinnodräkter. *Täljebygden* 1943.

Nylén, Anna-Maja: *Folkligt dräktskick i Västra Vingåker och Österåker.* 1947.

Uppland

Cederblom, Gerda: Mansdräkt från Länna sn. — Mansdräkt från Tjockö. *Uppland i Nordiska museet.* 1926.

Dahlin, Ingrid: Om kvinnodräkten särskilt i sydvästra Uppland vid 1800-talets mitt. *Upplands fornminnesförenings tidskrift* 1933.

—: Upplandsdräkten. *Hembygden* 1932.

Ekman, Iris: Värmdödräkten. *Värmdö skeppslags fornminnesförening* 1935—1936.

Fougman, Siri: Häverödräkten. *Hembygden* 1950.

Värmland

Bergquist, Siri: Ekshäradsdräkten. *Hembygden* 1938.

Brodin, Linus (Fryksdalspojken): Något om värmländska sockendräkter. *Hembygden* 1923.

Byberg, Anders: Folkdräkten. *I Köla 3.* 1961.

Fernow, E & Björkman, P: *Beskrivning över Värmland.* 1773—79.

Gurd, (Sigurd Gustavsson): Värmländska bygdedräkter. *Hembygden* 1943.

Keyland, Nils: *Folkliv i Värmlands finnmarker.* 1954.

Nylén, Anna-Maja: Kring Värmlands folkliga dräktskick. *Värmland förr och nu* 1973.

Västerbotten

Grenander, Gunborg: En västerbottens-
dräkt. *Västerbotten* 1923.
Nylén, Anna-Maja: Något om det folk-
liga dräktskicket i Västerbotten. *Väs-
terbotten* 1944.

Västergötland

Från Borås o de sju häraderna. Färg-
bilder o snittmönster o beskrivningar)
1960 Bollebygd — mans o kvinnodräkt
1957 Kind — mans o kvinnodräkt
1959 Redväg — mans o kvinnodräkt
1956 Marks — mans o kvinnodräkt
1962 Veden + Borås — mans o kvinno-
dräkt
1961 Gäsene — mans o kvinnodräkt
Linné, Carl von: *Wästgöta-resa förrättad
åhr 1746.* 1747.
Ljungström, C J: Folkdräkt i Toarp.
*Västergötlands fornminnesförenings tid-
skrift* 1869.

Västmanland

Atterling, Henrik: Fellingsbrodräkten.
Meddelanden från Nordiska museet 1888.
Garfvé, Axel — Odhner, Einar: *Fellings-
bro sockens historia.* 1958.
Leijonhuvud, Ulla: Fellingsbrodräkten
och 1793 års "förening". *Från bergslag
och bondebygd* 1951.
Persson, Oscar: Fellingsbrodräkten.
Hembygden 1965.
Presto, Nils: Dräktforskning i Västman-
land. *Hembygden* 1956.
Svensson, Sigfrid: Hälleforsdräkten.
Från bergslag och bondebygd 1939.
Västmanlandsdräkter. *Hembygden* 1933

Ångermanland

Salvén, Eric: Om Ångermanlands man-
liga sockendräkter. *Hembygden* 1927.
Svensson, Sigfrid: *Bygd och yttervärld* 1942.

Öland

Jonsson, Martin: Bostad och klädedräkt
i Sandby socken på Öland vid 1800-
talets början. *Kalmar län, årsbok* 1925.
Linné, Carl von: *Öländska och Gothländska
resa förrättad åhr 1741.* 1745.
Modéer, Ivar: Notiser om öländskt
dräktskick från år 1759. *Kalmar län,
årsbok* 1927.
Wistrand, P G: En öländsk folkdräkt
från 1703. *Meddelanden från Nordiska
museet* 1895—1896.
Åstrandh, Petter: *Beskrifning öfver Öland,
besynnerligen det Norra Motet.* 1768.

Östergötland

Cnattingius, Bengt: En ny östgötadräkt
(Kisa). *Meddelanden från Östergötlands
fornminnesförening* 1935—1936.
—: Skedevidräkten. *Fataburen* 1927.
Dybeck, Richard: Om Wånga allmoges
klädedrägt. *Runa* 1894.
Kindestam, Sven: Folkdräkter i Öster-
götland. *Hembygden* 1945.
Mannerberg, Allan: Kinda härads all-
mogedräkt. *Hembygden* 1926.
—: Vånga sockens kvinnodräkt åter till
heders. *Hembygden* 1933.
Ödlund, Eva: Bygdedräkternas renäs-
sans i Östergötland. *Hembygden* 1923.

Av Nordiska museet publicerade folkdräkter

Schemat till höger redovisar vilka
dräkter som avbildas i följande fyra av
Nordiska museet utgivna böcker (M=
mansdräkt, K=kvinnodräkt):
P G Wistrand:
Svenska folkdräkter. 1907.
Gerda Cederblom:
Svenska allmogedräkter. 1921.
Anna-Maja Nylén:
Folkdräkter. 1949. (1)
Folkdräkter ur Nordiska museets samlingar.
1971. (2)

	Wistrand	Cederblom	Nylén 1	Nylén 2
Blekinge				
Lister			M K	
Medelstad		K		
Östra hd		K	M K	K
Bohuslän				
Fräkne			K	
Inlands hd		K	M	M K
Dalarna				
Floda	M K		M K	M K
Gagnef	M K		M K	
Leksand		M		
Malung		M		
Mora		M K		K
Nås		M		
Ore		K		
Orsa		M K		K
Rättvik			M K	M K
Sollerön				M
Svärdsjö		K		
Äl		K		
Dalsland				
Gotland		K		
Gästrikland				
Hedesunda			M K	M K
Halland				
Halmstad				M
Årstad		M K	M K	K
Hälsingland				
Bjuråker			M K	K
Delsbo	M K	M K	M K	M K
Forsa		M		
Järvsö		K		
Ljusdal	M		K	

	Wistrand	Cederblom	Nylén 1	Nylén 2
Härjedalen				
Lillhärdal			M	M
Älvros			K	K
Jämtland				
Offerdal			K	K
Rödön			M	M
Medelpad				
Norrbotten				
Överkalix			M	K
Närke				
St Mellösa		M K	M K	M K
Skåne				
Bara			K	K
Ö. Göinge			K	K
Herrestad		M		
Ingelstad	M K	M	M	M
Järrestad		K	M	
Ljunit		K		
Onsjö		K		
Torna			M	M
Vemmenhög		K		
Villand		K		
Småland				
Sunnerbo		K		
Unnaryd	M K	M K		M K
Uppvidinge			M	
Värend		K		
Västbo			M	M
Västra härad			K	K
Östra härad			K	
Södermanland				
Sorunda		M	M K	M K
V Vingåker	M K	K	M K	M K
Österåker		M K		M K

	Wistrand	Cederblom	Nylén 1	Nylén 2
Uppland				
Estuna			Ḱ	K
Frötuna		M		M
Häverö	M K	M K	K	K
Länna		M		M
Värmland				
Dalby				M
Fryksände			K	
N Ny		M K		K
Östervallskog	M K	K	M	
Västerbotten				
Lövånger			K	M K
Västergötland				
Broddetorp			K	
Rackeby		K		
Toarp	M K			K
Tunge			M K	M K
Varola			M	M
Västmanland				
Fellingsbro	M		M	M
V Färnebo			K	K
Ångermanland				
Junsele			M	M
Öland				
Ölandsdräkt		K		
Högsrum				M
Runsten		M		
Slättbo				K
Åkerbo			K	
Östergötland				
Asby (Ydre)	M		M	M
Skedevi		K	K	K
Svinhult			K	K
Vånga			M	M

ORDFÖRKLARINGAR

Armring armmudd till mansdräkten, sydd av vadmal eller stickad med flossat bräm (se s. 154).

Axelkarm remsa eller list infälld i ärmsömmen vid axeln (se s. 52).

Bindmössa mössa med hård klistrad stomme, överklädd med siden eller kattun (se s. 210 f).

Bredda kjolvåd av enklare material som vanligen doldes under förklädet; ett undantag är Rättviksdräktens tvärrandiga bredda, som använts även utan förkläde (se s. 149 och 163).

Bröstlapp bröstduk, vanligen broderad eller på annat sätt utsmyckad lapp att fästa framtill i livstycksöppningen (se s. 54). Bröstlappen kan också vara påknäppt på livstyckets framstycke och är då av samma material som detta (se s. 156). Jfr även *smäck*.

Bult valk fäst i livstyckets nederkant för att bära upp kjolen (se s. 214).

Bussarong mansplagg i form av en blus som dras över huvudet (se s. 201).

Byxor förekommer i äldre folkdräkter framför allt i tre typer: ensöms långbyxor av ålderdomligt snitt (se s. 56), knäbyxor av sämskskinn eller tyg med bred eller smal lucka, (den utan jämförelse vanligaste typen) samt långbyxor med lucka, som är den yngsta typen. Gylfknäppningen är så sen att den aldrig kom till användning i folkdräkten.

Dräktalmanacka sammanställning av de bestämda regler som gällde för bruket av de olika dräktplaggen under årets kyrkobesök. Dräktalmanackor har sammanställts framför allt i Dalarna.

Ordet har kommit att beteckna också själva bruket att variera dräkten efter sön- och helgdagar (se s. 18, 31 och 142).

Finka typ av kvinnlig huvudbonad (se s. 189).

Fälttecken brett livband av kläde eller siden med broderi och bandbesättning, knutet i sidan med två långa hängande ändar (se s. 54 och 75).

Goffrering fin veckning (se s. 190 och 214).

Gråhätta se Rättvik s. 142 och 149.

Halskläde används i denna bok som beteckning för de olika halsdukar och mindre schalar som bärs till kvinnodräkterna. Den kan bestå av en diagonalt dubbelvikt fyrkantig duk, den kan vara klippt i trekant, den kan också vara sydd och fodrad och kanske ha urskärning för halsen. I Moraområdet har halsklädet fram- och bakstycke och är försedd med en uppstående krage.

Halsduk används i denna bok som beteckning för de halskläden som bärs till mansdräkterna. Om de olika typerna se s. 209.

Halvärmar vita skjort- eller överdelsärmar som räcker till eller över armbågen. De har ärmlinning och fästs med knytband upptill runt armen.

Hatt till kvinnodräkten är en vit linnemössa av medeltida ursprung. Det är en huvudbonad för gifta kvinnor.

Hilka huvudbonad för kvinnor i form av ett rakt linnestycke som är hopfäst i nacken men i övrigt öppen bak. Hil-

kan används sommartid som skydd för solen av gift kvinna över hatten och av ogift direkt på håret.

Holkbyxa byxa med vida öppna ben av varierande längd, från knäet till vristen (se s. 101).

Hårstrykare band av tagel, ylle eller linne med vilket kvinnorna strök bort håret från hårfästet. Hårstrykare användes under olika huvudbonader. I allmänhet var den vit för gift och kulört för ogift kvinna (se s. 142).

Högmössa huvudbonad till den kvinnliga Häverödräkten.

Jacka används i denna bok som genomgående beteckning för mansdräktens korta överplagg. Den kan ha häktor eller knappar, halsslå eller krage och sys med eller utan slag. En del av dessa jackor hör utvecklingsmässigt samman med de ålderdomliga tröjorna (jfr detta ord).

Kalmink ett randigt köptyg i ylle med vaxad, glänsande yta, vävt i satinbindning.

Kamlott ett maskinvävt omönstrat fint ylletyg, ofta importerat från Frankrike eller England.

Kapprock ytterplagg för män från 1800-talets början med en eller flera axelkragar.

Kaskett mössa av läder eller kläde, sydd med två sidostycken, mittstycke, kantslå och skärm (se s. 118).

Kattun bomullstyg med tryckt mönster.

Kilmössa liten rund mössa för män, sydd av likstora kilar, som möts på hjässan, ofta prydd med band eller skinnremsor över sömmarna och i kanten.

Klut huvudbonad till den skånska kvinnodräkten (se s. 53 och 54).

Kläde ett fint köptyg av ylle, stampat och överskuret så att det får en slät och glänsande yta.

Knäremmar av läder eller skinn med beslag och spännen av mässing, ibland med besättning av kläde.

Knäppta rynkor eller veck (se s. 222).

Kolt ett medeltida plagg för såväl män som kvinnor. Typen har länge levat kvar i barndräkten och i lapparnas kolt. Kolten är skuren med fram- och bakstycke i ett, den har halsringning med sprund och påsydda ärmar. Infällda kilar kan ge vidd nertill.

Käppyxa käpp med yxliknande handtag av metall, från början yrkestecken för en bergsman.

La sidenband eller galon som flickorna i Skåne bar på huvudet. Banden hängde ner i nacken. Kunde även ingå i brudens utsmyckning.

Laskning sydda ornament på sämskade skinnplagg, bestående av upphöjda mönster som åstadkoms genom stygn, som på rätsidan drar ihop skinnet (se s. 170).

Livkjol kjol med fastsytt ärmlöst liv. En äldre typ, som kan härledas ur renässansens mode, har mycket kort liv (se Vingåker s. 105). En yngre typ hänger samman med dräktmodet vid 1800-talets början (se s. 179).

Livrock mansrock som sitter åt i livet och har skört som räcker till knäet eller ner på vaden.

Livstycke används i denna bok som benämning på kvinnodräktens häktade, snörda eller knäppta livstycke, som kan vara fastsytt vid kjolen (jfr livkjol) eller vara ett löst plagg. Ordet livstycke har också betecknat en mansväst utan ärmar, använd under jacka eller tröja (se Leksand s. 150).

Länkknapp två sammanlänkade knappar, använda vid hals- eller handledslinning på skjortor och överdelar.

Långrock används i denna bok som benämning på långa ytterplagg till mansdräkten. En del av dessa är rätteligen tröjor av ålderdomligt snitt, en del livrockar av olika typer.

Maljor metallöglor med ornament som sys parvis på livstycket, som sedan snörs ihop med snodd, kedja eller band, som dras genom maljorna.

Mollskinn maskinvävt bomullstyg, använt till knäbyxor som ersättning för sämskat skinn.

Muslin tunt maskinvävt ylletyg, ofta med tryckt mönster, använt t.ex. till halskläden.

Nattkappa skjortkrage med fastsytt bröststycke, som bars över vardagsskjortan, vilket gav ett fräscht och rent intryck utan att hela skjortan behövde bytas.

Rask kyprat ylletyg med vaxad, blank yta. Det var ett köptyg som tidigare tillverkades även i Sverige. Nu är den sista tillverkningen nerlagd även i England och nytillverkad rask kan alltså ej längre köpas (se t.ex. s. 152).

Skimp mansförkläde av läder med halsrem och oftast även med midjerem.

Skimpa läderförkläde med midjelinning för kvinna (se s. 45).

Skört den del av livstycket, jackan eller långrocken som går ner nedanför midjan. På livstycket är det vanligen ett mycket kort skört, på långrocken kan det räcka till knäna.

Smäck kallades på sina håll den bröstlapp som häktades eller knäpptes på livstycket och dolde en undre häktning eller snörning.

Snörnål nål av silver eller mässing som fästs i snörsnoddens ände för att underlätta trädning genom maljor eller tränsade hål.

Stopahätta huvudbonad till den kvinnliga Toarpsdräkten (se s. 92).

Strykband se hårstrykare.

Stycke remsa att fästa under bindmössan. Stycket är av linne eller bomull, med brodcri, kantspets eller tyllträdning av olika finhetsgrad (se s. 212).

Ståndkrage uppstående krage, framför allt på mansdräktens väst, tröja och långrock (se t.ex. s. 135).

Svetteduk vit linneduk använd under sidenhalsklädet för att skydda detta för beröring med huden (se Sorunda s. 110).

Särk underplagg för kvinnor (se s. 215).

Treskaft urgammal vävteknik. Vävnaden blir oliksidig och har vanligen linnevarp och ylleinslag. Tekniken används till kjol- och förklädestyger och är fortfarande i bruk t.ex. i Värmland.

Trindmössa i Värmland benämning på kilmössa.

Tröja används i denna bok som benämning på kvinnodräktens korta ytterplagg. Tröja är också en gammal beteckning för ett relativt långt överplagg för såväl män som kvinnor. Detta hade ursprungligen hel rygg, sidokilar och häktor fram (se t.ex. Dalbytröjan s. 135). Senare syddes tröjorna med ryggsömmar och kunde också, t.ex. i Skåne, bli ett tämligen kort plagg med midjeskört.

Vadmal ylletyg (ibland med linnevarp) i tuskaft eller fyrskaft som stampades eller valkades så att det blev tjockt och tätt. Vadmal vävdes oftast hemma.

Väst är i denna bok benämning på ärmlösa mansvästar. En äldre benämning för detta plagg är livstycke. Ärmväst är ett plagg med ärmar utan uppslag och utan krage, alltså till funktionen en jacka (se Frötuna s. 117).

Örmössa huvudbonad till den kvinnliga Sorundadräkten (se s. 111).

Överdel, i Skåne "opplöt", är till funktionen en blus med långa ärmar. Den är av linne eller bomull och kan vara enkel eller utomordentligt fint arbetad. Form och snitt varierar men överdel bärs till praktiskt taget alla kvinnliga folkdräkter i landet. Se texten om särken s. 215.

REGISTER